Dicembre 1989
Alessandra Bonatti

Goethe, 1970

Il tè del cappellaio matto, 1972

Immagini di Alessandro Manzoni, 1973, ristampato col titolo *Manzoni*, 1980

Alessandro, 1974, nuova edizione ampliata col titolo *Alessandro Magno*, 1985

La primavera di Cosroe, 1977

I frantumi del mondo, 1978

Il velo nero, 1979

Vita breve di Katherine Mansfield, 1980

I racconti dei gatti e delle scimmie, 1981

Il migliore dei mondi impossibili, 1982

Tolstoj, 1983

Cinque teste tagliate, 1984

Il sogno della camera rossa, 1986

Pietro Citati

Kafka

Rizzoli

ISBN 88-17-66279-8

Prima edizione: ottobre 1987

Kafka

I

L'UOMO ALLA FINESTRA

Tutte le persone che incontrarono Franz Kafka nella giovinezza o nella maturità, ebbero l'impressione che lo circondasse una «parete di vetro». Stava là, dietro il vetro trasparentissimo, camminava con grazia, gestiva, parlava: sorrideva come un angelo meticoloso e leggero; e il suo sorriso era l'ultimo fiore nato da una gentilezza che si donava e si tirava subito indietro, si spendeva e si chiudeva gelosamente in sé stessa. Sembrava dire: «Sono come voi. Sono uno come voi, soffro e gioisco come voi fate». Ma, quanto più partecipava al destino e alle sofferenze degli altri, tanto più si escludeva dal gioco, e quell'ombra sottile di invito e di esclusione sul margine delle labbra assicurava che egli non avrebbe mai potuto essere presente, che abitava lontano, molto lontano, in un mondo che non apparteneva nemmeno a lui.

Cosa vedevano, gli altri, dietro la delicata parete di vetro? Era un uomo alto, magro, esile, che portava in giro il suo lungo corpo come se l'avesse ricevuto in dono. Aveva l'impressione che non sarebbe mai cresciuto; e non avrebbe mai conosciuto il peso, la stabilità, l'orrore di quella che gli altri chiamano con gioia incomprensibile l'«età matura». Una volta confessò a Max Brod: «Io non vivrò mai l'età virile: da bambino diventerò subito un vecchio coi capelli bianchi». Tutti erano attratti dai suoi grandi occhi, che teneva molto aperti e talora spalancati e che in fotografia, colpiti dal lampo improvviso del magnesio, sembravano da spiritato o da visionario. Aveva le ciglia lunghe: le pupille vengono definite ora marroni, ora grige, ora blu-acciaio, ora semplicemente scure, mentre un passaporto assicura che erano «grigio-blu scure». Quando si guardava allo specchio trovava che i suoi sguardi erano «incredibilmente energici»: ma gli altri non finivano di commentare e di interpretare i suoi occhi, come se soltanto essi offrissero una porta verso la sua anima. Qualcuno li giudicava pieni di tristezza: qualcuno si sentiva osservato e scrutato: qualcuno li scorgeva illuminarsi di un tratto, splendere con dei granelli d'oro, poi diventare pensosi e addirittura scostanti: qualcuno, li vedeva penetrati di un'ironia ora mite ora dissolvente: qualcuno vi scorgeva stupore e una strana furbizia: qualcuno, che lo aveva molto amato inseguendo in mille modi il suo enigma, pensava che, come Tolstoj, egli sapesse una cosa di cui gli altri uomini non sanno nulla: qualcuno li trovava impenetrabili; qualcuno, infine, credeva che una calma di pietra, un vuoto mortale, un'estraneità funeraria dominasse a volte il suo sguardo.

Molto di rado prendeva la parola di propria iniziativa: forse gli sembrava un'insopportabile arroganza uscire non chiamato sul proscenio della vita. La sua voce era dolce, sottile e melodiosa: soltanto la malattia l'avrebbe resa spenta e quasi roca. Non diceva mai nulla di insignificante: tutto ciò che è quotidiano gli restava estraneo, oppure veniva trasfigurato dalla luce del suo mondo interiore. Se l'argomento lo ispirava, parlava con facilità, con eleganza, con vivacità, talora con entusiasmo: si lasciava andare, come se tutto potesse essere detto a tutti: lavorava i suoi discorsi con il piacere dell'artigiano soddisfatto della propria opera; e accompagnava le parole col gioco delle dita lunghe ed eteree. Spesso contraeva le sopracciglia, corrugava la fronte, sporgeva il labbro inferiore, giungeva le mani, le posava aperte sulla scrivania o ne premeva una sul cuore, come un vecchio attore di melodrammi o un nuovo mimo del cinema muto. Quando rideva, chinava la testa indietro, apriva appena la bocca, e chiudeva gli occhi fino a farli diventare degli spiragli sottilissimi. Ma, fossero lieti o tristi gli spiriti della sua anima, non smarriva mai il dono degli dei: la sovrana naturalezza. Proprio lui, che credeva di essere ed era contraditorio e contorto – nient'altro che un relitto, un sasso, un legno spezzato infilato in un campo sconvolto, un frantume rimasto da altri frantumi, nient'altro che grido e lacerazione – lasciava l'impressione che i suoi gesti esprimessero «la calma nel movimento». Già nella vita, prima che nella scrittura, raggiungeva la quiete. Nulla può risvegliare negli uomini un'impressione più profonda. Venivano a lui, inquieti o incerti o semplicemente curiosi, vecchi amici, scrittori già affermati, giovinetti infelici e megalomani, e ne traevano un'impressione di benessere e quasi di gioia. Davanti a lui, la vita mutava. Tutto sembrava nuovo: tutto sembrava visto per la prima volta; spesso nuovo in modo molto triste, ma senza escludere mai un'ultima possibilità di conciliazione.

Quando dava un appuntamento agli amici, arrivava sempre in ritardo. Giungeva a passo di corsa, con un sorriso imbarazzato sul volto, e teneva la mano sul cuore come per dire: «Sono innocente». L'attore Löwy lo attendeva a lungo sottocasa. Se vedeva la luce accesa nella stanza di Kafka, supponeva: «sta ancora scrivendo»: poi la luce si spegneva di colpo, ma restava accesa nella stanza vicina, e allora si diceva: «sta cenando»: la luce si riaccendeva nella sua camera, dove lui, dunque, si stava lavando i denti: quando si spegneva, Löwy pensava che stesse scendendo velocemente le scale; ma ecco che si riaccendeva di nuovo, forse Kafka aveva dimenticato qualcosa... Kafka spiegava che adorava aspettare: una lunga attesa, con lente occhiate all'orologio e indifferente andare e venire, gli era piacevole quanto starsene coricato sul divano con le gambe distese e le mani nelle tasche. Aspettare dava uno scopo alla sua vita, che altrimenti gli sembrava così indeterminata: aveva un punto prefisso davanti a sé, che segnava il suo tempo, e lo assicurava di esistere. Forse dimenticava di dire che arrivare in ritardo era per lui un modo di eludere il tempo: di vincerlo, spossandolo a poco a poco e sottraendosi al suo battito regolare.

Gli amici lo scorgevano da lontano, vestito in modo sempre pulito e ordinato, mai elegante: abiti grigi o blu scuri, come un impiegato. Per un lungo periodo, nel suo sogno di ascetismo e di impassibilità stoica, indossò un solo vestito per l'ufficio, la strada, la scrivania, l'estate e l'inverno; e a novembre avanzato, mentre tutti portavano pesanti soprabiti, compariva sulle strade «come un pazzo in abito estivo con un cappelluccio d'estate», quasi volesse imporre un'uniforme sola alla diversità della vita. Appena vedeva gli amici, sembrava lieto. Sebbene comunicasse con loro solo «con la punta delle dita», aveva una compitezza cinese, che nasceva dall'estenuazione del cuore e da una quasi irraggiungibile raffinatezza dello spirito. Aveva una grazia ironica nel porgere: una levità da Carroll, da santo 'hassidico o da folletto romantico; una fantasia capricciosa, sospesa e vagante – delicatezze da poesia orientale, deliziosi *marivaudages*, giochi col fumo, col cuore e la morte.

Quando era insieme agli amici, esprimeva volentieri il suo dono di mimo. Ora imitava qualcuno che maneggiava il bastone da passeggio, il gesto delle sue mani, i movimenti delle dita. Ora imitava una persona nella complessità della sua natura, e il suo mimetismo interiore era così potente e perfetto da diventare inconsapevole. Spesso leggeva testi che amava: con allegria e rapimento, con occhi lucidi dalla commozione, con voce rapida, capace di ricreare il ritmo per mezzo di segrete vibrazioni di canto, facendo spiccare le intonazioni con una precisione estrema, assaporando delle espressioni e ripetendole oppure sottolineandole con insistenza; fino a quando Flaubert o Goethe o Kleist, lui che leggeva, gli amici o le sorelle si fondevano nella stanza in una persona unica. Era il suo sogno di potenza – il solo che lui, nemico di ogni potere, abbia mai desiderato realizzare. Da ragazzo, aveva sognato di stare in una grande sala piena di gente e di leggere ad alta voce tutta l'*Éducation sentimentale*: senza smettere, senza interrompersi mai, per tutte le notti e le mattine e le sere necessarie, come poi avrebbe sognato di scrivere *Il disperso* o *Il castello* di un solo fiato. Gli altri lo avrebbero ascoltato, senza stancarsi, pendendo affascinati dalle sue labbra.

Appena la serata finiva, Kafka tornava a casa con la sua leggerezza da uccello. Camminava con passo veloce, lievemente curvo, il capo un po' inclinato, ondeggiando come se folate di vento lo trascinassero ora da una parte ora dall'altra della strada: posava le mani incrociate sopra le spalle; e la sua lunga falcata, unita al colore scuro del volto, lo faceva prendere a volte per un indiano mezzo sangue. Passava così, a notte fonda, assorto nei suoi pensieri, davanti a palazzi, chiese, monumenti e sinagoghe, svoltando nelle pittoresche e oscure viuzze laterali che attraversavano Praga. Era il suo modo di prendere commiato dalla vita e di togliere forza alla sicura infelicità del giorno successivo.

La mattina alle otto arrivava puntuale nel suo ufficio, all'*Istituto di Assicurazioni contro gli infortuni dei lavoratori per il regno di Boemia.* Davanti alla scrivania coperta da un mucchio arruffato di carte e di pratiche, dettava al dattilografo: ogni tanto, la mente si arrestava, vuota di qualsiasi idea; e il dattilografo si appisolava, accendeva la pipa o guardava dalla finestra. Partecipava a riunioni: scriveva documenti e relazioni; compiva ispezioni. Era giudicato un ottimo impiegato: «instancabile, diligente e ambizioso,... un lavoratore molto zelante, di non comune talento e straordinariamente ligio al dovere». I suoi superiori non sapevano che egli non era affatto «ambizioso». Lavorava lì, in quel frastuono, tra quella folla di impiegati e di portieri e di lavoratori infortunati, soltanto perché sapeva di non dover dedicare tutto il proprio tempo alla letteratura. Temeva che la letteratura lo risucchiasse, come un vortice, fino a farlo smarrire nelle sue regioni sterminate. Non poteva essere libero. Aveva bisogno di una costrizione: doveva dedicare le giornate a un lavoro estraneo; e solo allora, avrebbe potuto ritagliare nel suo carcere quotidiano quelle ore preziose, quelle ore notturne, nelle quali la sua penna inseguiva il mondo ignoto che qualcuno gli aveva imposto di portare alla luce. Il lavoro d'ufficio gli dava il sottile piacere, che egli gustò come pochi, di essere irresponsabile: nessuna decisione autonoma, nessun foglio scritto a mano, e in fondo ai fogli non il nome, ma la sigla FK. Ma quale tensione esigeva questa doppia vita! Era alle prese con l'immensa e tortuosa attività dell'ufficio e con i fantasmi delle sue notti: non aveva agio, non aveva tempo: gli restavano poche ore per dormire; e da questo contrasto più di una volta pensò che sarebbe stato ridotto a brandelli, o che la sola via di salvezza era la follia.

Tornava a casa – nell'altro suo carcere, «tanto più opprimente in quanto sembrava una casa borghese del tutto uguale alle altre» – intorno alle due e un quarto del pomeriggio. Diceva di viverci come uno straniero, per quanto fosse grande il suo amore verso il padre e la madre e le sorelle. Non partecipava ai riti della famiglia: il gioco delle carte, le riunioni. Qualche volta un timido bacio della madre per la buonanotte lo riavvicinava a lei. «Così va bene» egli diceva. «Non ho mai osato» rispondeva la madre: «Pensavo che non ti piacesse. Ma se ti piace, anch'io ne sono molto contenta»; e gli sorrideva con una tenerezza tramontata e in qualche modo risorta per il momento. Non condivideva le pietanze comuni. Mentre gli altri mangiavano carne – quella carne risvegliava alla sua memoria piena d'odio e di disgusto tutta la violenza che gli uomini avevano sparso sulla terra, e le minuscole filamenta tra un dente e l'altro gli sembravano germi di putredine e di fermentazione come quelli di un topo morto fra due pietre –, lui rovesciava sulla tavola la ricca cornucopia della natura. Aveva sempre amato il vitto dei ristoranti vegetariani: cavolo verde con uova al tegame, pane integrale, semolino con succo di lampone, lattuga con panna, vino di uva spina; e i cibi teneri dei sanatori – marmellata di mele, purè di patate, legumi liquidi, succhi di frutta, frittate dolci, che scorrevano rapidi e quasi inosservati giù per la gola. Cercava di vincere quelle diete; e yoghurt, Simonsbrot, noci e nocciole, castagne, datteri, fichi, uva, mandorle, uva passa, zucchero, banane, mele, pere, arance, ananas lo riempivano di quel nutrimento soave, che doveva sostenerlo durante il lavoro notturno.

Poi si ritirava nella sua stanza, che era un luogo di passaggio o piuttosto una fragorosa strada di collegamento fra il salotto e la camera da letto dei genitori. C'era un letto, un armadio, un piccolo, vecchio scrittoio con pochi libri e molti quaderni. Alle pareti stavano forse ancora le riproduzioni dell'appartamento della Zeltnergasse: una stampa dall'*Aratore* di Hans Thoma e il calco in gesso di un piccolo rilievo antico, una menade che danzava brandendo una coscia d'animale. Non sempre la scrivania era in ordine: dal cassetto venivano fuori opuscoli, vecchi giornali, cataloghi, cartoline illustrate, lettere aperte o stracciate, formando una specie di scalinata: la spazzola giaceva con le setole in giù, il borsellino era aperto nel caso che egli volesse pagare, dal mazzo delle chiavi ne sporgeva una pronta ad agire, e la cravatta era ancora in parte annodata intorno al colletto. Con la sua sensibilità aguzzata dalla nevrosi, non sopportava i rumori: gli sembrava di vivere e scrivere nel «quartier generale del rumore di tutto l'appartamento», «con un costante tremito sulla fronte». Le porte sbattevano, e il loro rumore copriva i passi frettolosi dei genitori e delle sorelle. Lo sportello del focolare in cucina sbatteva. Il padre spalancava la porta della sua camera e l'oltrepassava trascinandosi dietro la vestaglia frusciante: qualcuno grattava la cenere nella stufa della stanza vicina: la sorella Valli chiedeva a casaccio, come attraverso un vicolo di Parigi, se il cappello del padre era già spazzolato: altri sibili, altre grida: la porta di casa gracchiava come una gola catarrosa, poi si apriva col breve canto di una voce femminile e si chiudeva con una cupa scossa virile; e poi c'era il rumore più tenero, più disperato, di due canarini.

Con una dolorosa stanchezza, si gettava sul divano e guardava le luci. Quando la porta della stanza era colpita contemporaneamente dalla luce dell'anticamera e da quella della cucina, lungo i vetri si riversava una luce verdastra. Se veniva colpita soltanto dalla luce della cucina, il vetro più vicino diventava azzurro cupo, l'altro di un azzurro così bianchiccio, che sul vetro smerigliato si scioglieva tutto il disegno. Le luci e le ombre, proiettate dalla luce elettrica della strada, erano disordinate, sovrapposte, e difficili da capire. I lumi proiettati dal tram in corsa contro il soffitto passavano biancastri, velati e a scatti meccanici: mentre, al primo fresco e pieno riverbero dell'illuminazione stradale, un punto luminoso scivolava sull'equatore di un mappamondo, lasciandolo tuttavia bruniccio come una mela renetta. Alla fine, come Gregor Samsa e Josef K., Kafka si affacciava alla finestra che dava sul fiume e sul parco. Era tardi: non sentiva più il peso della luce. Ora contemplava con attenzione meticolosa tutto quanto si intravedeva nel crepuscolo: ora il suo sguardo vuoto e indeterminato, che sorgeva da chissà quali sconvolgimenti e complicazioni del cuore, cancellava le cose: ora affidava allo sguardo immoto la sua quieta malinconia, la sua fuga dall'esistenza, il suo desiderio di non vivere più; ora fissava nel viso i passanti e il colore delle case, e cercava di stabilire un rapporto tra sé e gli oggetti, e degli oggetti tra loro, come se potesse trovare nella strada «un qualsiasi braccio a cui potersi attaccare». Forse trovava nello sguardo, soltanto nello sguardo, una liberazione e una salvezza: quel «nutrimento sconosciuto», al quale aveva sempre agognato.

Intorno ai vent'anni, aveva provato per Oskar Pollak, un giovane critico d'arte morto nella prima guerra mondiale, una di quelle amicizie pure e esclusive, che nascono soltanto nel fuoco morbido della giovinezza. Lui esisteva solo per l'amico; e la tensione era così grande da fargli temere, ad ogni istante, che l'amico diventasse uno straniero e l'abbandonasse. Era un'amicizia piena di reticenze, di cautele e di rispetto: egli diceva di ignorare l'altro e che l'altro lo ignorava; aveva sfiducia nelle parole che scambiavano, e pensava che non potessero comunicare fra loro: «Quando parliamo insieme, le parole sono dure, ci si cammina sopra come su un lastrico ineguale. Alle cose più fini si gonfiano i piedi e noi non ne abbiamo colpa. Noi quasi ci ostacoliamo a vicen-

da, io urto te e tu... io non oso, e tu... Siamo in dòmino con le maschere sul viso, facciamo (sì, io sopratutto) gesti sgraziati e poi a un tratto siamo tristi e stanchi. Sei mai stato stanco con qualcuno come con me?... Quando parliamo insieme siamo ostacolati da cose che vogliamo dire e non possiamo dire così, ma ci esprimiamo in modo da fraintenderci a vicenda o da non ascoltarci addirittura o da deriderci...».
Eppure, di colpo, malgrado quelle parole incerte, balbettate, traditrici, coi «piedi gonfi», andava incontro all'amico con slancio e gli offriva tutto sé stesso. «Prendo un pezzo del mio cuore, lo avvolgo con cura in qualche foglio di carta scritta e te lo do.» Allora quest'uomo timido, diffidente, che non possedeva sé stesso, che una barriera invalicabile divideva da tutte le cose, diventava l'amico: viveva attraverso l'amico: pensava con la sua mente, amava attraverso il suo cuore, guardava con i suoi occhi – perché egli non aveva ancora imparato a vedere da solo. «Per me tu eri, oltre a molte altre cose,» gli confessò più tardi «anche una specie di finestra dalla quale potevo guardare le vie.»
Mentre parlava o passeggiava o scriveva a Pollak, Kafka si sdoppiava: lui stava alla scrivania e un altro io assisteva all'incontro di Pollak con una ragazza; lui stava, beato, a letto e un altro io recitava, come un attore indifferente e ironico, la sua parte per le strade. L'amico era uno di questi io; e tutte queste persone, che Kafka aveva estratto con divertimento estasiato e doloroso dal proprio cuore, finivano per amarsi, per odiarsi, per aggredirsi con una disperata tensione nevrotica. In quegli anni, nessuno ebbe un animo più antagonistico di Kafka – il più mite tra gli uomini. Nell'incantevole *Descrizione di una battaglia*, scritta tra il 1904 e il 1910, che nasce da queste esperienze, il racconto è un vorticoso gioco di specchi, dove Kafka raffigura ininterrottamente sé stesso in sempre nuovi personaggi; e dove perfino le parole pronunciate diventano interlocutori invisibili. Tra queste raffigurazioni non c'è requie: ora si odiano e vorrebbero assalirsi e uccidersi; ora si abbracciano, si baciano il volto, si baciano le mani, con

un'effusione piena di lacrime. Kafka si rese conto che rischiava di essere travolto dalla violenza delle proprie proiezioni; e, con un gesto che ripeté senza fine, cercò di trasformare l'amicizia in una pura corrispondenza epistolare. La parola scritta, della quale aveva tanto dubitato, non era forse la cosa perfetta? I cuori si aprono completamente solo quando i volti sono lontani: quando la presenza non ci imprigiona e gli sguardi non si toccano, – ma mani fredde e appassionate coprono di segni la carta bianca. Allora diventiamo leggeri; e sopra di noi splende lo sguardo distante della luna.

Le lettere a Oskar Pollak sono i primi capolavori di Kafka. Vi regna una passività contemplativa, arresa dinanzi all'inesorabilità delle cose: una estenuazione senza riserve, che porta il giovane Kafka a diventare il luogo echeggiante e vuoto, dove si deposita il mondo; e una specie di tranquillo sfacelo dell'io. «Periodo singolare, quello che passo qui, te ne sarai già accorto, e avevo bisogno di un periodo così singolare, periodo nel quale me ne sto coricato per ore sul muro di una vigna e fisso le nuvole di pioggia che non vogliono andare via di qui o nei vasti campi che diventano ancora più vasti quando si ha negli occhi un arcobaleno o quando sto seduto nell'orto e ai bambini... narro favolette o costruisco castelli di sabbia o gioco a nasconderci o intaglio tavolini che – Dio mi è testimone – non riescono mai bene. Tempo singolare, vero? O quando vado per i campi, ora tutti bruni e melanconici con gli aratri abbandonati, che però mandano lampi argentei quando nonostante tutto arriva il sole sul tardi e getta sui solchi la mia lunga ombra (sì, la mia lunga ombra, chissà che con essa io non raggiunga il regno dei cieli?). Hai già notato come le ombre della tarda estate danzino sulla terra scura sconvolta, come danzino corposamente?» È una prosa ondeggiante, melodica, floreale, sospesa, criptica, angelica: una efflorescenza irreale di immagini, che nascono più dalla fantasia sovreccitata che dalla mente; fino a quando l'estenuata stilizzazione di un gesto la infrange di colpo. Come egli disse, era una prosa «cortese»: scritta da uno che non voleva sopportare sopra sé stesso la luce violenta della verità, la chiarezza della grande opera d'arte. Viveva nella penombra e nell'elusione; e se non avesse osato spezzare questo incantevole velo, avrebbe ottenuto per sempre, senza strazio e lacerazione, il dono della fluidità e della leggerezza.

Spesso desiderava trasformare tutto il mondo in un sogno, in una forma aerea e sospesa sopra il suo capo. Una volta immaginò che il personaggio di un suo romanzo stesse a letto, nella forma di «un grosso coleottero, di un cervo volante o di un maggiolino», con una coperta giallo-scura ben stesa sopra di lui, mentre godeva l'aria che soffiava dalla finestra aperta. Non era disceso, ma asceso fino al livello di un animale: aveva acquistato la sovranità contemplativa delle pietre e delle grandi creature animali-divine; e, dal suo letto, mentre una sciocca e nulla controfigura lo rappresentava nel mondo, dominava la realtà della vita, che gli chiedeva il permesso di esistere. Non si abbandonò sovente a questi sogni di onnipotenza narcisistica. Ma era pieno di dubbi sulla realtà. Avrebbe voluto sapere come era prima di mostrarsi a lui, prima che il suo occhio fragile e dissolutivo si posasse sopra di essa; e credeva che, agli altri, si offrisse intera, compatta, rotonda, pesante, onnicomprensiva. Per loro, persino un piccolo bicchiere di liquore stava fermo sul tavolo come un monumento. Quanto a lui, non era affatto certo che fosse solida. Il primo segno della realtà era quello di essere irreale. Tutto era così fragile, incerto, disgregato, pieno di crepe. «Perché mai fate come se foste reali? Volete forse farmi credere che irreale sono io, così buffo sul lastrico verde? Eppure è passato molto tempo da quando tu, cielo, eri reale, e tu, piazza, non sei mai stata reale.» E poi le cose si muovevano e cambiavano nome vertiginosamente: quel pioppo non doveva forse chiamarsi «torre di Babele» oppure «Noè, quando era ubriaco»? Allora, se l'universo era soltanto l'invenzione illusionistica di uno spiritoso demiurgo teatrante, lui doveva continuare quel gioco, con l'immagine e la parola. Chi poteva escludere che, con un atto di magia, riuscisse a creare un altro universo, di cartone, di gesso e di fumo? Chiudeva gli occhi, e lì faceva nascere un monte, allargava le rive del fiume, creava una foresta, faceva salire le stelle in cielo, cancellava le nuvole, diventava sempre più piccolo, colla testa come un uovo di formica e le braccia e le gambe lunghissime: ad un suo gesto, il vento soffiava nella piazza della città, innalzando nel cielo gli uomini e le donne; mentre i suoi messi – vecchi domestici in marsina grigia – salivano su lunghe pertiche sollevando da terra enormi lenzuoli grigi e stendendoli in alto perché la loro padrona desiderava una mattina nebbiosa.

Anche lui, come tutte le cose, era irreale: soltanto una *silhouette* ritagliata nella carta velina gialla, che frusciava sottilmente ad ogni gesto e ad ogni passo; soltanto un'ombra che non faceva rumore, che nessuno vedeva, che saltellava lungo le case, scomparendo talvolta nei cristalli delle vetrine, e non si poteva esporre alla luce perché si sarebbe dissolta al primo raggio del cielo. Se Peter Schlemihl aveva perduto la sua ombra, lui aveva perduto il proprio corpo. Sentiva di essere indistinto, di non avere limiti, di sciogliersi nell'atmosfera. Se soffriva di irrealtà, non aveva davanti a sé che una strada per esistere. Doveva fingere, recitare sempre nuove parti e ruoli sul grande palcoscenico dell'universo: inscenare perfino la parte dell'uomo che prega, perché solo recitando poteva entrare in rapporto con la trascendenza. Ma, alla fine, ogni recita era inutile. Aveva soltanto un desiderio: fuggire, volare via. Fin da ragazzo, quando d'inverno si doveva accendere la lampada subito dopo il pranzo, non poteva fare a meno di gridare, si alzava in piedi, e levava le braccia per esprimere il desiderio di volare via. Diceva agli amici: «Ogni giorno mi auguro di allontanarmi dalla terra». Non sapeva come sarebbe volato: non sapeva se avrebbe aperto grandi ali bianche, come gli angeli. «Non è, per esempio,» si chiedeva «anche la disposizione al volo una debolezza, trattandosi di un vacillare, di una incertezza, e di uno svolazzare?»

Presto cominciò ad accorgersi di qualcosa di molto più

grave. Non era soltanto un fantasma irreale: quel fantasma era smembrato, fatto a pezzi, un ammasso di ossa, di ossicini e di nervi, che nessuno poteva tenere insieme. «Se mi mancasse» scriveva «qui un labbro superiore, là il padiglione dell'orecchio, qui una costola, là un dito, se avessi in testa macchie senza capelli e fossi butterato in faccia, ciò non sarebbe ancora un sufficiente contrappeso alla mia imperfezione interiore.» Ma non bastava ancora: doveva dire tutto. Egli era molto di meno: un'assenza, una lacuna, una buca, che qualcuno aveva scavato: qualcosa di assolutamente negativo, che un dio oscuro aveva immaginato; una forma vuota e inquieta, che non riusciva a guardare in viso gli estranei, che non sapeva rispondere alle domande, che non sapeva pensare, parlare, mangiare, amare, dormire come fanno gli altri. Non aveva basi né radici: non aveva suolo sul quale posarsi, nemmeno quel poco terreno sul quale gli altri posano i piedi e dove vengono sepolti; non aveva patria né famiglia né cuore né sentimenti; e se tentava di pensare, tutte le idee non gli venivano dalla loro radice, ma da qualche punto verso la metà. «Provatevi allora a tenerle,» gridava «provatevi a tenere e ad aggrapparvi a un filo d'erba che cominci a crescere soltanto a metà dello stelo.» La sua vita era come un esercizio dei giocolieri giapponesi, i quali s'arrampicano su una scala che non posa sul terreno ma sulle piante sollevate di un compagno che sta disteso, e la scala non è appoggiata alla parete ma si leva ritta nell'aria. Cosa poteva fare allora, se non imitare quei trapezisti del nulla, che rimasero il simbolo più fedele della sua arte? E salire anche lui sulla scala senza radici? Così, imparò a poco a poco i suoi esercizi. Camminava sopra la trave, che lo conduceva sull'abisso dell'acqua, senza avere nessuna trave sotto i piedi. Non vedeva che la propria immagine riflessa nell'acqua, e quella proiezione diventava il suolo sul quale muoversi: il suo ego irreale era alle volte così forte da parere uno dei cinque continenti conosciuti, e gli permetteva di tenere unito il mondo con i piedi. Camminava, camminava, con le braccia distese nell'aria, che gli tenevano luogo del lungo palo dell'equilibrista.

Così cominciò le sue delicate e funeree *clowneries*, che riprese prima di morire, come volesse salutare per l'ultima volta la propria adolescenza. Ora era il clown di Baudelaire, astratto, disumano, senza traccia di sentimento: ora aveva il sentimentalismo buffonesco, il funambolismo e le lacrime sulle ciglia del Pierrot di Laforgue: ora sembrava una pertica in ciondolante movimento, sulla quale era goffamente infilato un cranio dalla pelle gialla e dai capelli neri: ora un guitto da avanspettacolo, che levava le gambe con petulanza, e faceva crocchiare gioiosamente le giunture: ora era un buffone 'hassidico, a cui bastavano quattro tavole sotto i piedi e qualche cencio colorato, per recitare imperterrito la parte di uno scroccone, che rimaneva steso per terra sotto ogni pressione e piangeva col viso asciutto, ma non appena la pressione cessava perdeva ogni peso e saltava subito in aria, leggero come una piuma: ora era il rocchetto di refe piatto, il clown Odradek, cosa e non-cosa, mobilissimo, infantile, che viveva nei solai, per le scale e i corridoi, e rideva con un fruscio di foglie morte... Tutti questi clown giocavano per evitare la monotonia e la noia del tempo: giocavano col nulla e la desolazione, con una moltitudine di Nessuno, antenati dei clown di Beckett. Il primo frutto di questi giochi fu la *Descrizione di una battaglia*: un libro di una sottilissima ebbrezza, di una continua euforia, tenero, ironico, estroso, sbandato, fondato sui balzi tematici e sui vertiginosi cambiamenti di tono. Kafka avrebbe potuto fermarsi a questo libro, come uno scrittore senza peccato e senza teologia, se, in una notte del 1912, non fosse stato travolto dall'ondata del proprio inconscio, che trascinò via tutti i tenui giochi della sua giovinezza.

La passione autoanalitica non gli bastava: si rendeva conto che conduceva in un vicolo cieco. Con una furibonda immaginazione, con una fantasia sovrabbondante, che il suo io accendeva in lui continuamente, si rappresentava in sempre nuove figure, che erano insieme personaggi concreti e immagini allegoriche. Sapeva che soltanto la trasposizione ci assicura la verità. Qualche anno dopo, in alcune mirabili pagine dei *Diari* e di *Betrachtung*, si raffigurò nell'immagine dello Scapolo. Egli «va intorno con la giacca abbottonata, le mani nelle alte tasche della giacca, i gomiti appuntiti, il cappello calcato sulla fronte, mentre un sorriso falso ormai innato deve proteggere le labbra come gli occhiali proteggono gli occhi, e i calzoni sono più stretti di quanto sia bello intorno alle sue gambe magre». Con quale strazio veridico raffigurò le serate solitarie del vecchio Scapolo, che chiede ospitalità ad amici e ad estranei quando vuol passare la serata in compagnia: il ritorno a casa, da solo, il congedo davanti al portone, il non poter salire le scale in fretta insieme alla moglie: le lunghe malattie nel letto solitario, la contemplazione per settimane della stanza vuota e della finestra, dietro la quale baluginano delle forme incerte; e le porte laterali della propria stanza d'affitto, che conducono nelle stanze di estranei.

Come Flaubert, diceva che tutti coloro che avevano figli erano «dans le vrai». Gli bastava vedere una tavola con due sedie grandi e una più piccola, per pensare che lui non avrebbe mai occupato quelle sedie con la moglie e il figlio, e per provare un desiderio disperato di questa gioia. Avrebbe esaltato la «infinita, calda, profonda, redentrice felicità di star vicino alla cesta del proprio bambino, di fronte alla madre». Immaginava che, solo avendo dei figli, possiamo dimenticare il nostro io, sciogliere «lo strazio dei nervi», lo sforzo e la tensione, abbandonarci a quella quiete passiva e a quella soave distensione, che la continuità delle generazioni assicura. Collaborare con gli altri, qualche volta, gli dava la medesima felicità. Sperava che i pesi tremendi che portava sulle spalle diventassero, in segreto, comuni a tutti; e che tutti accorressero per porgergli aiuto. «Le poche volte che gli uomini mi danno gioia,» scriverà a Felice «non vedo limiti a questa gioia. Non mi sazio di toccarli; per quanto sembri poco decente, li prendo volentieri a braccetto, ritiro il braccio e torno subito a infilarlo, se mi viene voglia.

gerli sempre a parlare ma non per udire ciò che mi vogliono raccontare, bensì ciò che io voglio ascoltare.»

Lo Scapolo era l'ultima incarnazione dello Straniero: l'ultima forma assunta, nella cultura dell'Occidente, da Raskol'nikov; quest'uomo che vive negli armadi, che prova un senso di tormentoso distacco dalle persone, dalla propria vita, da qualsiasi cosa, che non riesce a vedere le forme create dell'universo, che non partecipa a nessuna delle proprie azioni e se parla o agisce «sembra ripetere una lezione imparata a memoria». Anche lo Scapolo, come Kafka, era «stato buttato fuori dal mondo a pedate». Era un escluso. Non aveva un centro, una protezione, una famiglia, una rendita, un amore: nulla su cui appoggiarsi; e viveva soltanto di sé, nutrendosi di sé stesso, affondando i denti in sé stesso, come se non conoscesse altra carne. Non aveva contatti umani. Non sapeva vivere col prossimo – perché qualsiasi uomo, anche il più caro, amato e desiderato, gli ripugnava profondamente. Se stava chiuso in una stanza, a parlare con degli amici, con persone che avevano simpatia per lui, non riusciva ad aprir bocca: tutta la stanza lo faceva rabbrividire, e gli sembrava di essere legato alla tavola. Il suo sguardo grigioazzurro scendeva sugli altri freddo, gelido, estraneo, come se discendesse da un altro pianeta o salisse dalle tenebrose cantine dell'esistenza.

Per qualcuno, la solitudine può essere un piacere, un agio o un sollievo o un momento di quiete: ma la solitudine dello Scapolo e di Kafka era quella senza gesto e senza parola dell'animale condannato, che si chiude nella tana e non vorrebbe più uscirne; la solitudine di un oggetto che sta nel solaio di una casa, e che non si salirà mai a riprendere. Quali deliri di solitudine, quali sogni eremitici e monacali – il grande convento di clausura, nessuno che vi abitasse, nessuno che lo visitasse, nessuno che gli portasse il cibo, nessuno che suonasse il campanello – colmavano la mente dello Scapolo. Se per caso o per errore entrava nella terra popolata, tornava subito indietro; e si ritirava nella terra di confine tra solitudine e comunità, tra il deserto e Canaan, tra la campagna innevata e il Castello, dove aveva l'impressione di essere in attesa di qualche messaggio. Non aveva casa, se non nei rigagnoli delle strade. O forse la sua vera casa erano le stanze d'albergo: la dimora dello Straniero, dove gli oggetti sconosciuti non ci offrono quella affettuosa complicità, quella famigliare amicizia, che ci danno i vecchi divani, le scrivanie piene di carte delle nostre stanze, gli armadi nei quali sono stati raccolti i nostri vestiti, le poltrone che ci spalancano dolcemente le loro braccia. La stanza d'albergo era rinchiusa, ristretta, limitata: era un carcere; e assomigliava a un sepolcro, al suo sepolcro – ciò che lo Scapolo prediligeva sopra ogni cosa. «In una stanza d'albergo mi sento particolarmente a mio agio... Avere per me lo spazio di una stanza d'albergo con le quattro pareti ben visibili e poterla chiudere, sapere che la roba mia consistente in determinati oggetti è depositata in determinati punti degli armadi, dei tavolini e degli attaccapanni, mi procura sempre almeno un soffio del sentimento di una nuova esistenza, non ancora consumata, destinata a qualcosa di meglio, possibilmente estendibile, la quale poi non è forse altro che una disperazione spinta oltre di sé e che si trova veramente al giusto posto in questo freddo sepolcro di una camera d'albergo.»

Lo Scapolo, lo Straniero, che era in Kafka, aveva disgusto della vita: proprio l'esistenza di ogni giorno, quella che sembra più toccante e indifesa, suscitava in lui l'odio tremendo dello gnostico. Non poteva vivere nel disordine e nel caos: non poteva sopportare la residenza estiva dei suoi, dove l'ovatta igienica stava accanto al piatto pieno di cibo, dove camicie da notte, vestiti e maglie si accumulavano sui letti sfatti, dove il cognato chiamava teneramente la moglie «tesoro mio» e «mio tutto», dove il bambino faceva i suoi bisogni sul pavimento, dove il padre cantava, urlava e batteva le mani per divertire il nipotino. «Mi annoio a far conversazione,» diceva Kafka «mi annoio a far visite, le gioie e i dolori dei miei parenti mi annoiano sino in fondo all'anima. La conversazione toglie a tutto ciò che penso la sua importanza, la serietà, la verità.» Ma lo Straniero odiava sopratutto il chiasso, il frastuono, il rumore della vita: detestava il minimo bisbiglio, il colpo di tosse, l'infinitesimo sussurro, il fruscio che subito si perde nell'aria, il canto lieve degli uccelli: perché il suono è il segno distintivo della vita, ciò che la differenzia dalla silenziosa morte; e attraverso il suono qualcuno aveva introdotto il peccato nel paradiso terrestre. Con una straziante tensione isterica, che pare sempre sul punto di spezzarsi nella follia, Kafka registrava nei *Diari* e nelle lettere tutti i rumori, come se disegnasse una partitura musicale dell'universo. A casa, c'erano le chiacchiere della sorella e della cugina, il gioco a carte del padre e del cognato, risate, urli, grida, il terribile canto del canarino, rumori come di tronchi d'albero dietro la parete; il meccanismo dell'ascensore che rimbombava attraverso i solai vuoti, le pantofole delle domestiche del piano di sopra che gli palpavano la volta cranica, e nell'appartamento di sotto le grida e le corse dei bambini e delle bambinaie. A che servivano le pallottole di Ohropax, avvolte nella bambagia? Smorzavano soltanto il rumore.

Se fuggiva di casa, per ottenere il silenzio, nella stanza d'affitto conosceva di nuovo la disperazione. La padrona si volatilizzava fino a diventare un'ombra, il giovane della camera vicina arrivava alla sera stanco per il lavoro e andava subito a letto, lui aveva fermato la pendola nella sua stanza: ma che importava? C'era il rumore della porta, i bisbigli della padrona con l'altro inquilino, il suono della pendola nella camera vicina, il suono del campanello, due, forse tre colpi di tosse, un improvviso schianto in cucina: una conversazione a voce alta che veniva dal piano inferiore; e là sopra, in soffitta, il misterioso, incessante rotolo di una palla, come nel gioco dei birilli. «Ho lottato un po' contro il rumore, poi mi sono buttato sul divano coi nervi quasi straziati, silenzio dopo le dieci, ma incapace ormai di lavorare.» Kafka conosceva benissimo lo Straniero che portava in sé stesso: sapeva che voleva il silenzio perché desiderava la morte. «Quanto più profonda ci si scava la fossa, tanto più silenzio si ottiene.» Eppure continuava a cercare il puro, immacolato silenzio: quel silenzio che gli uomini violano, offendono e straziano con le loro voci, perché non vogliono accettare la morte. «Vado di nuovo con Ottla [la sorella], siamo stati in due luoghi stupendi che ho scoperto recentemente» avrebbe scritto a Felice dopo una passeggiata nei dintorni di Praga. «Il primo dei luoghi ancora coperto di erba alta, tutto circondato da bassi pendii, irregolarmente vicini e lontani, e interamente esposto a un sole beato. L'altro... è una valle profonda, stretta, molto varia. I due luoghi sono silenziosi come il paradiso terrestre dopo la cacciata degli uomini. Per rompere la quiete, ho letto Platone a Ottla, e lei mi insegna a cantare.»

Così, a poco a poco, lo Scapolo si costruì il proprio carcere. Ne soffriva. Sentiva di essere tutto imprigionato dentro sé stesso, udiva le lontane voci degli uomini, amici, donne amate, – e tendeva disperatamente le braccia perché lo liberassero. La vita gli sembrava terribilmente monotona: assomigliava ai compiti che si danno agli scolari, quando, per espiare qualche mancanza, devono scrivere dieci, cento, mille volte la medesima frase. Si sentiva oppresso da *die Enge*, la «strettezza»: il suo io, la casa, Praga, l'ufficio, la letteratura (questa barriera di limiti), l'universo intero lo stringevano da tutte le parti fino a farlo soffocare; e gli sembrava che perfino l'eternità che portava nel cuore lo stringesse, come la stanzetta da bagno, annerita dal fumo e con le ragnatele negli angoli, nella quale Svidrigajlov identificava l'eternità in *Delitto e castigo*. Parlava apertamente di carcere: quanto più passavano gli anni, le barriere del muro si levavano sempre più alte. Una volta, scrivendo a Milena, ricordò la prigione di Casanova nei Piombi: giù in cantina, al buio, all'umido, accoccolato su un'asse stretta che quasi toccava l'acqua, assediato dai feroci topi anfibi che stridevano e strappavano e rodevano tutta la notte. Una volta scrisse: «Tutto è fantasia: la famiglia, l'ufficio, gli amici, la strada; tutto fantasia, più lontana o più vicina, la donna; ma la verità più prossima è solo che tu premi la testa contro il muro di una cella senza finestre e senza porte». Cercò, tentò di liberarsi da questo carcere: fuggì all'aperto: gettò grida di aiuto: forse la letteratura fu per lui anche una fuga grandiosa verso l'infinito; ma il desiderio di matrimonio – Felice, Julie – non rappresentò, a sua volta, il desiderio di un altro, più compatto carcere? Così, verso la fine, scrisse: «La mia cella in carcere – la mia fortezza». E, in uno stupendo aforisma, aggiunse che la prigione nella quale aveva vissuto era stata una falsa prigione. Era una gabbia: le grate erano distanti metri tra loro: da esse entravano i colori e i rumori del mondo, indifferenti e imperiosi come a casa propria; e, a rigore, lui era libero, poteva partecipare a ogni cosa, nulla gli sfuggiva di ciò che avveniva fuori, avrebbe potuto perfino abbandonare la gabbia. La sua vertiginosa claustrofilia non sapeva che farsene di questa condizione a metà tra libertà e prigionia. Voleva essere totalmente chiuso, sbarrato, tagliato, abbandonato dal mondo: voleva altissimi e impenetrabili muri, come quelli della camera di Gregor Samsa o della cantina dove sognava di scrivere.

Se pensava a sé stesso, lo Scapolo riconosceva di essere figlio, come il clown, di uno scacco originario: per il quale non aveva parole che lo esprimessero, tranne quelle teologiche del peccato e della caduta. Come il trapezista, si accorgeva di non avere suolo sotto i piedi – ma se entrambi camminavano nel vuoto, almeno il trapezista aveva una rete di sicurezza che proteggeva i suoi voli. Mentre tutti gli altri esseri umani posseggono spazio, anche se hanno passato tutta la vita malati in un letto, perché oltre al loro hanno lo spazio abitato dai famigliari – lui possedeva uno spazio che via via, col passare degli anni, diventava sempre più piccolo, e quando moriva, la bara era giusto ciò che gli si adattava. Mentre gli altri dovevano essere abbattuti dalla morte, perché i robusti famigliari davano loro forze, lui si affilava, si restringeva, si affidava alla morte, e moriva quasi di propria volontà, come Gregor Samsa che muore per inanizione e sacrificio. Non aveva nemmeno tempo. Gli altri, immensamente ricchi, possedevano il presente, il passato e il futuro. Lui, lo Scapolo, non aveva «niente davanti a sé e quindi niente dietro di sé»: non aveva prospettive, sogni, futuro; e quindi non aveva nemmeno passato, visto che soltanto l'idea del futuro ordina i nostri ricordi. Tutta l'enorme estensione del tempo, dove si alternano come in una trama mobilissima presente, passato e futuro, – si era ridotta per lui al momento, all'istante fuggevole. Sentiva di non aver altro che questo minimo tesoro; e solo con gli anni sarebbe riuscito a trasformare gli istanti nel tempo, a sciogliere le fugaci illuminazioni e le schegge nel tessuto consolante ed ininterrotto del racconto. Se rifletteva meglio, si accorgeva di non avere nemmeno corpo, – come suo zio, così sottile, così senza peso, così dolcemente folle, così aereo, da somigliare a uno di quegli uccelli che interrompono appena il silenzio della natura. «Il mio sangue» avrebbe scritto a Max Brod «mi invita a una nuova incarnazione di mio zio, il medico di campagna, che qualche volta (con tutta e la massima simpatia) chiamo "il cinguettante", perché possiede un'arguzia così inumanamente sottile, da scapolo, che gli esce dalla gola stretta, un'arguzia simile a quella di un uccello che non l'abbandona mai. E così vive in campagna, inestirpabile, soddisfatto quanto si può essere di una follia sommessa e frusciante, che si considera come la melodia della vita.»

Quando il vento della depressione soffiava più violento sulla sua anima, la sua sensibilità tragica, tenera, ansiosa lo lasciava all'improvviso freddo e immobile come una pietra. Non provava più nulla. Aveva freddo in tutte le membra: il sangue si rapprendeva nelle sue vene: diventava di sasso; e avvertiva un soffio gelido investirlo dall'intimo, portando con sé un sapore di morte. Sentiva di essere un morto che porta morte, come il cadavere dell'annegato, innalzato alla superficie da qualche corrente, trascina con sé nell'abisso i marinai che cercano di salvarsi dal naufragio. In quel momento, sentiva di diventare una cosa. Non aveva, come Flaubert, il desiderio estatico di perdersi negli oggetti: non fissava una goccia d'acqua, una pietra, una conchiglia, un capello fino a insinuarsi in loro, penetrare in loro, venire

27

assorbito e inghiottito da loro, scorrendo come l'acqua, brillando come la luce, discendendo fino nella materia. Non aveva bisogno di *diventare* materia: avvertiva dentro di sé – cupa, minacciosa, inconfutabile, – la nuda e agghiacciante presenza dell'oggetto, l'eternità muta della cosa, e non era altro che quest'alterità assoluta. Sentiva dentro di sé la pietra: «Sono come il mio monumento funebre...: vive soltanto una vaga speranza non migliore delle iscrizioni sulle pietre sepolcrali». Oppure era un pezzo di legno, un secco bastone tagliato dal tronco e ormai intirizzito, un attaccapanni appeso in mezzo alla sala: «una pertica inutile, incrostata di neve e di brina, infilata leggermente e obliquamente nel terreno, in un campo profondamente sconvolto, al margine di una grande pianura, in una buia notte invernale»: o una cancellata o una carrucola in movimento, o un gomitolo di filo; o una scatola di ferro, in cui qualcuno aveva sparato un colpo di pistola. Più atroce dovette essere il momento, in cui avvertì in sé la presenza di Odradek: il rocchetto di rete a forma di stella, tutto ricoperto di frammenti sfilacciati e annodati e ingarbugliati di filo, da cui sporgeva una bacchettina, alla quale se ne aggiungeva un'altra ad angolo retto. Quell'oggetto completamente gratuito, senza senso, senza scopo, che rideva come le foglie, ora meccanico, ora quasi umano, che sarebbe sopravvissuto a tutte le generazioni – non era altro che lui.

Chi poteva affermare che lo Scapolo fosse debole e senza cognizioni intellettuali? Aveva un'immensa energia. Come Archimede, aveva scoperto la leva con la quale sollevare il mondo. Ma il mondo non c'era più: c'era soltanto lui, che occupava la totalità del mondo; e la leva d'Archimede era adesso impiegata contro di lui, per sollevarlo e alzarlo dai cardini. Mentre l'azione di Archimede era il trionfo della mente calcolatrice che domina le cose – l'azione dello Scapolo non faceva che scardinare e distruggere il suo io. Questa era la sua unica meta. Viveva, e come tutti cercava di percorrere una strada: ma aveva l'impressione che col puro fatto di vivere bloccava la strada che avrebbe dovuto percorrere. Era lì, sulla via fatta solo per lui, come un tronco disteso, come una pietra di inciampo, come un enorme macigno. La prova di vivere non gliela dava la sua condizione di uomo, che respirava, si muoveva, aveva un corpo, era libero: gliela dava soltanto il fatto di bloccarsi la strada da solo, di essere il proprio unico inciampo. Un'altra volta, nei tardi anni di meditazione in cui sviluppò tutti i pensieri dello Straniero, espresse la medesima condizione con una meravigliosa e quasi folle concentrazione aforistica, come se solo martellando la lingua e sfidando i significati, potesse raggiungere la verità. «Il proprio osso frontale gli taglia la strada, egli si batte la fronte contro la propria fronte fino a farla sanguinare.»

Non era un io: era un campo di battaglia sul quale si affrontavano degli avversari molteplici, tutti estratti da lui, tutti simili a lui, tutti fraterni, e disposti gli uni di fronte agli altri. Una volta, scrisse che aveva due avversari. L'uno incalzava alle spalle sin dall'origine: forse era il suo destino, la condizione nella quale era stato immesso a forza. Il secondo gli tagliava la strada davanti: forse non era altri che lui, come viveva. E poi c'era il suo io che, una seconda volta, conteneva in sé questi nemici. Sul piccolo campo ristretto della sua esistenza, i due nemici non combattevano tra loro sotto i suoi sguardi, ma entrambi, contemporaneamente, combattevano contro di lui: l'uno davanti, l'altro alle spalle. Poi c'era il terzo nemico, il peggiore: il suo io: perché, se era possibile conoscere le intenzioni dei due avversari, «chi conosceva le sue intenzioni?». Secondo le occasioni, il tempo, il passare delle ore, la luce e la notte, sul campo avvenivano delle alleanze: ora l'io combatteva col primo avversario contro il secondo, ora col secondo contro il primo: erano alleanze impossibili da determinare, e che cambiavano continuamente fronte, perché non si sapeva mai se, nel suo cuore, l'io fosse favorevole al primo o al secondo nemico. Lo Straniero sapeva che, nell'eterna battaglia per la sua anima, egli non poteva sperare la salvezza dalla vittoria dell'uno sull'altro – poiché sarebbe corso in aiuto dell'avversario più debole e quasi dissanguato. Aveva solo un sogno: in una notte buia come non è mai esistita, sperava di uscire dalla linea del combattimento; «e per la sua esperienza nella lotta essere nominato giudice dei suoi avversari». Quindi la salvezza non stava in una qualsiasi soluzione del conflitto: non c'era nessuna soluzione possibile, nella guerra che prese il nome di Kafka. L'unica speranza era che il campo di lotta diventasse quello di un altro, e che egli potesse assistere alla battaglia come si può assistere a uno spettacolo. Questo desiderio aveva fondamento? Non nella vita: sino alla fine, o quasi alla fine, Kafka fu straziato dal combattimento dove nessuno dei combattenti sanguinosi periva. Aveva un sostegno solo nella letteratura: nell'«atto ondoso» dello scrivere, dove gli impulsi venivano rappresentati come personaggi, dove nasceva la forma perfetta, chiusa ed ambigua di un'architettura narrativa, – ed egli stava al di fuori, identico alla totalità del libro, e assisteva e guardava e forse giudicava.

La sua lucidità sovrumana accresceva le ferite – invece di placarle con la pace della mente. Il suo dono di duplicazione gli consentiva ogni momento di distaccarsi dal proprio io, e di vedersi dal di fuori, e di giudicarsi con la meticolosità, la freddezza e l'odio del più partecipe e tremendo dei Tribunali. Tutte le sue armi di offesa, tutte le accuse che rivolgeva al padre o a chiunque altro, si trasformavano istantaneamente, nella *Lettera al padre* o nei *Diari*, in armi contro sé stesso. Si accusava: si torturava; si feriva. «Voglio che ogni giorno ci sia almeno un rigo puntato contro di me, come oggi si puntano i cannocchiali contro le comete.» Qualsiasi cosa facesse, si sentiva colpevole: il grande colpevole; anche se Felice, a Berlino, aveva mal di denti o era raffreddata. Masochismo sembra una parola troppo debole per questa grandiosa tragedia, che si svolge tra le quattro pareti di una stanza, e su dei piccoli fogli di carta. «Stamane per la prima volta dopo lungo tempo la gioia di immaginare un coltello girato nel mio cuore.» «Continuamente la visione di un largo coltello da salumiere, che dal fianco mi entra nel corpo con grande rapidità e regolarità meccanica, e taglia fette sottilissime, le quali, data la velocità, volano via quasi arrotolate.» «Sono trascinato attraverso le finestre del pianterreno di una casa mediante una fune intorno al collo e sollevato, sanguinante e dilaniato, senza riguardo, come da uno che sia disattento, attraverso tutti i soffitti delle stanze, i mobili, i muri e i solai, finché in alto sul tetto appare il laccio vuoto, che soltanto allo spezzarsi delle tegole ha perduto anche i miei resti.» «Il punto più opportuno per vibrare il colpo sembra quello fra collo e mento. Si sollevi il mento e si cacci il coltello nei muscoli tesi. Ci si aspetta di veder sgorgare il sangue a torrenti e di lacerare un intreccio di tendini e ossicini simile a quello che si trova nelle cosce arrosto dei tacchini.» Specie nella giovinezza il desiderio di suicidio non gli dava requie. Di rado la violenza brutale della pistola: quasi sempre lo slancio di fuga, la corsa verso la finestra, frantumare legni e vetri, scavalcare il davanzale, balzare nel vuoto: oppure diventare liquido e versarsi dal balcone, come la massaia getta con indifferenza dal davanzale il secchio pieno di acqua sporca.

Nel profondo dell'animo voleva molto di più. Voleva soffrire, sacrificarsi, essere immolato: come il mucchio di paglia è destinato ad essere acceso d'estate e a bruciare; come Cristo, come Georg Bendemann e Gregor Samsa, gli eroi dei due racconti giovanili, che con l'immolazione ristabiliscono l'armonia offesa della natura. Allora sarebbe stato felice. Come disse a Max Brod, era certo che sul letto di morte, se i dolori non fossero stati troppo forti, sarebbe stato «molto contento». I suoi eroi muoiono ingiustamente: soffocati dall'amore edipico, annegati nel fiume, d'inanizione, o con un coltello nel cuore. Ma, mentre essi morivano, lo Straniero conduceva con loro, dentro di loro, un gioco segreto. Lui era lieto di morire; e insinuava in quei lamenti troppo umani la sua felicità nascosta, la sua mente lucida, la sua voce mite, la sua sottile finzione, la sua delicata *clownerie*, la sua nostalgia metafisica, tutto quanto vi era in lui di sovranamente quieto, – come la fenice che vive sola nell'In-

dustan, senza femmine e figli, e quando sta per morire, avvolta da un mucchio di foglie di palma, fa uscire dai cento
buchi del suo becco suoni sempre più teneri, puri, accorati e
strazianti.

II

UNA SERA D'AGOSTO, ALLA SCHALENGASSE

Ci furono molti giorni memorabili, nella vita di Kafka, – segnati con la pietra bianca, come diceva Lewis Carroll, o invece con la pietra tenebrosa della sventura. Certi giorni dell'infanzia rimasero intatti nella sua memoria, circondati dal loro indicibile orrore: la notte in cui il padre lo mise sul balcone della stanza da letto, le mattine in cui la domestica lo portava a scuola minacciando di denunciarlo al maestro, la domenica in cui, ragazzo, cominciò a scrivere un romanzo e venne disprezzato dallo zio, il giorno in cui regalò un ventino alla mendicante sul Piccolo Ring. Quei momenti rimasero stagliati, ingigantiti, isolati da tutto il resto della sua vita. Ma il giorno fra tutti memorabile fu la sera del 13 agosto 1912, in cui conobbe Felice Bauer. La ricordò sempre, fino nei più infinitesimi particolari. La sua memoria amorosa aveva bisogno di completezza: ansiosa e totale come la gelosia, voleva possedere tutto il passato, tutti i minuti secondi di quella sera; e ritornava incessantemente su quella scena, la interrogava, batteva alle porte della mente, ora riusciva a risuscitare un gesto, ora una parola che credeva dimenticata, come se il passato fosse un'isola che affiora lentamente dal mare grigio del tempo. Non sceglieva: non desiderava distinguere tra importante e casuale, tra significante e insignificante; ma livellava i gesti e le parole nella stessa presenza-assenza di significato, perché dietro a tutti poteva nascondersi il destino. Non era mai soddisfatto. Temeva che la memoria avesse perduto qualcosa; e si rivolgeva alla memoria di Felice – forse precisa come la sua –, perché aggiungesse l'ultimo colore, l'ultima ombra della scena. «Completando» le scriveva due mesi e mezzo dopo «darebbe a me una gioia molto più grande di quanto non mi sia riuscito a darLe con questa prima raccolta di particolari.»

Quella sera Kafka aveva un appuntamento con Max Brod, nella casa dei suoi genitori, al numero 1 della Schalengasse. Doveva rivedere con Max la sequenza delle piccole prose di *Betrachtung*, che stava per venire stampato dall'editore Rowohlt. L'appuntamento era alle otto. Come al solito, Kafka arrivò in ritardo, forse dopo le nove. Questi arrivi serali rappresentavano una minaccia per la famiglia Brod, perché Kafka aumentava di vivacità col passare delle ore e spesso impediva il sonno al fratello di Max, Otto, il quale amava andare a letto puntualmente: tutta la famiglia lo spingeva affettuosamente fuori casa, come un disturbatore della quiete. Quando Kafka arrivò, vide una ragazza sconosciuta seduta al tavolo del salotto: seppe più tardi che si chiamava Felice Bauer, abitava a Berlino, aveva venticinque anni, e lavorava come dirigente nella ditta Lindstrom, che produceva il Parlograph, un rivale del dittafono. Portava una camicetta bianca, abbastanza trascurata: aveva ai piedi le pantofole della signora Brod (pioveva, e gli stivaletti erano stati messi ad asciugare); lo sguardo era gentile ma imperioso. Prima che lo presentassero, Kafka le porse la mano, sebbene lei non si fosse alzata e forse non avesse nemmeno voglia di porgergli la sua. Poi Kafka si mise a sedere, e la guardò attentamente: con uno dei suoi sguardi estranei, implacabili, che fissavano le cose nello spazio e nella memoria e le rendevano ferme, morte e assurde come pietre. Sembrava una domestica. Aveva «un viso ossuto e vuoto, che portava apertamente il suo vuoto»: il naso quasi rotto, i capelli biondi un po' rigidi e senza attrattiva, il mento robusto. La pelle era arida e macchiata, quasi ripugnante; e i moltissimi denti d'oro, che interrompevano il colore giallo-grigio dei denti otturati lo spaventavano con la loro lucentezza infernale, e lo costringevano a guardarli ogni momento, come se non potesse essere vero. Ma che significava quel viso vuoto? Felice era senz'anima? Oppure era senza colpa? Nulla più di quel viso vuoto e assente dava forza alla furibonda facoltà di immaginazione di Kafka.

Cominciò la conversazione. Max Brod e Kafka porsero a Felice le fotografie del viaggio che il mese prima avevano compiuto a Weimar: Felice guardava con grande serietà ogni immagine, chinava la testa, e ogni volta liberava con la mano la fronte dai capelli. Intanto suonò il campanello del telefono, e lei parlò della scena introduttiva di un'operetta, *La ragazza dell'auto*, dove i quindici personaggi sulla scena si precipitavano, l'uno dopo l'altro, al telefono nell'anticamera. Più tardi si venne a discorrere di liti tra fratelli: Felice disse di avere imparato l'ebraico e di essere sionista; la signora Brod cominciò a parlare della professione di lei, dell'efficientissimo Parlograph prodotto dalla ditta Lindstrom, e del fatto che Felice doveva andare a Budapest al matrimonio della sorella, per il quale si era fatta un bell'abito di batista. Quando la conversazione si interruppe, tutti si alzarono frettolosamente per andare nella stanza vicina, ad ascoltare musica. Kafka accompagnò Felice che aveva ancora le pantofole ai piedi: attraversarono una stanza immersa nel buio, e lei disse, chissà perché, che di solito portava pantofole coi tacchi. Mentre qualcuno suonava il pianoforte, Kafka si sedette dietro la ragazza, di sbieco: lei aveva messo una gamba sull'altra e si toccò più volte quei capelli atoni, rigidi, che non finivano di preoccuparla. Alla fine del piccolo concerto, Kafka cominciò a discorrere del suo manoscritto: qualcuno gli dette dei consigli per la spedizione; Felice disse che amava molto copiare a macchina i manoscritti e avrebbe copiato volentieri quelli di Max Brod. Si parlò di un viaggio in Palestina: Kafka le propose di andarci con lui, e lei gli porse la mano per sigillare la promessa. In seguito la compagnia si disperse: la signora Brod si appisolò sul divano: si discorse dei libri di Max, *Arnold Beer* e *Il castello di Nornepygge*, che Felice non aveva potuto leggere sino in fondo; il vecchio Brod portò un volume di Goethe illustrato nell'edizione dei Propilei, «annunciando che avrebbe fatto vedere Goethe in mutande». Citando una frase famosa, Felice disse: «Egli rimase re anche in mutande»; e questa frase, certo per la banale solennità, fu l'unica manifestazione della ragazza che dispiacesse a Kafka. Soltanto una cosa ignoriamo di quella tranquilla serata borghese, simile a centinaia di migliaia di altre serate che in quelle ore si svolsero sulla terra: quando Kafka mise in ordine le prose di *Betrachtung*: fu nel salotto o nella stanza di musica, verso il principio o verso la fine? Tutto avvenne rapidamente, sotto gli occhi incuriositi di Felice; e all'ultimo momento la dedica «Per Max Brod» a lettere intere diventò: «Per M.B.», per alludere almeno nel cognome a Felice Bauer.

La serata era finita. Felice andò di corsa a vestirsi: mentre Kafka disse languidamente, appoggiandosi a un tavolo: «Lei mi piace tanto da sospirare». La ragazza tornò con gli stivaletti asciutti, e un largo cappello, bianco di sopra, nero di sotto, intorno al quale Kafka fantasticò per giorni. Uscirono, per accompagnare l'ospite berlinese all'albergo. Kafka era stanco, confuso, impacciato: sprofondò in uno stato di dormiveglia, nel quale si accusò di essere un buono a nulla; e, arrivato sul Graben, per desiderio, impaccio e inquietudine, scese più volte dal marciapiede sulla strada. Lei gli chiese l'indirizzo: poi parlò di un signore della filiale praghese della Lindstrom, col quale era andata nel pomeriggio in carrozza a Hradčín; e raccontò che, quando tornava a casa da teatro, batteva le mani dalla strada e la madre le apriva il portone (altro particolare che, per mesi, precipitò Kafka in un vortice di fantasticherie). Il signor Brod le diede consigli per il viaggio: c'erano stazioni dove offrivano dei buoni cestini; ma, come una moderna dirigente d'azienda, Felice gli rispose che preferiva pranzare nel vagone ristorante. Erano arrivati all'albergo. Kafka si spinse nella porta girevole, dove lei era entrata, e quasi le pestò i piedi. Si trovarono tutti insieme davanti all'ascensore: Felice disse alteramente qualche parola al cameriere; ci furono gli ultimi addii, Kafka ricordò ancora una volta maldestramente il viaggio in Palestina – viaggio che nessuno prendeva sul serio tranne lui,

Sognava che Felice gli avrebbe preso la mano e gli avrebbe detto in un orecchio, senza nessun riguardo per il dottor Brod: «Vieni anche tu a Berlino, pianta ogni cosa e vieni». Mentre l'ascensore volava in alto, nel grande albergo remoto e inattingibile, ebbe l'idea di andare la mattina presto alla stazione Francesco Giuseppe, con un grande mazzo di fiori. Ma era troppo tardi. Tutti i fiorai erano chiusi.

La sera del 13 agosto, davanti a quella ragazza che aveva descritto con la freddezza di un entomologo e la ripugnanza di un asceta, Kafka si sentì avvinto senza rimedio. Avvertiva uno squarcio nel petto attraverso il quale, per la prima volta, il sentimento d'amore entrava e usciva succhiando, senza essere dominato. Scopriva di appartenere completamente, anima e corpo, a quella donna dai capelli senza luce, dai denti guasti e dall'espressione vuota, che, per cinque anni, trasformò nel cuore radioso della propria vita. Nessun desiderio erotico lo dominava: si sentiva rassicurato e tranquillizzato dal fatto che eros non regnava sul loro rapporto. Subito, al primo colpo d'occhio, con una decisione incrollabile, vide in Felice la moglie: l'umile e accorta mediatrice, che poteva introdurlo nella sconosciuta città degli uomini, nella terra di Canaan dove da tanto tempo aspirava di essere guidato. Felice aveva tutte le qualità che egli non possedeva: attiva, sicura, veloce, pratica, realistica, tranquilla, osservatrice. Dominava il regno dei numeri e del calcolo dal quale era stato escluso: era solare mentre lui era notturno; regolava il tempo, controllava il battito degli orologi, mentre tutti i suoi orologi erano in ritardo o correvano all'impazzata. A lei poteva confidarsi totalmente, come ci si confida alle creature che abitano in alto, alla Madonna della terra di Canaan: lei dava la calma, la forza, la quiete, la sicurezza.

Passò un mese prima che Kafka si decidesse a scrivere a Berlino. Non aveva perduto le tracce di Felice: aveva saputo che alla fine di agosto soggiornava a Breslavia, e avrebbe desiderato mandarle dei fiori là per mezzo di un certo dottor Schiller. Aveva «mendicato» il suo indirizzo: prima seppe quello della ditta, poi quello della casa senza numero, finalmente anche il numero. Temeva che l'indirizzo fosse sbagliato: chi era mai quell'Immanuel Kirch? «Non c'è niente di più triste che mandare una lettera a un indirizzo incerto, essa non è una lettera, è piuttosto un sospiro.» Era pieno di incertezze e di inquietudini, di angosce, di ansie e di speranze: ogni nuovo incontro umano risvegliava, in lui, una tensione estrema. Lento, cauteloso, minuzioso, pieno di scrupoli, poggiava a lungo la mano sulla maniglia prima di aprire la porta dietro la quale si nascondeva il nuovo essere umano, e poi apriva molto lentamente. Decine di volte compose la prima lettera a memoria, la sera, prima di addormentarsi: ma, quando si metteva a scrivere, il flusso si arrestava, non scorgeva davanti a sé che frammenti e non riusciva a vedere né tra di loro né oltre di loro. Infine, in ufficio, si sedette davanti alla macchina da scrivere: se non poteva comporre coll'impeto pieno del cuore, avrebbe potuto almeno scrivere con «la punta delle dita». Cominciò: «Gentile Signorina, per il caso facilmente possibile che Lei possa non ricordarsi più affatto di me, mi presento un'altra volta: mi chiamo Franz Kafka e sono quello che per la prima volta La salutò a Praga quella sera in casa del direttore Brod, poi Le porse da un lato all'altro della tavola fotografie di un viaggio a Talia [Weimar], l'una dopo l'altra, e infine con questa mano che ora batte i tasti, tenne la Sua quando Lei confermò la promessa di fare con lui l'anno venturo un viaggio in Palestina». Come era sua abitudine, proprio mentre si presentava e avrebbe dovuto affermare il suo ego, si cancellò e si volatilizzò nell'aria come una forma di fumo. Forse Felice non si ricordava di lui, forse lui non esisteva, e poi era un pessimo corrispondente, incapace di puntualità nel rispondere... – proprio lui, il più preciso, il più puntuale, il più ossessivo corrispondente della storia del mondo.

Felice non rispose alla sua seconda lettera, e Kafka, che viveva soltanto di attesa, si lasciò prendere dall'angoscia. Si domandava se non avesse scritto delle cose sconvenienti: o se i genitori di Felice avessero disapprovato la corrispondenza tra loro. Poi, disperato, si rivolse alla sorella di Max

Brod e cugina di Felice, Sophie Friedmann, perché fungesse da mediatrice. La lettera era andata perduta. Quando, finalmente, Felice rispose, Kafka era stravolto: l'ansia e l'angoscia lo rendevano ancora inquietissimo: non riusciva a calmarsi: non poteva tollerare di avere perduto quelle settimane di vita senza notizie; non poteva sopportare di non sapere – tanto era esclusiva e possessiva la sua curiosità – cosa conteneva la lettera perduta. Andò inutilmente alla posta ad informarsi. Chiese a Felice di riassumergliela in dieci parole. Poi, a poco a poco, si calmò; e cominciò la sua lenta marcia di avvicinamento verso il cuore di Felice. Cambiò intestazione: «Sehr geehrtes Fräulein» (20 settembre), «Verehrtes Fräulein» (28 settembre), «Gnädiges Fräulein» (13 ottobre), «Liebes Fräulein Felice» (2 novembre), «Liebstes Fräulein Felice» (7 novembre), «Liebste, Liebste» (14 novembre): giunse al «tu»; e ai baci «sulle tue dilette labbre», sebbene «soltanto con l'immaginazione». Chiuso nel suo carcere di Praga, sollevato solo «dal moto ondoso dello scrivere», camminava verso il cuore di lei, come una talpa che scava nella sua tana fino a sfinirsi; e cercava di irretirla con le sue lente e minuziose arti da ragno, tenendola prigioniera con le parole scritte a ottocento chilometri di distanza.

Dopo poco tempo, la precisa ragazza del Parlograph si lasciò trascinare dalla foga di quello strano angelo burocratico che le riempiva i giorni con le sue lettere sterminate. In lui, dovevano attrarlo la dolcezza indifesa, la debolezza, la possessività affettuosa, e l'incredibile dono di immaginazione e di metamorfosi, lo scoppio di fuoco e di nebbia, che la lasciò stupefatta sino alla fine. Presto, scrisse anche lei una lettera al giorno, raccontandogli la sua vita d'ufficio e le sue piccole storie berlinesi. Quanto a Kafka, dallo «squarcio» nel petto usciva un torrente tumultuoso, dove fluttuavano e si ingorgavano e si scontravano spumeggiando, balzando oltre le rocce e gli impedimenti del fondo, brandelli di vita, confessioni di letteratura, – il tesoro della sua genialità che non si era ancora espresso nei libri. Malgrado le caute raccomandazioni di lei, non voleva moderarsi, a nessun costo.

Continuiamo a meravigliarci che quest'uomo così pudico, così discreto, così elusivo, si confidasse senza riserve, quasi avesse sempre conosciuto Felice: lo slancio ardente e illimitato del cuore, il dono della tenerezza, il bisogno di rivelazione non trovavano mai un blocco o un freno nella scrittura. Egli proiettava Felice fuori di sé, e si identificava totalmente con la sua proiezione: si dedicava a lei, si consacrava a lei, come se fosse Felice e non la letteratura a dare un senso e un valore alla sua esistenza. «Scrivere ti devo affinché l'ultima parola scritta prima di dormire sia scritta per te; e tutto, veglia e sonno, acquisti all'ultimo momento quel vero significato che non gli può venire dalle mie scribacchiature.» Il diario si era quasi arrestato: quella parola scavata, silenziosa, martellata, frammentaria, si era trasformata nell'onda di un dialogo o di un monologo che nulla poteva contenere. In quegli ultimi mesi del 1912, ebbe fiducia in sé stesso – ciò che non gli sarebbe più capitato. Era pieno di buonumore: arrivava in ufficio cantando, camminava velocemente, scriveva velocemente le lunghe lettere a mano; era euforico, danzante e dionisiaco. La sua vita attraversava un momento di espansione.

Così, nei mesi tra la fine del 1912 e il principio del 1913, nacque tra le mani di Kafka il più bel poema sulla «posta» che sia mai stato scritto. Le lettere sostituivano tutto – l'ufficio, la famiglia, gli amici, alle volte perfino la letteratura –: tutta la vita diventava lettera incamminata verso Berlino; il remoto e l'assente divenivano magicamente prossimi; e al contatto colle poste e i postini la realtà si trasformava in una nuvola di fumo, in una ilare, aerea e meticolosa commedia burocratica. Non telefonava volentieri a Felice: in parte perché telefonare gli dava un'emozione troppo intensa, e lui evitava le emozioni; in parte perché «les demoiselles du téléphone» ci mettono in contatto, accostano le voci e le anime, e lui preferiva la distanza epistolare. Aspettava un'ora per avere la comunicazione, si aggrappava alla panca per l'inquietudine: poi era chiamato e correva all'apparecchio facendo tremare ogni cosa, mentre la gente troppo allegra o

troppo loquace stava a guardarlo: chiedeva di lei con voce
flebile, e per l'ansia non riusciva a sentire la sua voce, né
riusciva a rispondere (intanto, alle sue spalle, un direttore
spumeggiante di allegria lo invitava ad accostare al telefono
le labbra invece degli occhi); infine emetteva una «voce angosciosa», mentre poi Felice gli scriveva che la sua voce era
stata «paurosamente cattiva...». Ma scrivere, che gioia! Le
scriveva in tutti i luoghi e a tutte le ore: le scriveva dall'ufficio, mentre l'impiegato gli chiedeva notizie sull'assicurazio-
ne ai detenuti e il dattilografo si appisolava e si stirava ozio-
samente davanti a lui: le scriveva dalla scrivania del principale, e poi doveva smettere perché i dirigenti non devono
scrivere lettere all'innamorata: le scriveva nel pomeriggio,
subito dopo il pranzo: le scriveva la notte dopo aver lavorato al *Disperso* o alla *Metamorfosi*, quando non era distratto
dai rumori della vita e spesso scrivere il «romanzo» non era
che la voglia repressa di scrivere a lei e le lettere avevano
qualcosa della spossatezza e dell'ebbrezza della notte solitaria; e le scriveva perfino nel dormiveglia, che gli sembrava
popolato dal lieve, insistente martellio dei tasti. Scriveva
sempre, interminabilmente, decine di fogli, tendendo verso
l'infinito, rallentando il tempo: come se il gesto della sua
mano fosse una specie di lungo lamento, un lento e spossato
miagolio. Acquistava buste e francobolli, andava alla posta,
raggiungeva di notte la stazione centrale, corteggiava ed inseguiva i postini delle lettere normali, delle raccomandate e
gli irraggiungibili sovrani dei telegrammi. Le lettere partiva-
no a distanza di poche ore, sembravano inseguirsi e tallonar-
si a vicenda, una dopo l'altra, una sull'altra, come se egli
avesse riservato per sé tutto il traffico postale tra Praga e
Berlino.

Poi cominciava l'attesa: la lunga, terribile attesa delle
lettere di Felice, che scendevano da Berlino: simbolo di tutte le attese di qualcosa o di qualcuno, di un messaggio o di
un messaggero, che colmano d'ansia i libri di Kafka. Felice
gli scriveva, quasi sempre, in ufficio. Aveva dato a tre impiegati l'ordine di portargli le sue lettere prima dell'altra corri-

spondenza. Il primo, il fattorino Mergl, era umile e solerte e partecipava alle sue ansie: ma deludeva quasi sempre le speranze di Kafka, che cominciò a provare per lui una antipatia invincibile. Il secondo messo era il capo della cancelleria, un certo Wottawa, un vecchio, piccolo scapolo dal viso rugoso, coperto di macchie d'ogni colore, irto di peli di barba, il quale biascicava sempre con labbra umide succhiando il Virginia: ma come era divinamente bello quando, sulla soglia, estraeva dalla tasca interna la lettera di Felice e la consegnava! La terza speranza era la signorina Böhm. Quando trovava la lettera, arrivava raggiante e la porgeva a Kafka come se la lettera riguardasse in realtà soltanto loro due: se gli altri due riuscivano a portarla, le veniva quasi da piangere e si proponeva di stare più attenta il giorno dopo. Ma Kafka era insaziabile. A volte, pensando all'enorme corrispondenza in arrivo, moriva dall'impazienza, diffidava dei suoi tre messi, girava agitato per i corridoi, guardava le mani dei fattorini, e infine scendeva di corsa egli stesso nell'ufficio postale dell'*Istituto*. Quando arrivava la lettera, la prendeva col solito tremito delle mani: la leggeva, la rileggeva, la metteva da parte, poi tornava a rileggerla, prendeva una pratica ma non faceva che leggere la lettera: stava accanto al dattilografo al quale doveva dettare o qualcuno gli chiedeva un'informazione, e di nuovo la lettera gli passava tra le mani, e non pensava che a Felice chiusa in un foglio di carta. Gli sembrava che il foglio e la cartolina gli dessero calma e sicurezza: gli bastava mettere le mani in tasca e sentire con le dita le parole scritte da lei. Una volta, sognò che un postino gli portava due raccomandate, e gliele porgeva una per mano, con un movimento magnificamente preciso delle braccia, che scattavano come gli stantuffi delle macchine a vapore. Erano lettere magiche. Le buste non si vuotavano mai, come dalla nocciola della fiaba escono metri e metri di lino bianchissimo, gonfi e tumultuosi quanto le onde del mare. Kafka stava a metà di una scala, leggeva e gettava sui gradini i fogli già letti: sempre nuovi fogli riempivano le buste inesauribili; tutta la scala in alto e in basso era coperta da folti strati di carta, che mandavano un forte fruscio.

La veloce e scrupolosa posta dell'Austria-Ungheria era il migliore dei suoi alleati. Bastava scrivere a Felice la sera del martedì, e lei riceveva la lettera a Berlino alle dieci di mattina dell'indomani. Ciò permetteva una meravigliosa corrispondenza di tempi: «ti scrivo soltanto per me, per avere domani alle 10 la sensazione di essere arrivato per un istante nella tua cara vicinanza che porta la felicità». Sottoposto ai ritmi regolari della posta, Kafka aveva il senso che da qualche parte esisteva quella regolarità ritmica che qualcuno attribuisce agli dei e alla Provvidenza. Di questa regolarità aveva assolutamente bisogno: per placare l'ansia del cuore, le lettere di Felice dovevano disporsi in un seguito ininterrotto, senza balzi, senza lacune, senza mancanze; tutti i giorni, alla stessa ora, il postino doveva giungere all'ufficio postale dell'*Istituto* con una lettera per lui da Berlino: «proprio la regolarità è quello che fa bene al cuore, sempre la stessa ora in cui ogni giorno arriva una lettera, quella stessa ora che reca il senso di pace, di fedeltà, di ordine, di impossibilità di brutte sorprese». Per impetrare la benignità della posta, mandava soltanto lettere raccomandate e pregava Felice di fare lo stesso. Così, forse, avrebbe potuto scongiurare la massima fra le sciagure: che qualche lettera si smarrisse per sempre nei meandri polverosi degli uffici, oppure venisse gettata in una cassetta, in una città, in un paese, in un mondo sbagliato. Ebbe un altro sogno postale. Stava nella sua stanza, a Praga, e accanto al letto un apparecchio telegrafico comunicava direttamente con Berlino: bastava premere un bottone e l'immediata risposta compariva su un foglio di carta. Era nervoso: aveva paura di telegrafare; ma doveva farlo a causa di una viva apprensione e di un desiderio bruciante di aver notizie di Felice. La sorella minore schiacciò il bottone. Immobile per l'attesa, Kafka guardava il nastro che si svolgeva senza segni: non era possibile scorgerli, perché prima che a Berlino avessero chiamato Felice all'apparecchio non poteva arrivare nessuna risposta. Ma quale fu la gioia di Kafka quando sul nastro comparvero i primi caratteri! Seguì una vera e propria lettera, piena di dolci recriminazioni e di affetto, che si perse nei labirinti del sogno.

Malgrado le precauzioni, qualche volta le lettere arrivavano irregolarmente, o non arrivavano affatto. Kafka aveva l'impressione che, in mezzo alla precisa organizzazione postale dell'Impero austro-ungarico, ci fosse un impiegato che giocava perfidamente con le loro lettere. Le faceva partire quando voleva, e così esse tardavano, si facevano attendere per giorni e per notti, rallentando e inceppando il corso del tempo, – «poiché qui gli orologi suonano solo quando arriva una tua lettera». Forse non era un impiegato: era un potere oscuro, che si divertiva alle sue spalle, come si divertirà alle spalle dei suoi personaggi; e Kafka sentiva di non avere rapporti con Felice, ma con l'enigma, con una realtà inattingibile che gli mandava messaggi che potevano essere perduti. Quando le lettere tardavano, era pieno di angoscia. Era solo in ufficio, davanti al suo dattilografo, davanti ai clienti che pensavano soltanto a sé stessi, davanti agli impiegati che venivano a chiedere informazioni, e si domandava: la madre l'ha torturata? Le fa male il capo? O i denti? O è troppo stanca? Non riusciva più a lavorare, a parlare, a trascorrere le giornate; e implorava l'elemosina di due righe, un saluto, una busta, una cartolina, «Felice su un pezzetto di carta». Quando le lettere si perdevano, era una tragedia. Come fare? Rinunciarvi per sempre? Sarebbe stato ragionevole. Ma avrebbe voluto andare in caccia per tutti gli uffici postali dell'Impero, ricercarle nelle borse di tutti i postini, nelle cantine dove forse qualche distratto getta i messaggi smarriti, – forse contenevano cose meravigliose, verità uniche, che potevano salvarlo dalla disperazione.

Noi percorriamo questo immenso epistolario con una specie di terrore, tale è la tensione intellettuale e spirituale che rivela in ogni riga: dobbiamo dedicare a queste lettere la stessa attenzione dedicata alla *Metamorfosi* e al *Castello*, poiché hanno la stessa concentrazione drammatica, la stessa carica simbolica; e la nostra meraviglia si rinnova di continuo davanti a una ricchezza fantastica allo stato puro, quale il mondo tedesco non aveva conosciuto dai tempi del giovane Goethe o del giovane Hölderlin. Come i grandi amanti della vita e della letteratura, Kafka *domandava*. Interrogava. Voleva conoscere tutto quello che riguardava Felice, anche le notizie che a un altro sarebbero apparse remote e indifferenti: lontano ottocento chilometri, condannato per sua volontà alla separazione, voleva scorgere tutti gli intimi particolari della vita di lei e possederli con lo sguardo maniaco. Chiedeva a che ora andava in ufficio, cosa mangiava a colazione, come si chiamavano le sue amiche, come si vestiva, cosa vedeva dalla finestra dell'ufficio, dove era andata a teatro e che posto aveva e di che umore era e per quale ragione. E come era la strada dove abitava – quieta, nascosta, lontana dal chiasso di Berlino? E dove scriveva? Teneva la carta sulle ginocchia e doveva curvarsi? A Berlino i tram erano lenti, non è vero? In lunghe file, l'uno dietro l'altro? E la mattina andava in ufficio a piedi? In quali cassette imbucava le lettere? E come erano gli ospiti della pensione estiva? E chi aveva incontrato in treno? E poteva avere una fotografia del suo ufficio? Nulla si difendeva dalla curiosità totale di Kafka. Quando avesse conosciuto il presente, avrebbe voluto conoscere il passato, fino alle primissime immagini della sua infanzia. Cercava di incontrare persone alle quali Felice scriveva: attendeva che pronunciassero il suo nome; e riprendeva a domandare inesauribilmente. Sebbene non desiderasse possedere il suo corpo, era geloso di tutti gli sguardi che la sfioravano, di tutti i pensieri che le si rivolgevano, di tutti i saluti che scendessero ai suoi piedi. «Dunque sono geloso di tutte le persone della tua lettera, nominate e non nominate, uomini e ragazzi, gente d'affari e scrittori (naturalmente in modo particolare di questi). Sono geloso del rappresentante di Varsavia..., sono geloso di quelli che ti offrono posti migliori, sono geloso della signorina Lindner..., sono geloso di Werfel, di Sofocle, di Ricarda Huch, della Lagerlöf, di Jacobsen... Ma nella tua ci sono anche altre persone, con tutte vorrei attaccare lite...»

Felice gli aveva mandato una sua fotografia da bambina; e poi una fotografia da adulta. Kafka teneva le due immagini l'una accanto all'altra: Felice si era sdoppiata in due persone diverse, e lui era diviso, e le corteggiava entrambe – la ragazzina terribilmente seria, la signorina che incuteva rispetto. Aveva realizzato in una volta due sogni: vivere un amore fatto soltanto d'immagini; amare una persona in due figure diverse – ma sentiva che le due immagini tendevano a fondersi, la ragazzina lo conduceva dalla signorina grande e lo raccomandava a lei. Poi da Berlino giunse un portafogli, con una fotografia dentro. Il desiderio lo prese alla gola: apriva continuamente il portafogli e contemplava la figura, con uno sguardo insaziabile – «alla luce dei fanali, per le vie, davanti alle vetrine illuminate, alla scrivania in ufficio, a un'improvvisa fermata nei corridoi, vicino al dattilografo che si appisola, alla finestra del salotto, mentre alle mie spalle una grande folla di conoscenti e di parenti riempiva la stanza...». Quante altre fotografie scendevano da Berlino! Lo circondavano da tutte le parti: lui le guardava, le scrutava, le interrogava con gli occhi in modo ossessivo, così da cogliere il mistero di quella vita così lontana da lui. La chiamava per nome: la baciava con tenerezza prima di addormentarsi; sentiva di appartenerle interamente. A tratti, la distanza sembrava annullarsi: Felice era lì accanto a lui, prigioniera di una fotografia; ma, se guardava con più attenzione, con la tensione moltiplicata dei suoi sentimenti, si accorgeva che lo sguardo di Felice, dalla parete o dalla scrivania, non voleva fermarsi sopra di lui, non lo fissava e si perdeva oltre la finestra... «Io giro il ritratto in tutti i versi, ma tu trovi sempre la maniera di guardare altrove e di farlo con calma e quasi con intenzione ponderata». Ora la vicinanza, che aveva sognato, rivelava di essere illusoria. Anche lui mandò a Berlino una fotografia da bambino, prima che diventasse «la scimmia» dei suoi genitori; e una fotografia di due-tre anni prima, col colletto alto e gli occhi da visionario abbagliati dal lampo del magnesio. Felice mise il ritratto in un medaglione; e lui era geloso del proprio ritratto, voleva venire a Berlino, strapparlo dal medaglione, e conservare gli sguardi di Felice soltanto per sé, come se sentisse che molti Franz Kafka percorrevano la terra, nella realtà o in figura, nemici l'uno dell'altro.

Pensava sempre a lei. Felice era diventata l'unica ossessione della sua vita: un tumulto di idee, di sentimenti, di immagini e di fantasie portavano il nome di lei, e lo aggredivano da tutte le parti. Questa ossessione gli occupava la mente, il cuore e il corpo, senza lasciare che nulla d'altro soggiornasse dentro di lui. «È come se tutto il mondo fosse precipitato dentro di te... L'amore che mi concedi diventa sangue che mi attraversa il cuore, non ne ho altro.» «Vorrei che tu non fossi al mondo, ma tutta in me, o meglio ancora che io non fossi al mondo, ma tutto in te, uno dei due è troppo secondo il mio sentimento, la suddivisione in due persone è insopportabile.» Con la forza dell'intelligenza, esasperava le sensazioni: i minimi fatti avevano una risonanza infinita: i sentimenti, che sembravano possedere una qualità fisica, salivano ogni giorno di tono; la tensione nervosa cresceva, la violenza emotiva diventava intollerabile, una fiamma oscura spingeva lo spirito sino al furore. Non voleva, non poteva arrestarsi. Non riusciva a sopportare il ritmo delle lettere quotidiane. Quando rispondeva, non distribuiva ordinatamente i suoi sentimenti in periodi: ma «vomitava» tutto sé stesso in un solo periodo, in una terribile tensione che pareva volerlo uccidere, come se le parole nascessero da una irraggiungibile profondità biologica. Non era un amore, ma una battaglia. Con ardore, tenacia e disperazione, combatteva per lei, contro di lei, per sé, contro di sé, contro tutti i nemici possibili e immaginari: gli sembrava che il mondo fosse troppo piccolo, per contenere le ricchezze fantastiche del suo amore.

Nessuno potrebbe mettere in dubbio la verità tragica della passione di Kafka. Ma questa corrispondenza è anche una finzione. Questo lungo amore, celebrato in centinaia di lettere, è una rappresentazione teatrale davanti a uno specchio, nella quale Kafka impersona tutte le parti. Egli scriveva e si rispondeva da solo. Parlava ed era l'eco che ripeteva le ultime sillabe. Amava e si amava, odiava e si odiava, offendeva e si offendeva, dannava e si salvava, o cercava di dannarsi e di salvarsi nel medesimo istante. Soltanto chi non conosce per esperienza la forza della fantasia può credere che una simile rappresentazione sia meno autentica di un amore tra due persone «reali». Se Kafka spingeva la propria recitazione fino all'estremo, non era senza motivo. Egli si lamentava, suscitava in sé passioni e dolori immaginari, recitava delirando la morte e la distruzione; e, intanto, la sua mente restava libera, lucida, distaccata da ciò che, disperatamente commossi, gridavano la bocca e il cuore. Così raggiungeva una tranquillità superiore: una limpida quiete nel cuore della vera e della finta tragedia; quel «sorriso del morente» lieto di morire, che tinge le sue pagine di una luminosa dolcezza.

Durante cinque anni di corrispondenza, Kafka visse insieme a Felice per pochissimi giorni. Con ogni scusa e pretesto, evitò di salire sul treno per Berlino e di raggiungerla: non passò le vacanze insieme con lei, non divise con lei l'affollamento o la solitudine degli scompartimenti ferroviari. Comprese il rischio «di essersi attaccato a una persona viva»; e le disse che restava a Praga per restarle più vicino. Con estrema chiarezza, quasi con crudeltà, le spiegò che poteva amare una donna solo da lontano, difeso dalla doppia distanza dello spazio e della letteratura. Inseguiva il sogno di un amore che non era mai esistito: un amore che escludeva completamente la vicinanza e la comunità quotidiana, e si affidava alle mute parole delle lettere e delle fotografie. Egli era uno che «riceveva messaggi» da un punto remoto nello spazio, dove una mano avrebbe scritto incessantemente per lui, come egli avrebbe scritto per lei senza interruzione. Ma quale strana distanza! Il foglio di carta, palpato e stretto nella mano, doveva rivelargli, come in una operazione di «alta magia», cosa faceva Felice a Berlino: se era sana o malata, lieta o triste, se soffriva di denti o di nostalgia. «Dobbiamo organizzarci» egli aggiungeva, solo in apparenza per scherzo «in modo che nell'istante in cui uno chiede qualcosa all'altro, il portalettere entri di corsa a qualsiasi ora del giorno e della notte.»

Senza vederla e parlarle, Kafka si sforzava di realizzare questa magica comunicazione e affinità delle anime. La sera, non impedito dal frastuono quotidiano e dal lavoro, cercava di vederla mentre conversava con la madre: la notte, cercava di sognarla: inviava i suoi influssi magici verso Berlino; e le aveva riservato un posto nel suo ufficio, dove lei poteva abitare come un'ombra silenziosa, mentre lui avrebbe abitato come un'ombra gli uffici del Parlograph. Cosa contavano i luoghi e gli spazi? Insieme, a Berlino e a Praga, come gli aghi magnetici di una stessa bussola, formavano «una sola, grande realtà» di cui sarebbero stati sempre sicuri: uno avrebbe pensato una cosa a voce bassa o alta, e l'altro, a centinaia di chilometri di distanza, avrebbe risposto, senza essere nemmeno interpellato. In modo conscio o inconscio, Kafka aveva in mente la magica forza di attrazione che lega Ottilie e Eduard, negli ultimi capitoli delle *Affinità elettive*. Così la lontananza si sarebbe capovolta in vicinanza assoluta. Avrebbero scritto continuamente, sino a quando le penne e le carte si sarebbero avvicinate e quasi confuse, l'uno avrebbe letto le lettere dell'altro, per trovarsi alla fine tra le braccia dell'altro. «Sì, si dovrebbe cessare di scrivere lettere, ma dovremmo essere così vicini l'uno all'altro da escludere la necessità di scrivere, non solo, ma da non avere, per l'eccessiva vicinanza, neanche la possibilità di parlare.» In quel momento, il loro rapporto avrebbe rivelato la sua legge segreta. Non era un amore umano, fondato sulla comunicazione e sulla parola: ma un amore magnetico, come quello che legava Ottilie e Eduard, e può stringere tra loro due pietre, due grandi stelle del firmamento.

Kafka era un uomo troppo intero, perché queste tragiche tele di ragno, tessute sopra le voragini della lontananza, potessero accontentarlo. Certi giorni, a tratti con terribile intensità, veniva assalito dalla sensazione che il loro scambio di lettere fosse una cosa vana ed illusoria, che rendeva ancora più irrimediabile la distanza. «Veramente, se fossimo separati da continenti e tu stessi da qualche parte in Asia, non potremmo essere più lontani di così... Anche questa volta non do risposta, le risposte si danno a voce, scrivendo non ci si capisce, si può al· massimo avere un presentimento della felicità.» Provava l'angoscia desolata della distanza. Quand'era solo in ufficio, davanti alla scrivania disordinata e piena di carte, accanto all'ombra silenziosa di Felice, pensava che avrebbe potuto vivere insieme a lei; e avrebbe voluto rovesciare i tavolini, spaccare i vetri degli armadi, insultare il principale. Aveva un bisogno quasi animale di vicinanza e di affetto: desiderava afferrare quelle mani lontane. «Come si può mai trattenere una persona soltanto con parole scritte, per tenere ci sono le mani... Ora smetto, è già tardi... Che modo è quello di usare le mani per scrivere lettere, quando non sono fatte per altro e non vogliono altro che tenerti stretta.» Almeno, quando avesse finito di scriverle, avrebbe voluto guardarla negli occhi. Sognava di passeggiare insieme a lei per i viali di Berlino. Le dava il braccio, come un fidanzato: ma le loro spalle si toccavano strettamente, le braccia aderivano in tutta la loro lunghezza, simili a quelle di Josef K. e dei suoi assassini.

Così, deluso dalla distanza e dalla vicinanza, si convinse che avrebbe trascorso tutta la vita davanti ad una porta chiusa: sotto l'ingresso secondario della casa di Felice, attendendo in silenzio se di là dalla porta giungesse qualche parola, qualche suono, qualche eco di risa, qualche borbottio incomprensibile. Poteva aspettare a lungo, senza impazienza, in eterno, perché la sua capacità di attendere era immensa, e perché sapeva che la porta non si sarebbe mai spalancata ai suoi timidi colpi. O forse, chissà, un giorno la porta si sarebbe aperta: Felice sarebbe apparsa alla luce del giorno – forma intravista qualche anno prima, forma intravista in sogno e ormai irriconoscibile –, per salire sulla carrozza che l'attendeva. Lui sarebbe stato nella polvere, nel fango, in un rigagnolo: umile e umiliato come un cane, o come uno di quegli abbietti parassiti che egli – lo Straniero – portava dentro di sé. In quell'istante si sarebbe buttato ai suoi piedi, e le avrebbe baciato la mano. «Mi limiterò a baciare come un cane forsennatamente fedele la tua mano distrattamente abbandonata, e non sarà un segno d'amore, ma soltanto un segno di disperazione dell'animale condannato al silenzio e all'eterna lontananza.» Poi sarebbe corso dietro la sua carrozza, nel turbine di un grande traffico, senza perderla d'occhio, senza lasciarsi sviare da nessun ostacolo. Era l'unica cosa che sapeva fare. Non ci sarebbe stato altro: lui sarebbe rimasto sino alla fine dei tempi l'escluso, il reietto, l'abbandonato, l'estraneo. Questa era la figura principale della sua vita: attesa dell'uomo di campagna davanti alla Legge divina, attesa di tutti i cinesi per il messaggio dell'imperatore, attesa dell'angelo, attesa del Castello popolato di dei; attesa destinata a restare eternamente delusa. Non fu l'intuizione di Dio e la nozione della trascendenza a generare, in Kafka, l'attesa: ma questo senso di attesa, che coincideva col fatto stesso di vivere, generò l'idea di Dio e la sua teologia.

Con gli inizi del 1913, lo slancio di esaltazione, di follia e di euforia che l'aveva sostenuto nella stesura del *Verdetto*, del *Disperso* (*America*) e della *Metamorfosi*, e che gli aveva consentito di scrivere a Felice, – si arrestò. Quando Karl Rossmann stava per perdersi nei bassifondi americani, abbandonò *Il disperso*. La depressione riprese il predominio sopra di lui. Era spento, desolato, sconfitto: passava delle ore, «cupo e intontito», nel letto dove Gregor Samsa si era svegliato sulla schiena, dura come una corazza: faceva passeggiate solitarie, non parlava né coi genitori, né con la sorella, né con gli amici; e camminava come un sonnambulo, inciampando per le strade, col cuore ridotto a un muscolo guizzante. Non vedeva davanti a sé che disperazione: assoluta, assoluta disperazione: che nessun pensiero razionale poteva rinviare o alleviare; disperazione come unico contenuto della sua vita. Intorno a lui, crescevano le acque di un destino buio. Non c'era che sventura, inconoscibile, senza nome né volto, che gli inviava quotidianamente le sue minacce. Non erano possibili miglioramenti, perché aveva soltanto la forza che gli era stata data nascendo e nessun soccorso sarebbe venuto da qualche oscura riserva. Come ogni Straniero, non conosceva il futuro: «Non ho naturalmente alcun piano o alcuna previsione, non posso entrare nell'avvenire: precipitarmi nell'avvenire, rotolarmi nell'avvenire, incespicare nell'avvenire, questo posso e più che mai posso restarmene a terra». Quanto all'amore per Felice, era stato un disastro fin dall'inizio. Era un'oscura necessità – una forza magnetica, che lo attraeva e lo faceva rotare nella lontananza, ma soltanto per la propria condanna.

Scrisse a Felice all'inizio di marzo chiedendo di essere cacciato. C'erano tre possibilità. «O hai soltanto pietà di me... Oppure tu non hai esclusivamente pietà di me, ma sei stata ingannata per sei mesi, non hai l'esatta visione della mia misera natura, passi sopra le mie confessioni, e senza averne coscienza, ti impedisci di crederci.» Oppure «può darsi che tu non abbia esclusivamente pietà di me e comprenda anche le mie condizioni presenti, ma creda che un giorno potrei ancora diventare un uomo utile col quale sia possibile un dialogo regolare, tranquillo, vivo. Se lo credi, ti inganni terribilmente... Non abbandonarti, Felice, a tali illusioni. Non potresti vivere accanto a me neppure due giorni». Malgrado questo, il 22 marzo partì per Berlino, scendendo all'*Askanischer Hof*. Voleva soltanto dimostrarle che era indegno di lei. «La presenza è inconfutabile.»

III

LO SCRITTORE COME ANIMALE

Anche negli anni della giovinezza, Kafka sentì l'ispirazione poetica come un flusso: un mare o un vento fortissimo, che riempiva la sua mente e il suo corpo, e avrebbe potuto portarlo al largo, là dove corrono le grandi creazioni poetiche. Questo vento si levava in lui specialmente la notte, lasciandolo insonne o in guerra con i propri sogni: era una forza liberatrice, ma anche una furia che lo dilaniava; una rivolta che saliva dalle periferie, dagli abissi della sua anima, dalle tenebre inconsce del suo spirito. Qualcosa dentro di lui, non sapeva dove, resisteva a questo flusso: lo «conteneva, lo opprimeva»; non dava via libera all'inconscio, e proprio per questo non poteva guidarlo. Così Kafka aveva l'impressione che, in lui, invece di un'armonia maestosamente vivace, avvenisse uno strepito. Avvertiva l'inimicizia delle parole: «tutto il mio corpo mi mette in guardia da ogni parola, ogni parola prima di lasciarsi scrivere da me si guarda in giro da tutte le parti»; e la mente non imponeva ancora alle cose quella inarrestabile fluidità, che sarebbe stata il dono dei suoi grandi romanzi. Ad ogni riga, doveva ricominciare da capo, come se componesse laboriose tarsie. Sulla scrivania, tutto gli appariva secco, distorto, immobile, imbarazzante per ciò che stava intorno, timido e soprattutto lacunoso. Affioravano soltanto inizi monchi: ogni frammento correva intorno senza patria e spingeva in direzioni opposte. «Quasi nessuna delle parole che scrivo è adatta alle altre, sento come le consonanti stridono tra di loro con suono di latta e le vocali le accompagnano col canto come negri all'esposizione. I miei dubbi stanno in cerchio attorno ad ogni parola e li vedo prima della parola.» Le parole si spar-pagliavano e non riusciva a raccoglierle in un periodo: se le raccoglieva, tra una frase e l'altra si aprivano fessure tali che poteva cacciarvi dentro tutte e due le mani, o una frase ave-va il tono alto, una quello basso, una frase sfregava la vicina come la lingua sfrega un dente vuoto. Parlava a Max Brod della prima redazione del *Disperso* (un libro che poi sarebbe riuscito tumultuosamente ricco) come di un insieme di «brevi pezzi più accostati che intrecciati l'uno nell'altro».

Finalmente, giunse la liberazione. Era una domenica – il 22 settembre 1912, circa un mese dopo aver conosciuto Fe-lice. Aveva passato il pomeriggio in una tediosa occupazione famigliare: i parenti di suo cognato erano venuti per la pri-ma volta a trovarlo: non aveva mai aperto bocca; e avrebbe voluto urlare dalla noia e dalla disperazione. Dopo cena, verso le dieci, si sedette alla scrivania. Aveva l'intenzione di rappresentare una guerra, un giovane doveva vedere dalla finestra una folla avvicinarsi: quando la penna, quasi a sua insaputa, cominciò a scrivere *Il verdetto* – una storia di padri e figli, di usurpazioni taciute e di condanna, di crudeltà e di sacrificio, dove si rispecchiava per la prima volta il suo com-plesso edipico. Ebbe subito l'impressione che non si trattas-se più, come ai tempi di *Descrizione di una battaglia*, di un gioco «con la punta delle dita». Quel racconto era scritto con tutte le sue energie: con la mente, l'anima e il corpo. Era un vero e proprio parto, «coperto di lordura e di muco». Le forze del suo inconscio, che fino allora aveva contenuto e represso, erano venute improvvisamente alla luce, spezzan-do le barriere che le avevano ostacolate.

Scrisse tutta la notte senza interrompersi mai, senza dor-mire, con le gambe ferme e irrigidite. Scivolava sulle super-fici degli eventi e delle cose – nessuna psicologia, nessuna spiegazione apparente –: mentre portava alla luce l'enorme ricchezza di quanto aveva rimosso. Se si fosse fermato un istante, se si fosse spostato o avesse aperto un libro o se si fosse distratto, avrebbe bloccato l'accesso alle verità taciute.

Scrivere non era altro che questo flusso inarrestabile: aveva la qualità illimitata, indefinita e ininterrotta dell'acqua, e insieme sembrava una navigazione sopra l'acqua, come se masse successive si sovrapponessero nell'unità dell'oceano. Afferrato alla scrivania come a uno scoglio o a un sepolcro, non poteva alzare la mano dal foglio, perché altrimenti il racconto avrebbe perduto lo slancio, l'impeto, l'andamento naturale e continuo, – la magica fluidità del respiro che aveva tanto desiderato. Comprese che bisogna scrivere tutto di un fiato: non solo i racconti, ma anche i grandi romanzi, come l'*Éducation sentimentale*, che aveva sognato di leggere in una volta sola ai suoi ascoltatori: «*Soltanto così* si può scrivere, soltanto in una simile connessione, con una completa apertura del corpo e dell'anima». Alle due consultò per l'ultima volta l'orologio. La stanchezza scomparve. Qualche ora dopo, fuori dalla finestra, a poco a poco l'aria diventò azzurra: passava un carro; due uomini attraversavano il ponte. Spense la lampada al chiarore del giorno. Alle sei, quando la domestica attraversava per la prima volta l'anticamera, scriveva l'ultimo periodo. Spostò la sedia, si alzò dalla scrivania, uscì dalla stanza e si stirò davanti alla domestica dicendo: «Ho scritto fino adesso»; entrò tremando nella stanza delle sorelle e lesse il racconto, del quale ignorava ancora il significato. Sentiva di avere gli occhi chiari. Poi, estenuato e felice, andò a letto, «con leggeri dolori al cuore e sussulti ai muscoli del ventre».

In quelle poche ore tra le dieci di sera e le sei del mattino, Kafka stabilì per sempre la sua concezione della letteratura; e la sua idea dell'ispirazione poetica – la più grandiosa dopo Platone e Goethe. Era sicuro che da qualche parte c'era un «potere supremo», che si serviva della sua mano. Non importava chi fosse: se un dio sconosciuto, o il diavolo, o i demoni, o semplicemente il mare di tenebra che portava dentro di sé, e che egli avvertiva come una forza supremamente oggettiva. Egli doveva obbedirgli: seguire i suoi cenni: aprirsi alla sua parola; e trasformare la propria vita, la propria mente e il proprio corpo in uno strumento «chiaramente elaborato» per secernere letteratura, come avevano fatto i grandi scrittori che ammirava. Quale lavoro tremendo! Quale fatica continua, piena di dubbi e di attese! Non gli bastava obbedire: doveva distruggere molte cose dentro di sé e fuori di sé; e con atroce ascetismo, con paurosa avarizia, risparmiare e economizzare in tutto ciò che riguardava la sua esistenza. Quante cose da dimenticare: la famiglia, gli amici, la natura, le donne, i viaggi, Felice, i figli, la conversazione, la musica. Era una specie di alchimia: abolire la vita dentro di sé, e trasformarla in quella sostanza pura, traslucida, assente, vuota, che si chiama letteratura. Se non l'avesse fatto, se non si fosse bruciato e sacrificato ai piedi di un altare di carta, il dio della letteratura gli avrebbe impedito di vivere. «Domani ricomincio a scrivere, mi ci voglio buttare con tutta la mia forza, sento che se non scrivo c'è come una mano inflessibile che mi caccia via dalla vita.» Se avesse smesso di scrivere, sarebbe diventato prigioniero di qualsiasi spinta dei venti: lento, torbido, incapace di capire; solo come la pietra o il pezzo di legno, che sentiva di essere nella propria origine. Se scriveva, c'erano – forse – delle speranze. Avrebbe potuto tener testa al mondo; e il dio della letteratura gli avrebbe portato in dono Felice.

Sapeva che, la notte, gli uomini buoni dormono, chiusi nel loro sonno come bambini, protetti da una mano celeste contro l'assalto degli incubi. Il sonno è la più pura e innocente delle divinità: una mite benedizione, che scende soltanto sulle palpebre degli esseri puri. Gli uomini insonni sono colpevoli, perché non conoscono la quiete dell'anima e sono torturati dall'ossessione. Come tutti i colpevoli, soffriva d'insonnia. La sera si addormentava, ma dopo un'ora si svegliava come avesse posato la testa in un buco sbagliato. Era perfettamente desto, aveva l'impressione di non aver dormito affatto o di aver dormito sotto una pelle sottilissima e aveva ancora davanti a sé la fatica di prendere sonno. Poi si riaddormentava: il suo corpo dormiva accanto a sé stesso, mentre il suo io si dibatteva coi sogni. Verso le cinque, le ultime tracce di sonno erano consumate; e i sogni erano molto più faticosi della veglia. Quando si svegliava completamente, tutti i sogni stavano raccolti intorno a lui, e lo guardavano con occhi muti e spaventevoli. Ma aveva capito che l'insonnia – la sua colpa – era anche la sua forza. Chi dormiva sonni così inquieti e agitati, viveva in rapporto con gli spiriti della notte, con i demoni e le forze che si annidano nell'oscurità, con le forze che gremivano il suo inconscio; e lui doveva evocarla, come la notte che scrisse *Il verdetto*, a costo di non dormire mai.

Aveva letto in una *Storia del diavolo* che, tra gli odierni Caraibi, «chi lavora di notte» viene considerato come creatore del mondo. Lui non aveva la forza di creare o di ricreare il mondo: ma se fosse stato sveglio durante la notte, avrebbe potuto portare alla luce ciò che il suo dio sconosciuto gli aveva rivelato. Così si impose questa disciplina: si sedeva alla scrivania alle dieci di sera e si alzava alle tre, talvolta alle sei. Scriveva nel buio, nel silenzio, nella solitudine e nell'isolamento, mentre tutti gli altri – Felice che non voleva vedere, il padre e la madre con cui scambiava poche parole e gli amici – dormivano; e gli sembrava di non aver ancora abbastanza silenzio, e che «la notte fosse ancora troppo poco notte». Avrebbe voluto cancellare il giorno e l'estate, l'alba e il crepuscolo, prolungare la notte oltre i suoi corti confini, trasformandola in un solo interminabile inverno. Intorno a lui, c'era l'immobilità più profonda; e pareva che il mondo si dimenticasse di lui.

La sola notte non gli bastava. Siccome la sua ispirazione non veniva dall'alto ma dagli abissi, anche lui doveva scendere sempre più in basso, verso le profondità della terra; e giunto laggiù, rinchiudersi, come quel carcerato che nella profondità dell'anima egli era. «Ho già pensato più volte che il mio modo migliore di vita sarebbe quello di stare con l'occorrente per scrivere e una lampada nel locale più interno di una cantina vasta e chiusa. Mi si porterebbe il cibo, lo si poserebbe sempre lontano dal mio locale dietro la più lontana porta della cantina. La strada per andare a prendere il pasto in veste da camera, passando sotto le volte della cantina, sarebbe la mia unica passeggiata. Poi ritornerei alla mia scrivania, mangerei lento e misurato e riprenderei subito a scrivere. Chissà quali cose scriverei! Da quali profondità le tirerei fuori!» Nemmeno questa immagine gli bastava: forse qualche rumore poteva arrivare fino nella segregazione della cantina; forse qualcuno – la compagna sconosciuta, Felice, gli amici – avrebbe varcato gli ostacoli e sarebbe giunto a disturbarlo nella sua solitudine. Lui voleva qualcosa di più di un eremo: il sonno profondo della morte, la pace imperturbabile del sepolcro, dove ogni contatto umano si spegne. Così, diventato un recluso e un morto, Kafka trovava finalmente la giusta condizione per scrivere. Senza più uffici, né contatti umani, né matrimoni, aveva a disposizione tutto il tempo: un tempo infinito, perché l'ispirazione illimitata come il mare ha bisogno di non avere confini attorno a sé. Chiuso nella profondità della notte, si raccoglieva attorno al centro del proprio essere: si concentrava senza sforzo e fatica: ma insieme «si espandeva», «si versava», uscendo dalle strettoie del corpo nell'infinito della scrittura: liberava tutto ciò che era nascosto o irrigidito dentro di lui; e così otteneva quel grande calore e quella felicità che riscaldavano le mani gelide e il cuore intirizzito.

Appena si avvicinava di notte alla scrivania, il tumulto, la violenza, la splendida recitazione delle lettere a Felice lo abbandonavano. Lì non c'era specchio: né altri esseri umani, o lui stesso, da convincere. Sopra la nevrosi e l'isteria e l'angoscia, che lo torturavano durante il giorno, trovava un angolo sovrumano di pace: quella serenità della mente, da cui scendono i suoi accenti di quiete quasi taoista. Laggiù lui – il torturato – non scrisse mai una riga rotta o spezzata: la terribile tranquillità, il tocco lieve e discreto non vengono violati nemmeno quando Gregor Samsa e Josef K. sono accompagnati alla morte. Il racconto era il luogo dove tutto si placava e veniva incamminato «per la via giusta». Intanto, proprio nel luogo della notte, avveniva la completa trasformazione della tenebra. Egli sapeva benissimo che la sua immersione nell'inconscio offriva dei pericoli tremendi: rischiava di non tornare mai più dal suo viaggio di esplorazione, o con i tratti sconvolti del folle. Ma sapeva anche che, se avesse portato la tenebra sotto lo sguardo della ragione, trasformandola in un ardito gioco intellettuale come aveva fatto Poe, la sua opera sarebbe rimasta vana. Così, in quelle notti, avveniva il miracolo che rende unico Kafka tra gli scrittori moderni. La tenebra non perdeva nulla della sua forza inquietante, della sua vischiosità, della sua irradiazione: l'inconscio restava inconscio: la ragione non frapponeva mai la sua mediazione; eppure tutto l'arcipelago sconosciuto veniva alla luce, trovava una forma, senza più un'ombra o un tratto indefinito, come se fosse stato una creatura del giorno. Abbiamo un'impressione unica: siamo immersi contemporaneamente nell'inconscio e nella vertigine della luce.

I suoi grandi romanzi posseggono una complessità estrema: mille relazioni e rapporti interni li attraversano: un'impressione o un evento vengono corretti a centinaia di pagine di distanza: ogni figura ha un senso solo se contrapposta a tutte le altre figure; ogni frase può essere compresa solo se muoviamo dalla totalità del libro. Così, crederemmo che egli componesse laboriosamente dei piani, dei progetti, degli schemi di lavoro, o che correggesse e risistemasse continuamente il proprio libro, come Dostoevskij e Tolstoj. Nulla di questo è vero. Laggiù, nella cantina, scrivendo *Il disperso* o *Il processo* o *Il castello*, Kafka non stese nemmeno un progetto o uno schizzo: il problema dell'architettura narrativa per lui non esisteva. Come un invasato, si abbandonava all'ispirazione illimitata e ondosa, che fluiva in lui durante la notte; e questa ispirazione notturna possedeva tutta la sapienza strutturale di cui aveva bisogno. Il testo era una grande colata lavica non distinta da capitoli, capoversi, segni di interpunzione, – che venivano aggiunti in un secondo momento. Correggeva pochissimo.

Quei mesi dell'autunno 1912 furono il momento decisivo della vita di Kafka. Dopo le ragnatele e le *clowneries* di *Descrizione di una battaglia* e di *Betrachtung*, scoprì che non era affatto uno scrittore squisito e tenue come credeva. Le ombre lo avevano invaso; e, mentre scriveva a Felice, *La metamorfosi* e *Il disperso* – un epistolario immenso, un racconto di un significato incommensurabile e un romanzo che avrebbe potuto procedere all'infinito –, si accorse di possedere una torrenziale ricchezza di immaginazione. Tutto sembrava essere nelle sue mani. Se avesse voluto, avrebbe potuto diventare un altro Dostoevskij: autore di un'opera capace di rivaleggiare soltanto con la natura. Non saprei dire con quanta coscienza, Kafka rifiutò. Come disse in poche righe, avviò le «grandi masse» della sua fantasia in «strette vie», in «stretti limiti». Laggiù, nella cantina chiusa, egli doveva concentrarsi: rinunciare a ogni desiderio di espansione, a ogni variazione, a ogni dilatazione. Doveva tendere al cuore. Il carcere: questa fu la sorgente della grandezza di Kafka. Nessuno conobbe, come lui, questo tremendo desiderio di autolimitazione, che lo condusse a restringere sempre più la propria cerchia, a controllare se, per caso, non si nascondesse da qualche parte oltre il confine che gli era stato assegnato. Perché, come disse, solo «il cerchio limitato è puro». Non poteva fare altro. Ma rimase per tutta la vita con il rimpianto di aver commesso una colpa, rifiutando la possibilità che il dio sconosciuto gli aveva proposto.

Aveva altri dubbi. Bastava che si inceppasse davanti a un ostacolo, che per due giorni smettesse di scrivere, perché temesse di aver perduto per sempre il suo talento. Proprio lui, che possedeva come nessuno il dono animalesco dello scrivere, sentiva questo dono come una cosa fragile, rarefatta, soggetta a scomparire al primo vento. Non si fidava della propria ispirazione: sentiva di «vacillare», di volare ininterrottamente verso la cima del monte, ma di non riuscire a sostenersi lassù nemmeno un istante. In parte, questi dubbi sono comprensibili: non era uno di quegli scrittori che seggono tutte le mattine davanti al proprio tavolo di lavoro – l'ispirazione andava e veniva: poteva tacere e abbandonarlo per anni, lasciandolo nella amara disperazione. E poi, se tutto fosse stato una sua illusione? Se nessun potere superiore avesse voluto utilizzarlo per i suoi fini? E se, infine, l'atto di scrivere, il gesto di chiudersi nella cantina, fosse stata la più terribile delle colpe? Se egli avesse rifiutato la Legge? Adorava la letteratura, ma era il contrario di un esteta. Aveva sempre creduto che l'atto più sublime dell'uomo fosse quello dettato dalla *caritas*, come Gregor Samsa, che si immola per la sua famiglia.

Durante tutta la vita, Kafka – il più spirituale tra gli uomini – fu ossessionato dal proprio corpo. Il corpo che qualcuno gli aveva attribuito per caso o per odio nascendo, lo ostacolava, lo sabotava, impediva il suo sviluppo intellettuale e spirituale: insieme a lui, non avrebbe conosciuto che un avvenire miserabile. Era troppo lungo, angoloso e puntuto: non cresceva in una linea retta, come i bei corpi giovanili che ammirava, ma lo costringeva a piegarsi e a cadere; gli toglieva ogni spontaneità e naturalezza. Il cuore debole, che ogni tanto lo assaliva con fitte dolorose, non riusciva a spingere il sangue in tutta la lunghezza delle membra, che restavano fredde e irrigidite. Non aveva fuoco interno: né quel minimo grasso di cui lo spirito potesse nutrirsi. Molto presto, comprese la ragione di questa magrezza. Tutte le sue energie si erano concentrate nella letteratura: aveva soppresso le forze che, negli altri, inducono a mangiare, a bere, ad ascoltar musica, a scrivere di filosofia; e il suo corpo era dimagrito innaturalmente, serbandolo giovane come un efebo, immutabile attraverso il passare degli anni. La cosa più grave era che questo corpo gli era estraneo: la più straniera fra le forme che componevano la sua natura di Scapolo. Qualche divinità nemica lo aveva imprigionato dentro di esso, come dentro una dura scorza. Ora esso era rivolto contro di lui, e macchinava chissà quali insidie. «Tutto quanto possiedo è contro di me, ciò che è contro di me non è più in mio possesso. Se, per esempio, lo stomaco mi duole, non è più in realtà il mio stomaco, ma qualcosa che essenzialmente non è diversa da una persona estranea la quale abbia voglia di bastonarmi. E tutto è così, sono tutto fatto di punte che mi penetrano dentro, e se voglio difendermi e usare la forza, non faccio che spingerle più addentro.» Cosa c'era dentro il suo corpo? Forse un gomitolo che si scioglieva rapidamente, con un numero infinito di fili? E non c'era rischio che vi irrompessero delle forze nemiche, venendo dalla vastità straniera del mondo? Così, fino agli anni della malattia, Kafka decise di appropriarsi e di domare il suo corpo. Passeggiava per ore, nuotava, faceva ginnastica, si esponeva seminudo all'aria aperta, sperando che gli elementi lo riconciliassero con sé stesso.

Sentiva un animale dentro di sé. Volta a volta, componendo con le figure del proprio inconscio un bestiario non meno immenso di un bestiario medievale, avvertiva in sé un coleottero o un maggiolino in letargo: una talpa che scavava gallerie nel terreno: un topo che fuggiva appena arrivava l'uomo: un serpe strisciante: un verme schiacciato da un piede umano: un pipistrello che svolazzava: un insetto parassitario, che si nutriva del suo sangue: una bestia silvestre, che giaceva disperata in un fosso lurido o nella tana: una cornacchia grigia come la cenere, con le ali atrofizzate: un cane, che digrignava i denti contro chi lo disturbava o abbaiava correndo nervosamente attorno a una statua: un animale doppio, che aveva il corpo dell'agnello, la testa e gli artigli del gatto, il pelo morbido e gli occhi selvaggi e fiammeggianti di entrambi; o uno di quegli uomini abbietti, loschi e parassitari, che rappresentò nell'ultima parte del *Disperso*. Egli aveva orrore di molti animali. Quando, a Zürau, visse tra i topi, venne spaventato dalla muta, insidiosa forza animalesca che sentiva in agguato: ma, al tempo stesso, sentiva che quelle bestie erano nascoste dentro di lui. Ne aveva orrore proprio perché avvertiva la sconosciuta belva potenziale che lo abitava; e, con terrore e desiderio, attendeva che si rivelasse all'improvviso, che le sue membra si ricoprissero di peli e la sua voce cominciasse a squittire, come aveva letto nelle *Metamorfosi* di Ovidio. Sapeva che così sarebbe disceso sotto il livello umano, nell'oscurità sconosciuta che si spalanca sotto la nostra coscienza: ma non ne aveva timore, perché la discesa sarebbe stata anche una ascesa di grado, la conquista di una luce e di una musica che finora gli uomini avevano soltanto presentito. Poi comprese il senso delle sue sensazioni. L'animale che lo abitava, coleottero o tasso o talpa, non era altri che la sua anima e il suo corpo di scrittore, che si chiudeva tutte le notti e gli inverni nella cantina obbedendo alla voce dell'ispirazione, come certi animali passano l'inverno in letargo nelle loro tane notturne.

La mattina del 17 novembre 1912, stava a letto, chiuso nella sua stanza. Era domenica. La notte prima, scrivendo *Il disperso*, non era rimasto soddisfatto: gli pareva che il romanzo peggiorasse; poi sognò che un fantastico postino gli consegnava due magiche e inesauribili lettere di Felice. Ora, nel letto, attendeva il postino reale, con le reali lettere di Felice. Lo aspettò fino alle undici e tre quarti: in quelle due ore di terribile attesa, venne assalito dalla sua angoscia ricorrente – l'angoscia di essere cacciato dal mondo, come un animale parassitario che gli uomini possono schiacciare o prendere a calci. Dovette attraversare dei momenti di totale allucinazione e di delirio, perdendo completamente la dimensione umana; e concepì un breve racconto, che incalzava dentro di lui e voleva essere disteso in parole. Come sempre, posseduto dalla formidabile velocità della sua ispirazione, non lasciò passare tempo. La sera si mise a scriverlo, abbandonando la stesura del *Disperso*: subito il racconto gli si allungò tra le mani: non era più un apologo, ma un racconto che si estendeva, che si allargava da tutte le parti, e comprendeva la fantastica complessità della sua vita e quella di tutti gli uomini; e avrebbe voluto avere davanti a sé una notte interminabile, in cui stenderlo tutto intero, e poi dormire per sempre. Lo terminò il 7 dicembre. Era *La metamorfosi*.

In quei giorni, nella piccola stanza della Niklasstrasse, avvenne una doppia trasformazione. Scrivendo nella sua tana notturna, Kafka scendette sempre più profondamente sottoterra, dove nessun esploratore di abissi era penetrato prima di lui. Come tutti i grandi creatori, rivelò il dono di assumere tutte le forme e di mutare ogni specie: nello spazio di quasi un mese, assunse con freddo delirio un altro corpo; con occhi attentissimi e voluttuosi seguì la metamorfosi del suo personaggio, come se anche lui, mentre copriva la carta di segni più fitti di quelle zampette vibranti, stesse lentamente diventando un *Ungeziefer*, un enorme insetto parassitario. Anche Tolstoj diventava insetto, cavallo, uccello, per trasformarsi nella vastità dell'universo vivente. Kafka, invece, si trasformava sòlo per scoprire le profondità di sé stesso. Intanto, trasponeva l'appartamento della Niklasstrasse, dove abitava coi genitori, nell'appartamento di Gregor Samsa. Tutto corrispondeva: l'armadio con i vestiti, la scrivania e il divano: l'ospedale fuori dalla finestra, le luci stradali che si riflettevano nella parte alta della camera, le porte, la disposizione delle altre camere dell'appartamento. Così, per un mese, la sua stanza divenne il teatro di una tragedia durata un inverno.

Quando apriamo il racconto, la metamorfosi è già avvenuta. La sera, Gregor Samsa era un commesso viaggiatore qualsiasi: la notte ha avuto dei sogni inquieti, la mattina – una mattina d'inverno come la notte in cui Kafka scriveva – la sua schiena è dura come una corazza, il ventre è arcuato, bruno e diviso da nervature ricurve, mentre delle innumerevoli zampine, compassionevolmente sottili, si agitano e vibrano con una dolorosa eccitazione davanti ai suoi occhi. Intorno, tutto è uguale: la vecchia stanzetta, il campionario di tessuti sul tavolo, il ritratto femminile ritagliato da una rivista illustrata, la malinconica pioggia che scende dal cielo fosco. Con quale partecipazione, condividiamo i sentimenti del nuovo *Ungeziefer*: come Gregor, avvertiamo la schiena dura quanto una corazza: sollevando un poco il capo, osserviamo il nostro ventre arcuato e le mille zampine che tremolano: proviamo un dolore sottile e sordo al fianco, prurito al ventre, umidità, freddo; ci stupiamo quando un pigolio incontenibile e doloroso si mescola alla nostra voce, e quando le zampine che si agitano sfrenatamente non ci consentono

64

di scendere dal letto. Nessuna metamorfosi animalesca – né Ovidio né Dante – era mai stata così minuziosa, così lenticolare, così capace di coinvolgerci senza rimedio. Ma Gregor Samsa sembra molto meno coinvolto di noi. Non si meraviglia, non si addolora: sembra che la metamorfosi sia, per lui, un fatto ovvio e naturale come prendere il treno la mattina alle sette. Coscientemente o incoscientemente, minimizza ciò che gli è accaduto: gli toglie peso, lo considera revocabile, quasi fosse incapace di vivere tragicamente la tragedia assurda della propria sorte: con una patetica buona volontà, cerca di dar ordine a ciò che gli è accaduto, e così l'incommensurabile e il terribile diventano il normale. Kafka fece ricorso a una delle sue più amate tecniche narrative, la «restrizione di campo», che ci sottrae alcuni dati della coscienza di Gregor (come più tardi di Karl, di Josef K. e di K.). Così, senza alcun intervento narrativo, riuscì a rappresentare con semplicità straziante la tremenda atonia, la dolorosa accettazione di vivere, che fanno di Gregor l'ultimo e il più grande degli eroi flaubertiani.

La metamorfosi si compie davanti ai nostri occhi. In un primo momento, Gregor Samsa si sente prigioniero di un corpo che non gli appartiene, e che non riesce a guidare e a dominare con la stessa naturalezza con cui guidava le vecchie membra. Se apre la bocca per parlare, sente quel pigolio incontenibile e doloroso salire dal basso, mescolarsi alle sue parole, e poi confonderle talmente nell'eco da fargli dubitare di averle intese: si accorge che il suo corpo è «inverosimilmente largo»: quando cerca di scendere dal letto, non ha più mani e braccia, ma soltanto delle zampine; se prova a piegarne una, deve stirarsi, e quando riesce finalmente a piegarla, tutte le altre zampine si muovono, senza che egli le muova, con un'altissima e dolorosa eccitazione. Presto la sua natura bestiale progredisce: la voce a metà umana e a metà animalesca diventa completamente animalesca, ed egli riconosce chiaramente le nuove parole, che prima gli sembravano oscure. Comincia ad adattarsi al nuovo corpo e a farlo proprio: le innumerevoli zampine vorticanti non lo terrorizzano più; quando tocca il suolo, sente che gli obbediscono pienamente, che lo possono trasportare dove vuole, come le gambe di un tempo, e prova un senso di benessere fisico e di gioia, quasi fosse entrato nelle sue vere membra. Comincia a usare le antenne. Quando immerge la testa nel latte, che un tempo adorava, lo disgusta: ora, come un insetto, ama le verdure appassite e quasi marce, il formaggio andato a male, i cibi putrefatti. La stanza troppo alta lo spaventa: l'istinto bestiale lo porta a nascondersi sotto il divano, e a vagabondare nella spazzatura e nei rifiuti.

Mentre Kafka lo segue con il suo occhio implacabile, Gregor perde a poco a poco gli antichi sensi umani, che avevano elaborato per lui le forme del mondo. Da principio possiede ancora la vista e l'udito. Come per tanti infelici, lo sguardo era stato la sua liberazione. Quante ore aveva passato alla finestra della sua stanza, guardando *fuori*, e quella vista gli aveva dato la speranza di perdersi nell'altrove. Ora, se spinge una seggiola verso la finestra, si arrampica sul davanzale e vi si affaccia, distingue con sempre minore chiarezza gli oggetti: non riesce più a scorgere l'ospedale di faccia; se non avesse saputo di abitare nella Charlottenstrasse, avrebbe potuto credere di guardare in un deserto, dove il cielo grigio e la terra si riunivano indistinguibilmente. Non gli resta più che l'udito; e con quale angoscia, chiuso nella sua stanza, ascolta i rumori e le voci dell'appartamento, – quelle voci che nessuno crede che egli capisca. Ma non ha perduto i sentimenti umani: sogni, qualche assalto di megalomania, qualche assurda speranza, ricordi, – della ditta, dei suoi viaggi di commesso viaggiatore, di qualche fuggevole amore, della sua vita chiusa e ristretta. La metamorfosi non è dunque completa come quelle di Ovidio. Gregor Samsa non è diventato un coleottero o uno scarafaggio: è una creatura divisa, scissa, una creatura a metà, qualcosa che oscilla tra l'animale e l'uomo, che potrebbe diventare completamente animale o ritornare uomo, e non ha la forza di una metamorfosi intera.

Il mondo esterno si è cancellato nella nebbia. Tutto l'immenso «fuori» è ridotto alla pioggia sui vetri, che ritma il passo dell'inverno, alla nebbia, alla luce elettrica delle lampade stradali, che si riflette sul soffitto e nelle parti superiori dei mobili. Nella stanza non c'è altra luce: l'armadio, la scrivania e il divano, che un tempo godevano i trionfi dell'illuminazione elettrica, conoscono soltanto quelle pallide irradiazioni serali; e, in basso, dove sta Gregor Samsa, c'è la tenebra. La porta, chiusa a chiave, non si apre quasi mai. La stanza è un carcere, dove l'insetto conduce la sua vita da rinchiuso, come tante volte la claustrofilia di Kafka aveva sognato. Lo spazio si è concentrato. Il tempo è stato perduto completamente. La sveglia, che all'inizio batteva le ore e i minuti, ricordando a Gregor l'orario dei treni e la vastità del mondo lontano, è scomparsa. Qualcuno l'ha portata via. Nella stanza oscura, nessuno distingue più le divisioni del tempo: le ore sono confuse in un crepuscolo atemporale. Gregor ha smarrito la memoria della durata; e, a metà racconto, non sa più se Natale sia già passato o debba ancora venire.

Dopo qualche settimana, presa confidenza col suo nuovo corpo, Gregor impara a strisciare in lungo e in largo sulle pareti e sul soffitto. Aggrappato là in alto, lontano dalla terra, dove gli uomini vivono prigionieri del peso, respira più liberamente: una sottile vibrazione di benessere gli attraversa il corpo; e con felice smemoratezza, comincia a giocare, lasciandosi cadere sul pavimento. Sebbene abbia perduto la vista, il più alto dei sensi umani, ha raggiunto una condizione superiore a quella umana: la capacità di salire, la sovrana levità degli uccelli e degli angeli, una felicità insieme fisica e spirituale, il dono incomparabile del gioco, la gioia contemplativa. Nella sua incarnazione di commesso viaggiatore, non aveva mai conosciuto un'esistenza così beata. Se questi giochi animali fossero durati, Gregor avrebbe completato la sua trasformazione. Chiuso nella sua stanza purificata da ogni ricordo umano, senza più vista né memoria né udito, libero dalle sensazioni e dai pensieri che ancora lo legavano al nostro mondo, avrebbe conosciuto la terribile felicità del silenzio, della solitudine e della leggerezza, diventando interamente insetto. Ogni giorno, la sorella sarebbe venuta a portargli il cibo, confortandolo con la sua muta presenza; e la metamorfosi animalesca – questo orrore, questa tragedia – sarebbe divenuta una beatitudine senza pari, sottraendolo al suo destino edipico. Cominciato sotto auspici atroci, sognato in una mattina d'angoscia, il racconto sarebbe finito radiosamente, nella pura glorificazione animale. Era il destino che Kafka sognava. Vivere in una cantina buia, vasta e chiusa, con una lampada, un tavolo e dei fogli di carta: in una tana, come un animale; senza vedere nessuno, senza parlare con nessuno, appena sfiorato dal vago e lontano soffio di un'amante-sorella. Laggiù, anche lui poteva dimenticare i pensieri degli uomini. Poteva scrivere per mesi interi, il giorno e la notte, concentrato, senza sforzo, traendo la propria materia dall'oscurità del suo corpo: con la stessa sovrannaturale leggerezza con cui l'insetto sale vibrando felicemente lungo il soffitto della sua stanza.

Gregor Samsa ha una sorella più giovane, verso la quale nutre dei sentimenti tra paterni e incestuosi: Grete suona il violino; prima della metamorfosi, egli pensava di mandarla al Conservatorio, a perfezionare il suo dono musicale. La metamorfosi del fratello sconvolge Grete: non ne sopporta l'intenso odore animale, la vista mostruosa; non osa toccare con le mani la scodella dei cibi. Malgrado questa ripugnanza, fratello e sorella sono ancora legati dall'antico rapporto amoroso: si stabilisce fra loro una convenzione taciuta; appena ode il rumore della chiave nella serratura, Gregor si nasconde sotto il divano e si copre con un lenzuolo, e la sorella lo ringrazia della sua umile attenzione con un'occhiata di riconoscenza. Grete è gelosa di lui: vuole essere la sola a curarlo; quando la madre pulisce la stanza, si offende e piange. Mentre Gregor si abbandona ai giochi animali, Grete comprende il suo desiderio; e pensa di portar via dalla stanza il cassettone e la scrivania, carichi di passato e di ricordi famigliari, così che egli possa strisciare e cadere liberamente dalle pareti. Il suo sogno inconfessato è che Gregor diventi completamente animale: che giochi nella tana vuota; e che tra loro corra quel puro amore magnetico, che Kafka desiderava di provare con Felice. La madre non è d'accordo: non vuole che la stanza abitata si trasformi in una tana; spera che i mobili, col loro carico di affetti, trattengano Gregor nell'esistenza degli uomini.

Così Gregor è a un bivio. Ma subito, rinnegando i propri desideri, accoglie i pensieri della madre: non rinuncerà mai al tepore degli oggetti e del passato, alla sua vecchia stanza «calda e arredata così comodamente col vecchio mobilio» di famiglia, come in un romanzo dell'Ottocento. Non ha la forza di scendere nel vertiginoso mondo degli animali, senza memoria, senza pensieri, senza parola, senza amici e parenti, rinunciando al suo passato umano e al suo conflitto edipico, – aiutato soltanto dai giochi di sovrannaturale leggerezza. Dovremmo accusarlo di debolezza? Dovremmo chiedere all'umile commesso viaggiatore un gesto di coraggio che nessun uomo ha mai avuto? Questa discesa nell'animalesco poteva compierla soltanto Kafka, quando nell'immaginazione scendeva nella cantina buia, e vi scriveva non come un animale ma come un morto.

Le donne avevano già portato via il cassettone. Nella stanza c'era ancora la scrivania; e sulla parete un ritratto femminile che Gregor aveva ritagliato da una rivista illustrata, con una donna seduta, che portava un berretto e un boa di pelliccia e levava verso l'osservatore un pesante manicotto dove scompariva l'avambraccio. Nelle sue sere melanconiche di commesso viaggiatore, Gregor aveva decorato il ritratto con una cornice intagliata nel legno e coperta con un fine strato d'oro. Come un minuzioso e muto simbolo flaubertiano, il ritratto raccoglie i desideri erotici repressi della sua giovinezza: i sogni non realizzati d'amore; forse il suo inconfessato feticismo. Con un gesto di aggressività, Gregor si ribella: «Esse gli vuotavano la stanza: gli prendevano tutto quello che gli era caro: il cassettone, che racchiudeva la sua sega da traforo e altri arnesi, era già stato portato via; stavano ora smuovendo la sua scrivania, così saldamente piantata sul pavimento, sulla quale egli aveva un tempo scritto i suoi compiti, come studente dell'istituto superiore di commercio, delle medie e persino delle elementari...». Dopo un momento di incertezza, striscia velocemente sul muro, dove il quadro della donna in pelliccia pende dalla parete quasi spoglia: si arrampica in furia e col grosso corpo copre il vetro, che dà piacere al suo ventre caldo. «Questo quadro, almeno,... nessuno l'avrebbe portato via.» Gregor ha scelto. Inalberando l'immagine della donna in pelliccia, simbolo della sua esistenza di prima, delle sue manie artigiane e delle sue fantasticherie sentimentali, respinge il sogno della silenziosa e oscura vita a due, che la sorella gli aveva proposto. Il processo della metamorfosi animale si arresta.

Prima della trasformazione del figlio, il padre sembrava sfibrato: la sera, quando lui tornava dal lavoro, lo riceveva in poltrona, in veste da camera, e non era capace di levarsi in piedi; nelle passeggiate in comune – due domeniche l'anno – si trascinava sempre più lentamente, avvolto nel vecchio mantello, puntellandosi con una specie di gruccia. Ora, da quando il figlio è chiuso senza parola nella camera-tana e non minaccia più la sua vitalità, – è rifiorito: gli ha succhiato il sangue, lo ha derubato di quella linfa umana che, a sua volta, il figlio gli aveva sottratto. Da poco ha preso a lavorare in una banca. Sta ben dritto nella sua attillata uniforme blu, ornata di bottoni d'oro: sopra il colletto alto e duro della giubba sporge il suo grosso doppio mento: dalle folte sopracciglia lo sguardo degli occhi neri esce vivace e attento; i capelli bianchi in disordine sono costretti in una pettinatura con la riga, precisa e lucente, sotto il berretto col monogramma dorato. La lotta tra loro è per la sopravvivenza: se il figlio aveva cercato inconsciamente di uccidere il padre, ora il padre vuole consciamente uccidere il figlio. La metamorfosi di Gregor è una colpa, un peccato, un capriccio, che va colpito con una severità feroce.

Quella sera, quando torna a casa, la madre è svenuta e Gregor è disteso, pieno di disperazione, sul tavolo del salotto. Appena lo vede, il padre alza il piede e il figlio è colpito dalla «grossezza gigantesca della suola dei suoi stivali», come se fosse un orco delle favole. Il padre lo incalza attraverso la stanza con le sue grandi scarpe, e lui comincia a perdere fiato, terrorizzato e con gli occhi chiusi. Se avesse voluto salvarsi dalla violenza paterna, avrebbe potuto salire sulle pareti, in alto tra i mobili e i quadri, rifugiandosi nel suo intatto mondo animale, abbandonando per sempre il regno edipico degli uomini dove i padri uccidono i figli, e i figli sono costretti a uccidere i padri. Ma ha rinunciato a diventare insetto: preferisce essere un figlio sacrificato piuttosto che un insetto libero. Così continua la sua corsa penosa attraverso il salotto. Il padre toglie delle piccole mele rosse dalla fruttiera della credenza e comincia a bombardarlo: le prime rotolano come elettrizzate sul pavimento, poi una striscia sul corpo di Gregor e un'altra si conficca violentemente nella sua schiena. Intanto la madre discinta abbraccia il padre e lo prega di risparmiare il figlio. Gregor si allunga al suolo, in una piena confusione dei sensi. Quale scena grottesca e tremenda, dove il sacrificio di Isacco da parte di Abramo viene finalmente compiuto, dove avvertiamo il brivido del sacro, e la violazione e il compimento della Legge.

La ferita fa soffrire Gregor per più di un mese. Vive così nella sua stanza – animale ferito uomo degradato –: quella mela conficcata nel corpo è la sua ferita incurabile, che nessuna mano femminile potrà alleviare, il ricordo visibile dell'odio del padre, il segno del suo martirio. Ora non riesce a salire liberamente sulle pareti: è chiuso nel mondo umano: non potrà mai più fuggire; e, quasi come ricompensa, perdono e conciliazione, viene riassorbito nella vita della famiglia. Ogni sera la porta del salotto si apre: «così da lasciare a lui, sepolto nell'oscurità della sua camera e invisibile dal salotto, il modo di vedere l'intera famiglia presso il tavolo illuminato e di ascoltarne i discorsi col consenso di tutti...». Sebbene muto, è riammesso nel mondo della parola. Ma, a quel contatto che sale dalla tenebra, la vita della famiglia decade; e diventa la ripetizione degradata dell'esistenza di una volta. Non ci sono più le conversazioni animate del tempo felice: con l'uniforme sciupata e macchiata, il padre si addormenta ogni sera vicino al tavolo, la madre cuce in silenzio sciupandosi gli occhi, la sorella studia stenografia e francese; la cameriera viene licenziata e i gioielli di famiglia sono venduti. Niente di più triste di queste serate silenziose intraviste dalla stanza buia, con le donne che lavorano e il padre che dorme. Poi un'altra discesa: vengono accolti tre pensionanti: la famiglia cena in cucina; dalla sua tana Gregor avverte il rumore di denti dei pensionanti che masticano, e l'umiliazione dei suoi, – i genitori che non osano sedersi, il padre che sta attorno al tavolo col berretto in mano come un mendicante e fa un inchino. Anche l'esistenza di Gregor si degrada. La madre e la sorella hanno, per lui, l'insofferenza che si può avere per un congiunto colpito da una malattia incurabile: quella che la moglie e i figli provano per Ivan Il'ič. L'amore è spento; e i sopravvissuti sono incapaci di sopportare una disgrazia sovrumana. La sorella, che una volta curava con tanto amore il suo cibo, spinge in gran furia col piede una pietanza qualsiasi nella stanza, senza preoccuparsi che Gregor la assaggi. Non pulisce più: impedisce che altri puliscano; a terra giacciono agglomerati di polvere e di immondizie, sulle pareti si allungano ammassi di sudiciume. Nella stanza vengono gettati i mobili superflui, le cianfrusaglie, la cassetta della cenere e il secchio della spazzatura. Gregor aveva rifiutato la tana vuota, dove abbandonarsi ai suoi piaceri e ai suoi giochi di puro animale: ora, quasi per contrappasso, la tana diventa una stanza di sbratto, dove l'umanità raccoglie i propri rifiuti. Come gli scarafaggi, comincia a vagabondare tra le masserizie: tutto sporco, ripugnante, ricoperto di fili, polvere, capelli, avanzi di cibo, che trascina sulla schiena e sui fianchi.

Passa qualche tempo. Una sera, tra i pensionanti che riempiono il salotto, Grete suona il violino davanti al leggio: il viso è piegato da una parte, e gli occhi seguono le righe della musica con attenzione e tristezza; l'anima incarcerata sogna la sua patria. I pensionanti non capiscono: avevano atteso un brano divertente, e fumano il sigaro con indifferenza e nervosismo. Gregor sente il suono bello e triste del violino: sporco di polvere e coperto di fili e capelli, striscia, esce dalla sua stanza, si fa avanti nel salotto, e tiene la testa vicino al pavimento, per incontrare gli sguardi della sorella; scomparsa la parola, la comunicazione con gli occhi è l'unica che gli è rimasta.

Un tempo, quando era uomo, non amava la musica. Ora, che è disceso ed asceso verso la bestia, la musica lo commuove; e sembra che dischiuda una via «al nutrimento desiderato e sconosciuto». Siamo giunti nel cuore dell'opera di Kafka: «il nutrimento desiderato e sconosciuto» è il grande tema platonico: l'aspirazione dell'anima verso l'archetipo ignoto; lo slancio del personaggio flaubertiano verso la speranza irrealizzata e irrealizzabile. Quando era vissuto da uomo, nella sua vita di figlio represso e obbediente, nei suoi viaggi faticosi di commesso viaggiatore, Gregor non aveva scoperto la propria aspirazione profonda: divenuto animale, la sua anima si è finalmente aperta alla musica sovrumana. Solo ora, insetto parassitario, bestia ferita, sporca, coperta di polvere e di resti di cibo, capisce che la voce profonda della sua anima è un desiderio indefinibile, inesprimibile, irrappresentabile, che lo conduce verso una meta che sta al di là della divisione tra l'umano e il bestiale.

Senza saperlo, Gregor rinnova due condizioni archetipiche della favola: il drago che custodisce gelosamente il tesoro; il Principe trasformato in Bestia che vive accanto alla Bella, e spera di sposarla e di ridiventare uomo. Ma, a differenza della Bestia, egli non desidera ritornare uomo: capisce che, come gli aveva suggerito la sorella, la condizione animale è l'unica che gli si adatti. Vorrebbe soltanto spingersi avanti fino alla sorella, tirarla per la sottana, indurla a venire col violino nella propria camera, poiché nessuno apprezza la sua musica come lui. L'avrebbe rinchiusa nella propria stanza, sbarrando le porte, tenendo lontano gli assalitori, come il drago teneva chiusa la Principessa, come Kafka si rinchiudeva nella cantina per scrivere: perché la felicità si può attingere solo dove le pareti ci chiudono e ci imprigionano:

nel carcere. Ora, finalmente, Gregor ha capito il sogno incestuoso, che la sorella gli aveva proposto e che aveva rifiutato. La sorella si sarebbe seduta sul divano: si sarebbe chinata verso di lui al suolo, in modo che egli potesse confidarle in un orecchio (parlandole col pigolio di insetto o con qualche voce? Non aveva più voce) il suo progetto: aveva avuto l'intenzione di mandarla al Conservatorio e, se non fosse avvenuta la disgrazia, l'avrebbe annunciato a tutti l'ultimo Natale. «Dopo questa spiegazione, la sorella sarebbe scoppiata in lacrime di commozione e Gregor si sarebbe sollevato fino alla sua spalla per baciarla sul collo, che ora, da quando andava all'ufficio, lei lasciava libero senza sciarpa o colletto.»

Ma, proprio ora che Gregor crede di essere vicino al «nutrimento desiderato e sconosciuto», Grete rinnega il fratello. Lei, che aveva desiderato vivere nella tana insieme a Gregor-animale ed era stata respinta, rifiuta il sogno incestuoso che egli le propone. Si vendica: appena lo vede, nega che quel «mostro» sia ancora il fratello e lo condanna a morte, con la crudeltà della giovinezza, davanti al padre e alla madre. «Voi forse non lo capite: io sì. Non voglio fare il nome di mio fratello dinanzi a questo mostro, e perciò dico solo: bisogna cercare di liberarsene.» La Bella uccide la Bestia. Gregor comincia a voltarsi, per ritornare nella sua stanza. Nulla è più faticoso: il corpo è indebolito dalla consunzione, la testa irrigidita: non riesce a comprendere come abbia potuto compiere quel cammino; e a poco a poco, aiutandosi con la testa, sbattendola sul pavimento, respirando affannosamente per la fatica, ogni tanto riposandosi nel silenzio mortale della famiglia, rientra nella sua tana. Appena è dentro, Grete sbatte la porta con furia, gira la chiave, e grida: «Finalmente!». Ormai a Gregor, nel buio della stanza, che nessun bagliore stradale illumina, non resta che morire. Muore di consunzione: da troppo tempo non mangia. Ma la sua morte è anche un sacrificio: egli accetta, china il capo davanti alla condanna mortale, ripensa alla famiglia con commozione e amore. Come scrive Walter Sokel, egli è il «capro espiatorio» che si addossa i peccati dei suoi cari: è il Cristo che muore per salvare tutti gli esseri umani. Il valore supremo non è più il sogno di muta leggerezza bestiale, o l'attesa del «nutrimento desiderato e sconosciuto», o la vita incestuosa con la sorella, o l'atto di scrivere senza alzare la mano dal foglio nel silenzio della cantina: è il sacrificio, la *caritas*. Prima di morire, Gregor ha il dono che forse si può ricevere soltanto prima della morte: la quiete della mente vuota e contemplativa. Ascolta per l'ultima volta l'orologio della torre battere le tre del mattino. Vede il cielo rischiararsi fuori dalla finestra. Poi il suo capo si china, e debolmente gli sfugge dalle narici l'ultimo respiro. Se aveva vissuto nella tenebra, muore nella luce.

L'immolazione di Gregor ha un'eco cosmica: annuncia la fine dell'inverno, l'arrivo della primavera. Se Gregor non si fosse sacrificato, forse la natura si sarebbe irrigidita per sempre, nelle sue morte forme invernali, «secche» come il cadavere del grande insetto. Ora la linfa può scorrere di nuovo nelle vene della natura, e la metamorfosi universale riprende il suo ciclo. I tristi mesi d'inverno e di pioggia, che avevano flagellato la finestra di Gregor, cedono ai primi tepori della primavera, alla luce del sole di marzo, che splende sopra la città e la campagna. La famiglia si libera dalla degradazione invernale. Il padre ritrova la dignità perduta e caccia i pensionanti, il volto della sorella diventa animato e fiorente, la madre abbraccia la figlia. Tutti insieme piangono il sacrificato, con commozione e conciliazione.

Ma non dobbiamo credere alla bontà della natura. Nessuno seppellisce il corpo di Gregor: il compito dell'inumazione – chissà in quale modo – viene affidato alla serva rozza e senza riguardi – l'unica che abbia avuto un vero rapporto col «vecchio scarafaggio». La metamorfosi di Gregor – questo fatto capitale nella storia dell'universo, che ci ha permesso di capire altri mondi, di raggiungere cose e sogni rimasti nascosti, di partecipare alla vita della letteratura – sembra, ormai, un incubo dell'inverno passato. Abbiamo la strana impressione che non sia mai avvenuta. Il padre, la madre e la figlia vanno col tram in aperta campagna, e parlano animatamente del futuro. Le prospettive sono allettanti: i tre impieghi promettono molto, bisogna prendere una casa, meglio situata dell'attuale, e pensare al matrimonio di Grete. La ragazza si alza in piedi e stira il suo giovane corpo, con la trionfale crudeltà della vita rispetto a tutti i dolori e a tutte le morti. Gregor ha salvato la perennità dell'esistenza. Ma, al contrario di Cristo, non l'ha redenta. La vita continua quale è sempre stata, con i suoi orrori e i suoi egoismi, senza che nessuno agogni più il «nutrimento sconosciuto» della nostra anima.

IV

IL DISPERSO (AMERICA)

Kafka cominciò a scrivere *Il disperso* alla fine del settembre 1912, pochi giorni dopo che l'ispirazione si era risvegliata in lui durante la stesura del *Verdetto*. Possiamo seguirlo quasi giorno per giorno, attraverso le lettere a Felice: conosciamo il suo fervore, il suo entusiasmo, i suoi dubbi, la sua disperazione; sappiamo a che pagina, a che riga del manoscritto si fermò il 18 ottobre o a che riga riprese il 24 dicembre e quando credette di arrestarsi per sempre. Mai siamo stati così vicini ai segreti della creazione. Scriveva velocemente, «in estasi», come annotava Max Brod: in una condizione di eccezionale felicità creativa, che non aveva mai incontrato. «Dopo aver scritto bene nella notte tra la domenica e lunedì – avrei potuto scrivere tutta la notte e il giorno e ancora la notte e il giorno e infine volarmene via...» Capiva che il libro gli assomigliava: in esso si sentiva al sicuro, come mai gli era accaduto scrivendo *Descrizione di una battaglia* e *Betrachtung*: qualcosa o qualcuno lo proteggeva; tutte le sensazioni e i sentimenti e le suggestioni, da qualunque parte provenissero, si placavano e venivano incamminati per la «via giusta». Una volta, lui che non piangeva mai, pianse sopra il suo libro, e temeva di svegliare i suoi genitori nella stanza vicina con quei singhiozzi che non riusciva a frenare. Che lacrime erano? Di dolore? Di strazio? Di pena per sé stessi e per tutti? O invece di felicità per il suo libro? Di commozione? O era il pianto di infinita dolcezza portato dalla catarsi?

Non c'è, forse, momento più straordinario nell'opera di

Kafka di questi ultimi mesi del 1912, in cui tentò due esperienze opposte come quelle del *Disperso* e della *Metamorfosi*: da un lato spingendo all'estremo le forze dell'espansione, della dilatazione e della distanza, e dall'altro quelle della concentrazione, del peso e della profondità. Chi ha scritto *Il disperso* appartiene alla famiglia dei grandi romanzieri: possiede l'allegria del tempo, il piacere di raccontare storie, la gioia del movimento: talora un'euforia e un estro dickensiani; e la leggerezza e la fluidità, che ci permettono di scivolare sopra gli avvenimenti, senza che nulla ci urti e ci disturbi. Se nella *Metamorfosi* si era trasformato in sé stesso, qui si trasforma in tutte le persone del mondo, traendole dal proprio grembo generoso: con sovrana distensione si abbandona al reale, si muove e guizza tra le cose, si avventura oltre ogni limite, pieno di simpatia per i parassiti e i lestofanti, come Robinson e Delamarche. Là tutto avveniva all'interno di una stanza, la *sua* stanza: qui c'è il senso dell'avventura nei grandi spazi americani, che Kafka aveva conosciuto soltanto dai libri. Là c'era un'estrema concentrazione simbolica: ogni pagina era stratificata come un cosmo; qui i significati e le allusioni ci assalgono con meno intensità, e non formano una rete così compatta.

Il disperso è una enciclopedia di generi letterari, intrecciati e armonizzati fra loro. Nessuno potrebbe escludere che Kafka, almeno all'inizio, volesse scrivere una saga famigliare: qualcuno racconta che egli stesso, come Karl Rossmann, fu sedotto da una governante all'età di sedici anni: il giovane Robert Kafka, suo cugino, ebbe certamente un figlio nel 1896 dalla cuoca dei suoi genitori. Inoltre Otto, il fratello maggiore di Robert, emigrò nel 1906 negli Stati Uniti, dove ebbe avventure simili a quelle di Karl e poi diventò un potente uomo d'affari come lo zio Jakob. Tre anni dopo, un altro fratello più giovane di Otto, Frank, emigrò anche lui a sedici anni in America. Con quale agio, Kafka sfruttò le risorse della letteratura. Come osserva Marthe Robert, *Il disperso* è un romanzo realistico sulle città moderne: un romanzo d'avventure (il ragazzo che trova lo Zio d'America):

un romanzo d'appendice (il giovane che viene cacciato di casa): un romanzo picaresco (la vita infima insieme a Robinson e a Delamarche): una favola (lo zio che punisce Karl-Cenerentola allo scoccare di mezzanotte: Karl-Pinocchio che esplora colla candela la casa tenebrosa di Pollunder: Green e il portiere come orchi): un libro educativo (Karl-ragazzo diligente): un mito (il paradiso perduto): un'utopia (il teatro di Oklahoma); forse un romanzo teologico (il triplice peccato originale).

Nessun libro sembra più ricco, più robusto, più capace di espandersi all'infinito. Eppure *La metamorfosi*, il racconto che ne aveva interrotto la stesura tra il novembre e il dicembre, probabilmente lo minò senza rimedio. La discesa negli abissi della vita animale, la scoperta del cuore della letteratura nel luogo dove i coleotteri e gli scarafaggi salgono leggermente lungo le pareti e il soffitto, impedì a Kafka di soggiornare ancora all'aria aperta, dove si svolge la cosiddetta vita reale. A partire dal dicembre, le lettere a Felice sono piene di malumore, come se il libro avesse finito di incantarlo. Nella notte del 23 dicembre scriveva: «Come, come andrà a finire se non potrò più scrivere? Pare che sia giunto il momento: da una settimana e più non combino più nulla, nel corso delle ultime dieci notti... sono stato trascinato una sola volta e fu tutto. Sono continuamente stanco». Sosteneva che lavorava congiungendo e rappezzando piccoli brani, poiché l'ispirazione l'aveva abbandonato. Il 26 gennaio si diede per vinto e rinunciò al libro: gli sembrava che si fosse disperso e allontanato da lui, lasciandolo solo un'altra volta, nel deserto desolato della sua esistenza.

Quando raccontò le vicende di Karl Rossmann, la mente di Kafka fu attraversata da un bagliore di speranza. Egli sapeva di essere condannato. Qualsiasi racconto o romanzo, che prendesse lo spunto da una figura come la sua – lo Straniero – non poteva che concludersi con uno scacco: un suicidio nelle acque del fiume, o una condanna a morte, col coltello da macellaio ficcato profondamente nel cuore. Ma se avesse narrato le vicende di un *altro*? Di qualcuno che possedeva tutte le qualità opposte alle sue? Di qualcuno che aveva in comune con lui soltanto lo sguardo infantile? Di qualcuno benedetto dalla grazia? Così raccontò la storia di Karl Rossmann, cacciato dai suoi, gettato in un paese ignoto, in un paese di insonnia e di turbini. Sperò per qualche tempo di salvarlo, perché insieme a Karl si sarebbe salvato lui stesso; e forse immaginò la sua burlesca redenzione, negli identici giorni in cui raccontava la condanna irrimediabile di Josef K., nel *Processo*.

Credo che Kafka non abbia mai amato un personaggio come amò Karl Rossmann. Che amore poteva avere per Josef K., o per K., o per il signore della tana, o persino per il povero Gregor Samsa? Per tutta la durata del libro, prima che Karl scenda sul suolo americano, o mentre sprofonda nell'abiezione, o quando contempla gli angeli del teatro di Oklahoma, Kafka lo guarda con una tenerezza così affettuosa, che ricorda la tenerezza con cui Tolstoj e Stevenson contemplano i loro cari Nikolaj Rostov e Jim Hawkins. Come loro, Karl possiede la «grazia naturale»: il dono più alto di una creatura umana, che attrae la simpatia degli altri e forse quella di Dio: dono che Kafka temeva di non avere e che non attribuì a nessun altro dei suoi personaggi. È vitale, gioioso, ingenuo: l'orribile condanna del padre, la cacciata a quindici anni attraverso l'Atlantico non hanno incrinato la sua infantile fiducia nell'esistenza. Non è stato ancora deluso. Il suo «sguardo meravigliato» gioisce davanti alla bellezza del mondo, e scende su tutti gli spettacoli della realtà. Non bada al passato: ama il presente, il momento labile e fuggitivo in cui vive, come se non ci fosse null'altro, fino a dimenticarsi di tutto – l'ombrello, la valigia, il cappello, – con una storditezza che ci incanta. Spesso è vittima delle occasioni. Non fa piani, non si propone mete, non costruisce la propria vita come fanno gli adulti, sebbene il futuro sembri rivelare ai suoi sguardi un tesoro di cose desiderabili. Come tutte le persone legate alla vita, ha il dono di trasformarsi e di mutare, fino a diventare succube delle cose e degli altri. Nulla è più delizioso della scena in cui, in poco tempo, diventa un perfetto ragazzo d'ascensore. Aveva studiato nel suo ginnasio: era stato per un mese il nipote prediletto dello zio; ed eccolo con il bel vestito, i profondi inchini, l'arte nel prendere le mance, le piccole galanterie verso le signore, l'agilità nel far salire la sua vettura, – come se per tutta la vita non fosse stato altro che un lift.

Secondo una frase troppo famosa, la letteratura non può rappresentare «i buoni sentimenti». Karl Rossmann dimostra il contrario: tutto il tesoro di amore, di affetto, di slancio verso il bene, di ingenui ideali, di tenere convinzioni, di fiducia, che abbia mai attraversato il cuore degli uomini, si trova raccolto nel lago quieto del suo cuore. Non ci è difficile immaginare la sua infanzia. È stato un figlio obbediente e amoroso, devoto e diligentissimo: un Isacco pronto ad essere immolato dalla scure del padre; e ancora adesso, a sedici anni, indoviniamo nella sua voce, come diceva Musil, «un sentimento di eccitate preghiere infantili», «qualcosa dell'inquieto zelo di diligenti lavori scolastici». Chi non lo ama, sostiene che è soltanto il ragazzo ideale dei libri di scuola. Malgrado l'orrore che ha conosciuto in famiglia, ha fiducia nella bontà del mondo: crede nelle buone cause e negli ideali – con il candore, la leggerezza, la semplicità, l'assenza di analisi che hanno sempre distinto la bontà pura. Nessuno è più onesto, diligente e scrupoloso di lui, in qualsiasi situazione si trovi. Ha un'illusione: che il mondo sia razionale: che tutto si possa spiegare; e che le buone parole e i buoni sentimenti bastino a cambiare l'universo. Gli altri lo scherniscono, lo deridono, lo derubano. Eppure egli non può fare a meno, alla fine di ogni illusione, piagato nella carne e ferito nell'anima, di andare incontro agli altri con uno slancio di amore e dedizione, di simpatia e di fiducia: ha bisogno di amicizia, d'affetto e di parole come un cane; e se viene offeso ancora una volta, perdona.

Qualcuno lo ha definito un piccolo Don Chisciotte, un giovane Idiota nutrito sui libri tedeschi. Karl non capirebbe. Non sa cosa sia la follia dei vagabondi e dei santi. Non combatterebbe mai contro i mulini a vento: non si immolerebbe mai per salvare un'altra creatura e ristabilire l'armonia del mondo. Egli è un ragazzo «normale», abituato a credere nei valori normali della vita: la devozione ai genitori, il rispetto per le leggi e le convenzioni della società, l'amicizia per i compagni, l'onesto desiderio di ascendere nella scala sociale e di diventare un impiegato perfetto. La tragedia vuole che questi valori non esistano più nell'Eden contaminato che sta oltre l'Atlantico, difeso dalla spada dell'angelo. Karl non ha mai mangiato all'albero della conoscenza, come ha fatto, senza volerlo, Gregor Samsa; e tutte le verità sul corpo, l'animale, l'incesto, la letteratura, che il povero impiegato ha appreso nella sua metamorfosi, gli sono assolutamente remote. Ora è qui, in America, nel regno dei grandi spazi: non l'anima nessun desiderio avventuroso di varcarli: la parola libertà non gli dice nulla: il suo unico sogno è di trovare un rifugio – non importa dove, nella cabina di un fochista, nella stanza di una capocuoca, – e di tuffare il capo nel grembo di un padre o di una madre. Kafka scrisse che «esiste un solo peccato capitale: l'impazienza». Se questo è vero, Karl ignora cosa sia il peccato. Nessun personaggio di romanzo è più paziente di lui: con il suo dolcissimo stoicismo infantile, accetta quanto gli propone il destino o il caso: tutto crede, tutto spera, tutto tollera, tutto sopporta, come diceva san Paolo; e in qualsiasi situazione gli accada di vivere, china mitemente il capo.

Ma Kafka non volle, o non seppe tenere Karl Rossmann completamente lontano da sé; e gli insinuò il suo stesso veleno, come se non potesse fare a meno di contagiarlo con quella che era forse una malattia, forse un segno di elezione. Come Kafka rimase fino alla maturità un puro adolescente, Karl rifiuta di crescere. Senza saperlo, non vuole fare il passo che lo abbandonerà indifeso al vizio della maturità: resta immutato e candido attraverso tutte le esperienze – giacché l'esperienza è *l'orrore*; e conserva e irrigidisce nella mente la propria infanzia inviolata. Questo è l'ultimo segreto del suo fascino: ciò che ci commuove e ci incanta fino alle lacrime.

Visti cogli occhi dell'infanzia, gli adulti mangiano e co-
pulano. Per non diventare adulto, Karl mangerà poco e non
copulerà affatto. Tutti i grandi e sanguigni mangiatori che
attraversano il libro ingollano con inesausta cupidigia piccioni, salsicce, sardine e cioccolatini, ungendosi il volto e le
mani: Dickens li avrebbe trovati pittoreschi e adorabili; Karl
(e Kafka) li trova disgustosi. Quando conosce Klara, nel-
l'immensa casa di Pollunder tenebrosa come un castello di
favola, Karl avverte il fascino di quel viso infuocato e di quel
giovane corpo sportivo, teso sotto i vestiti aderenti. Ma è
appena l'ombra di una tentazione: come quella subita da
Brunelda; egli le rimuove inconsciamente dal proprio spirito. L'atto sessuale continua a sembrargli ripugnante. L'unico della sua vita gli ha lasciato per sempre nella memoria il
ricordo di una sinistra combinazione di desiderio possessi-
vo, di sopraffazione fisica, di caldo, di unto, di isteria, di
incesto, di servilità, di falsità sentimentale, di alienazione del
proprio io, di umiliazione e di miseria. L'ultimo tratto kafkiano che incontriamo in Karl è il più inconfondibile: la
nostalgia. Quando canta la sua amata canzone soldatesca,
cercando una nuova canzone nella vecchia canzone, rivela la
sua tensione verso l'indefinito, l'impossibile, l'irraggiungibile. Come Gregor Samsa, sogna «il nutrimento desiderato e
sconosciuto» dell'anima.

A quindici anni e nove mesi, Karl viene cacciato dal padre: come un gatto che ha sporcato per terra e viene buttato
nella strada: chiuso nell'ultima classe di una nave che lo
conduce a New York, con una vecchia valigia, un vecchio
vestito, qualche camicia e un pezzo di salame; espulso nel
deserto della solitudine e dell'incertezza. Perché questa vendetta? Perché questa ferocia biblica contro un innocente?
Perché questa spada levata? Karl è un figlio amoroso; ed è
stato sedotto – incolpevole – da una serva molto più anziana
di lui. Nel *Verdetto* avevamo ascoltato i rimproveri del padre contro il figlio. Qui, con una di quelle omissioni nelle
quali è maestro, Kafka non ci fa conoscere la voce della
Legge dei padri. Dobbiamo supporre che la Legge non tol-

leri scuse. Malgrado il grido d'innocenza degli accusati, essa non considera i loro sentimenti e il loro comportamento complessivo o la loro incontaminata innocenza di cuore. Karl ha peccato contro la forma della Legge. Quando la forma viene offesa – anche in un particolare minimo, che qualche giudice ha forse già dimenticato –, la Legge condanna senza pietà. Karl si è lasciato sedurre dalla serva, nel bugigattolo di casa. Non ha commesso un peccato erotico (la Legge non è moralista), ma ha violato il patto di fedeltà e di esclusiva appartenenza che lo legava alla famiglia. Se ha sciolto per un istante il legame, il legame lo getta via con la violenza di una fionda.

Possiamo immaginare quanto deve essere stata tremenda, per Karl, la sera nella quale gli venne comunicato che sarebbe stato cacciato dalla famiglia. Ma egli non ricorda quella sera: l'ha allontanata dalla coscienza, per cancellare la violenza intollerabile della ferita, il dolore per l'offesa e il sentimento della vendetta. Se la sua memoria risale all'infanzia tedesca, riporta scene di un idillio famigliare chiuso in sé stesso: le sere tranquille, quando la madre chiudeva a chiave la porta dell'abitazione, cuciva con l'ago, il padre leggeva il giornale o registrava i conti, e lui faceva i compiti, seduto alla tavola dei genitori. Karl non è un fratello o un erede di Georg Bendemann o Gregor Samsa: i figli edipici, i quali hanno cercato di uccidere il padre e di prenderne il posto nella famiglia. Accetta l'autorità del padre, lo difende e vorrebbe riacquistarne la stima e l'amore. Il sentimento che prova per lui è quell'affetto corposo, fatto di abitudini strettamente vissute insieme, quella dolcissima e dolorosa tenerezza fisica, che provano i figli vivendo ogni giorno col padre, prendendo la mattina la colazione a letto con lui, girando in pigiama nell'appartamento o facendo i compiti allo stesso tavolo. Non c'è pagina più straziante – lo strazio kafkiano, lacerante come un coltello – di quella in cui, cacciato dallo zio, perduto in un'oscura locanda americana, Karl prende la fotografia dei genitori – il padre ritto in piedi col pugno chiuso, che non gli rivolge lo sguardo, la madre con la mano che pende dal bracciolo della poltrona, così vicina che l'avrebbe potuta baciare –, vi appoggia il viso, ne sente la freschezza contro la guancia, e si addormenta con questa sensazione di pace e di quiete.

Appena la nave attracca nel porto di New York, Karl smarrisce la valigia e l'ombrello: oggetti flaubertiani, a cui Kafka attribuisce un'intensa carica simbolica, che tiene il posto di una lunga analisi psicologica, come il ritratto femminile nella stanza di Gregor Samsa. Non li perde a caso: li *vuole* smarrire perché sono segni della lacerazione, del viaggio, del vagabondaggio a cui è costretto; scompariranno nelle pause, quando avrà trovato una casa, e ricompariranno tutti insieme, con il berretto, appena verrà riafferrato dall'esilio e dallo sradicamento. Intanto, Karl trova una prima casa già a bordo, nella cabina del fochista, dove si trova a suo agio e riposa e quasi dorme, calmo e pacificato, come non accadrà mai più nel romanzo. Con uno di quegli slanci affettivi di cui egli solo è capace, sente di appartenergli: lo sceglie come padre, come figlio, come fratello maggiore.

Ci chiediamo cosa sarebbe accaduto se sino alla fine Karl avesse adottato come padre il fochista – questo bonario padre-fratello, che ignora i rigori e la squisita ferocia della Legge. Avrebbe potuto sfuggire per sempre al mondo della Legge, del Padre, di Edipo, di Dio. Come un vagabondo picaresco, Karl avrebbe attraversato insieme al fochista i porti e le città dell'America, conoscendo le strade, l'avventura, l'aria aperta, il sapore dei fiumi, delle nuvole, dell'erba e dei cieli; e *Il disperso* sarebbe divenuto una specie di nuove *Avventure di Huckleberry Finn*, scritte da un clown e da uno Straniero sfuggiti alla propria condanna. Quanto avremmo guadagnato! Quanto avremmo perduto! È il secondo grande rifiuto di Kafka – dopo il rifiuto di rappresentare la vita di Gregor come puro animale –; e credo che egli abbia sempre amato così appassionatamente *Il fochista* (il primo capitolo del *Disperso*) perché non vi appariva la Legge. Ma un destino imponeva a Kafka di vivere dentro la Legge, e di rappresentare soltanto lei. Così Karl è costretto a lasciare il fochista; e con strazio, con tenerezza, con la nascosta coscienza che la sua vita viene deviata per sempre, con partecipazione alla sorte di tutti gli sconfitti, gli prende la mano screpolata e quasi morta, la bacia e piange, stringendola contro la guancia, come un tesoro al quale deve rinunciare per sempre.

Quando la nave entra nel porto di New York, Karl scorge la statua della Libertà immersa in una luce improvvisamente ravvivata. L'America, il paese atteso dagli emigranti, il paese delle speranze di Karl, sembra essere lo spazio della luce. Quello splendore illumina uno strano spettacolo: il braccio della Libertà non impugna una fiaccola, ma la spada – la stessa spada guizzante con cui i cherubini, dopo la caduta di Adamo, impedirono agli uomini «la via dell'albero della vita» (*Gen. 3,24*). Karl compie dunque la strada opposta a quella di Adamo: lascia la vecchia Europa dove ha mangiato il pomo senza volerlo, e dove è stato maledetto dal Padre-Dio, attraversa l'oceano e ritorna nell'Eden, da cui il primo uomo era stato cacciato. Tutto è rimasto come allora: il vecchio angelo è ancora lì, con la sua spada levata, e lo lascia entrare nel paese, dove, forse, si leva l'albero della vita.

Qualche tempo dopo, Karl arriva nella città di Ramses. Il nome non ci è nuovo: l'abbiamo già incontrato nell'*Esodo*, dove gli egiziani impongono agli ebrei caduti schiavi di costruire le città-deposito di Pitom e di Ramses, e «amareggiano la loro vita con lavori duri nella preparazione dell'argilla e dei mattoni» (1,11-14). L'Eden è dunque falso: l'angelo una pura immagine umana; fuggendo verso il paradiso, Karl è capitato nel Nuovo Egitto, dove gli uomini sono tenuti schiavi. Proprio nell'albergo di Ramses, Karl viene a conoscere la storia della madre di Therese, uno dei capolavori di quel Kafka dickensiano-dostoevskijano, per il quale abbiamo un infinito rimpianto. La madre, tisica e affamata, non ha un letto dove dormire con la figlia: gira tutta la notte per New York battuta da una tempesta di neve, trascinandosi dietro la bambina: entra nelle case, si accoccola senza respiro sui gradini, attraversa sempre di nuovo gli stretti labirinti e i gelidi corridoi, che conducono fino agli ultimi piani, bussa alla cieca alle porte: qua e là si apre il sottosuolo, che lascia una nebbia fumosa di aria irrespirabile: sconosciuti e ubriachi salgono le scale pestando pesantemente i piedi o sputando; finché la mattina la madre sale le scale di un cantiere in costruzione – intorno le stesse armature e le travi e i mattoni della vecchia Ramses – e precipita nel vuoto. Questo è l'inferno di America, che alla fine del libro Karl conoscerà con i suoi occhi. Eppure non dobbiamo dimenticare le parole dello zio. Mentre l'Europa è una terra di pure apparenze, i «segni e i miracoli» dell'Antico Testamento sono rimasti vivi in America, come dimostrerà il romanzo *Il disperso*, pieno di «segni e miracoli», fino al miracolo incompiuto del teatro di Oklahoma.

La casa dello zio, dove Karl abita a New York, ha sei piani: la sua stanza si trova al sesto, circondata da uno stretto balcone, che dà sulla strada. Karl sta ore intere a guardare, affascinato e stregato dalla visione, il traffico che scorre in una lunghissima via diritta, tra due fila di case che si sperdono in una nebbia dove si alzano le forme enormi di una cattedrale. Il suo sguardo possiede un dono unico. Dall'alto scende in fondo alla strada, e scorge le cose dal basso, come se fosse collocato nell'infima sezione delle cose; e vede anche ciò che nessuno può vedere, rumori e odori. Le cose si mescolano e contaminano in un movimento incessante: in basso una mescolanza di figure umane contorte e di tetti di vetture; sopra, una nuova mescolanza, ancora più complicata e sconvolta, di rumori, di polvere e di odori, – e sopra un ultimo strato, composto di luce. È una luce potente e corporea, che viene dispersa e portata via dalla massa degli oggetti e poi in fretta si raccoglie nuovamente; e all'occhio sembra che una scintillante lastra di vetro, che ricopre ogni cosa, venga ogni momento spezzata con grande forza sopra la strada. Ecco le prime impressioni di Karl: in America tutto è visibile, anche l'invisibile: niente è puro, tutto è mescolato e contaminato; tutto è fisico, anche l'oggetto più spirituale, la luce.

Più tardi Karl comprende che l'essenza della vita americana è l'automatismo. Il primo incontro è un prodigio dell'ingegneria meccanica, che attrae il suo spirito infantile. Lo zio gli ha lasciato nella stanza una tipica scrivania americana, con cento spartizioni di tutte le misure, che avrebbe potuto contenere anche le pratiche del Presidente degli Stati Uniti. Sul fianco del mobile, c'è un regolatore: girando una manovella, secondo il bisogno o il capriccio, si ottengono i più diversi cambiamenti e spostamenti. Basta girare la manovella; e le sottili pareti divisorie scendono, lentamente o con rapidità prodigiosa, formando la base e il soffitto di nuovi scompartimenti. Anche la casa dello zio è una specie di enorme scrivania, un gioco meccanico. Fuori è di ferro: le pareti interne sono di vetro. Un ascensore speciale può portare fino al sesto piano un pianoforte o un intero furgone di mobili. Karl sale sull'ascensore normale e, manovrando abilmente una leva, si mantiene alla stessa altezza del primo ascensore, contemplando attraverso le pareti di vetro il bel pianoforte che gli ha regalato lo zio. Negli immensi uffici, l'automatismo inscena una grandiosa e assurda commedia di burattini. In ogni cabina del telefono c'è un impiegato, indifferente all'immenso frastuono: un nastro di acciaio gli tiene stretto il telefono contro le orecchie; il suo compito è soltanto quello di registrare nel modo più esatto la conversazione ricevuta, le sue dita vibrano con una regolarità e una velocità che ha qualcosa di inumano, mentre altri due impiegati registrano contemporaneamente la stessa conversazione. Così ogni errore è escluso dalla grande macchina americana, che si svolge al di sopra e al di fuori dell'uomo. Ma l'impiegato-telefono non può alzare il capo, o parlare, o rispondere alle voci che gli vengono da lontano, nemmeno se dovesse avanzare delle serie obiezioni o comunicare un fatto decisivo.

All'aria aperta, le automobili sciamano attraverso l'America: avanzano e si superano veloci e leggere; e sembra che da un estremo dell'orizzonte venga inviato sempre lo stesso numero di vetture, mentre l'altro estremo attende sempre quel numero preciso e nulla di più o di meno. Quando Karl le guarda, crede di contemplare un ordine perfetto, che non è retto da nessuna persona umana ma dalla forza stessa del macchinario. Non riesce a vedere se, al volante, stia seduto qualcuno. Le automobili accelerano o rallentano tutte insieme, quasi fossero regolate da un unico freno: non si fermano mai, e nessun passeggero scende da quelle forme fantomatiche. Sopra di loro non c'è una traccia di polvere – la polvere che abbonda dove domina il peso della natura e del suolo. Tutti i contrasti e le tensioni individuali sono annullati: nasce un'impressione di quiete e di calma; come se America fosse il regno dell'armonia universale, ottenuta senza la partecipazione dell'uomo. Ma questo macchinario esiste davvero? L'America è reale? O non è, invece, un sogno della mente, un'illusione degli spettri? Quando Karl vede dall'alto New York, e il porto, e il ponte lungo e sottile sopra l'East River, non scorge nulla: sul ponte pare che non ci sia nessun movimento, le navi sembrano ferme, il mare liscio e inanimato, tutto è vuoto e senza scopo. Forse, là in fondo, nelle invisibili profondità delle strade, la vita continua, automobili muovono, uomini camminano, vivono e muoiono: ma più in alto si vede soltanto una leggera nebbia che si dissolve senza fatica.

L'automatismo americano tocca il suo culmine nell'enorme portineria dell'enorme Hotel Occidentale. Dietro le lastre di vetro, i due sottoportieri recitano ai clienti le loro informazioni come litanie, attaccando una risposta all'altra senza interrompersi: non guardano sul tavolo, né in viso alle persone con cui parlano, ma fissi davanti a sé, nel vuoto, per risparmiare e raccogliere le proprie forze. Parlano nella barba, e ora il tedesco, ora il francese, ora l'italiano, ora chissà quale lingua straniera escono dalle loro labbra di automi, sempre storpiati da un forte accento americano. I clienti non capiscono quasi nulla. Stanno lì, a bocca aperta, afferrando a malapena qualche notizia, senza comprendere quando è finita la risposta dedicata ad ognuno di loro. La fatica è tremenda per tutti, sottoportieri, fattorini, clienti, sottoposti a questo flusso insensato di parole. Appena l'orologio segna l'ora, suona una campana. Immediatamente entrano da una porta laterale due nuovi sottoportieri, seguiti ognuno da un fattorino: si collocano accanto allo sportello, danno un piccolo colpo sulla spalla ai primi sottoportieri e ne prendono il posto, con una tale velocità da lasciare meravigliati e spaventati i clienti, in piedi dietro l'immobile lastra di vetro. Così continua il gioco infinito delle risposte: mentre i primi automi siedono in un angolo della portineria, stirano le braccia, e versano acqua da una bacinella sulle loro teste infiammate per la fatica.

Verso la fine del libro, dall'alto della casa di Brunelda, Robinson e Delamarche, assistiamo a un comizio elettorale. È sera. In fondo alla strada, squilli di trombe, rulli di tamburi, fitte schiere di tamburini e di trombettieri, e grida dalle case. Sul marciapiede, marciano dei giovanotti, a grandi passi, con le braccia allargate, il berretto alzato, e nelle mani lunghe stanghe che agitano dei lampioni circondati da un fumo giallastro. Poi, in mezzo a un corteo di folla, appare un uomo gigantesco. Sulle sue spalle è seduto un signore: dall'alto del balcone dove sta Karl, si scorge soltanto la sua testa calva e lucida – e il cilindro che tiene alzato in un saluto continuo. La folla batte le mani e grida una parola breve e incomprensibile, forse il nome del signore col cilindro. Qualcuno porta dei fari d'automobile potentissimi, illuminando le case ai due lati della strada. La folla si ferma davanti a una trattoria. Un uomo fa un segno con la mano. Il signore calvo tenta invano di rialzarsi sulle spalle dell'uomo gigantesco: si rizza e ricade a sedere; e poi tiene un discorsetto egualmente incomprensibile, movendo davanti a sé il cilindro con la velocità di un mulino a vento, mentre tutti i fari delle automobili, rivolti verso di lui, fanno di lui il centro di una stella luminosa. Sui balconi, la gente è vestita da notte: molti si sono buttati sulle spalle un soprabito, le donne sono avvolte in grandi panni neri, i ragazzi, non più sorvegliati, si arrampicano paurosamente sulle ringhiere. La gente grida. Sui balconi occupati dai seguaci dell'uomo calvo, tutti cantano in coro il suo nome e battono le mani macchinalmente: sugli altri, occupati dai suoi nemici, gridano altri nomi, fischiano, mettono in movimento i grammofoni, gettano oggetti. Quando il chiasso diventa eccessivo, tamburini e trombettieri suonano di nuovo nelle trombe, battono sui tamburi, e un frastuono fragoroso soffoca le voci. A un tratto il rumore cessa di colpo; e la folla sulla strada, che sostiene il signore calvo, sfrutta il momento di silenzio, per ricominciare a urlare, con la bocca aperta illuminata dalla luce dei fari, il coro del proprio partito. La grande scena, raccontata da Kafka con sapienza straordinaria nel gioco delle masse, delle luci e dei suoni, trae il proprio effetto da un'omissione. In alto sul balcone, Karl non capisce nulla: né il nome del candidato né il suo discorso né le urla dei nemici né le parole gridate da Delamarche; così che la scena sembra una pantomima insieme muta e fragorosa, e l'America diventa una farsa buffonesca, assurda e astratta, come nelle *clowneries* della giovinezza di Kafka.

Quando si affaccia dalla casa dello zio, contemplando in basso il traffico delle automobili, Karl soffre la prima malattia americana: la malattia dello sguardo. Davanti a quel turbine di corpi, di rumori, di odori e di luce, davanti a quell'eccesso visivo, davanti alle scrivanie, ai telefoni, alle vetture, alle portinerie, ai comizi americani nei quali trionfa l'automatismo, lo sguardo di Karl è affascinato, incatenato e intontito, come chi abbia fissato troppo a lungo un vortice e non riesca più a allontanarne la pupilla. Qualche emigrante resta per giornate intere sul balcone, e fissa la strada sotto di sé come una pecora smarrita. Lo zio, che conosce meglio di ogni altro questo pericolo, cerca di aiutare il nipote a vincere la malattia dello sguardo; e gli consiglia distacco, freddezza, attenzione a non pronunciare dei giudizi affrettati che introducano confusione in tutte le opinioni future. Ma vi è un'altra malattia americana, di cui lo zio è completamente prigioniero: l'insonnia. Con la sua perenne tensione e agitazione, con la sua continua provocazione visiva, con l'enormità degli spettacoli, l'America, come dice Macbeth, è il paese «che uccide il sonno». Non è un paese di innocenti, ma di colpevoli. Sebbene Karl sia innocente, egli non dorme mai: non dorme sulla nave che lo porta verso l'America, non dorme abbastanza in casa dello zio, nel primo albergo, nel secondo albergo, sonnecchia nella macchina di Pollunder; e come lui non dormono il piccolo lift, Therese e la madre nella notte di New York, lo studente che di giorno fa il commesso in un grande magazzino e la notte, all'aria aperta, legge i suoi volumi di medicina.

Fin dall'inizio, Karl intuisce confusamente questi pericoli. Quando lo zio gli regala il pianoforte, lo porta davanti alla finestra spalancata sui rumori della strada; e suona una vecchia canzone soldatesca della sua patria – una di quelle che i soldati cantano la sera, seduti sul davanzale delle finestre della caserma, guardando nella piazza oscura –, coll'infantile speranza che la musica possa influire sulla vita americana, riportando un'armonia là dove egli aveva visto soltanto una crudele mescolanza di visioni e di suoni. Ma Karl fallisce. Nulla cambia, nella strada e nella vita. La realtà gli resta estranea e impenetrabile, come il traffico che nessuno dirige: un immenso ciclo, un grande cerchio, che ruota incessantemente davanti a lui, come sempre di nuovo si forma la mescolanza di vetture, persone, rumori, odori, compenetrati dalla luce corporea. C'è una sola possibilità di salvezza. Per arrestare il grande ciclo, egli deve conoscere tutte le forze che lo tengono in movimento: tutte le sensazioni, i sentimenti, gli impulsi, le tensioni, le violenze, le insonnie della vita americana. L'ingenuo Karl non tenterà nemmeno questo compito conoscitivo. Chi cercherà di conoscere ogni parte del grande ciclo, è il suo grande fratello, Franz Kafka, nella complessità fittamente articolata del suo romanzo.

Scorgendo la scrivania americana, Karl ricorda uno di quei presepi meccanici che aveva ammirato durante le feste di Natale della sua infanzia: il vecchio che girava la manovella, i tre Re Magi che avanzavano a scosse, la stella che si accendeva, il bambino nella santa stalla, il coniglietto in mezzo all'erba che si alzava sulle zampe di dietro e scappava via. Le invenzioni americane risvegliano, in lui, un infantile piacere per le trovate ingegnose, che invitano alla fantasticheria. Questa è un'altra strada che Kafka ci propone, attraverso Karl, per salvarci dalla vita moderna. Non c'è altro modo che trasformare tutto quanto affascina e rende insonne il nostro sguardo – la scrivania, l'ascensore di vetro, il telefono dello zio, il traffico automobilistico, le informazioni del portierato, il comizio, il grande ciclo di suoni e di luci – in un gioco spettacolare, che consoli la nostra anima puerile. Così ha fatto Kafka, divertendosi follemente alle sue invenzioni burocratico-automatiche e trasportandole nell'assurdo: con un riso fresco e gioioso che non risuona in nessun altro dei suoi romanzi. Nessuno può sapere come avrebbe concluso il proprio libro. Ma anche il teatro di Oklahoma è un prodigio meccanico, un automa mobile, un gioco provvidenziale, simile alla scrivania dai cento scompartimenti. Forse la grazia, mentre scendeva a salvare Karl, avrebbe giocato piena di gioia infantile con quei Re Magi che avanzano a scosse, con quelle stelle che si accendono e spengono, con quei coniglietti in fuga, con tutte le grandi invenzioni della macchina americana.

Quando lascia la nave insieme allo zio, Karl scoppia in un pianto dirotto: non sopporta di aver abbandonato e tradito il fochista – il suo umile padre-fratello. Lo zio Jakob gli passa la mano sotto il mento, lo stringe contro il corpo e lo carezza; e strettamente abbracciato percorre insieme a lui i gradini della nave, salendo nel battello che lo porta a riva. Karl accetta in silenzio il secondo padre. Dapprima, prova per lui una strana diffidenza: resta freddo e sospettoso sotto gli abbracci. Poi cerca l'unico rapporto con lui che, per ora, gli è consentito: lo guarda negli occhi – ma lo sguardo dello zio fugge il suo sguardo, come nella fotografia di famiglia il figlio non riesce a cogliere gli occhi del primo padre, e fissa le onde che fanno oscillare il battello. Avvolti nella loro onnipotenza numinosa e nella loro tenebra cieca, i padri-dei, i grandi custodi della Legge, non concedono la luce del loro sguardo a chi la cerca. Giunto a New York, nella casa di ferro e di vetro, la prima impressione di Karl si attenua. Lo zio è un uomo di rigidi princìpi, sia nella vita pubblica che in quella privata: una concentrazione di ego e di autocontrollo puritano. Non concede a Karl la tenerezza paterna, che egli desidera disperatamente: ma gli vuole bene. Tollera i suoi piccoli capricci, la passione per la scrivania e il pianoforte; e cerca di imporgli l'austera educazione virile, che possa permettergli di affrontare senza rischi il turbine di luci e di suoni della vita americana.

Dopo qualche tempo, nel falso Eden americano si riproduce per la seconda volta il grande evento della Tentazione, della Caduta e della Condanna: ora che Karl è entrato nella casa della Legge, niente può impedire che il meccanismo inesorabile della Proibizione e del Peccato lo colpisca. Questa volta il serpente è rappresentato da tre persone: un amico di Karl, Mack, il signor Pollunder e sua figlia Klara. Karl cede di nuovo alla Tentazione; e lo Jahvé americano è il secondo padre, lo zio Jakob. Nascosto dalla semioscurità della stanza come un dio corrucciato, lo zio non ama che il nipote venga invitato nella casa di Pollunder, alla periferia di New York: la visita sconvolge il ritmo regolare di lezioni di inglese e di equitazione, che scandisce l'esistenza di Karl. Ma non dice chiaramente la sua volontà. Che importa? Che vale che la Legge non sia pronunciata? Che nessuno esprima la proibizione di mangiare dall'albero del bene e del male? La nuova Legge, che incomincia a imperare in questi mesi sul mondo di Kafka, non ha bisogno di venire promulgata. Noi – suoi figli e suoi schiavi – dobbiamo intuirla, conoscerla, leggerla, venirle incontro, chinare il capo, eseguirla, anche se nessun padre-dio l'ha formulata.

Malgrado il malumore dello zio, Karl cede alla lieve tentazione. La sera, l'automobile raggiunge la villa di campagna, tra il sussurro e il profumo dei grandi castagni, mentre

Karl è assopito. Quando apre gli occhi, capisce di essere penetrato nella notte dell'America: se la casa di vetro dello zio turbinava di luce, la villa incompiuta di Pollunder è il regno della tenebra – interminabili corridoi bui, atri, gallerie, cappelle, stanze vuote, che soltanto la debole luce della candela può illuminare, come in una favola di spettri. Vi soggiornano l'Inquietante e il Labirintico: viene percorsa da terribili correnti d'aria, che si ingolfano nei corridoi e spengono la luce: sembra una cattedrale di cartapesta, dove si agitano degli attori-automi; la mano di Green blocca tutte le porte, rinchiude Karl tra le vecchie mura, e lo allontana dall'aria aperta, dal profumo degli alberi e dalla luna piena. La villa è una continuazione dell'impero dello zio: ai suoi ordini sta una coppia perfettamente speculare, la vitalità odiosa di Green e l'untuoso sentimentalismo di Pollunder. Green potrebbe essere uno degli ingurgitatori di cibo che ci incantano nei romanzi di Dickens: inghiotte voracemente la minestra, squarta i piccioni con grandi colpi di coltello, afferra il cibo con un balzo della lingua, desidera le donne come se fossero cibi, appesta la sala da pranzo di fumo, fruga nell'enorme portafoglio come nel proprio stomaco: ma quello che in Dickens è candido, sfavillante e rosseggiante, qui è un tetro contagio. Anche Pollunder potrebbe discendere dal corteo degli ipocriti dickensiani. Di una grassezza poco sana, con la schiena curva, il ventre molle e cadente, il viso pallido e torturato, ha dei gesti ripetuti e coatti: non fa che abbottonarsi e sbottonarsi la giacca, e poi passa il fazzoletto su tutto il volto e si soffia rumorosamente il naso. Quando parla, è cerimonioso, tortuoso, pieno di restrizioni e di concessioni quanto Green è brusco e violento: finge di avere un cuore tenero, e tocca continuamente Karl, gli mette un braccio intorno alla vita, lo stringe, se lo tira tra le ginocchia, come un vecchio omosessuale.

Karl soffre. Teme di aver commesso una mancanza verso lo zio, non rispettando il suo desiderio: nell'aria della casa oscura, tutto gli sembra annunciare eventi sinistri; la tenerezza verso il suo secondo padre, soffocata per qualche ora,

gli stringe il cuore fino a farlo soffrire di dolcezza. La mattina dopo, a New York, sarebbe andato nella camera da letto
dello zio, dove finora non era mai stato: l'avrebbe sorpreso
in camicia da notte, forse avrebbe fatto colazione con lui; e
questa colazione in comune sarebbe diventata un'abitudine
infinitamente affettuosa. La casa l'opprime: Green e Pollunder lo trattengono con ogni sorta di pretesti; la strada che
deve condurlo verso lo zio, attraverso la porta a vetri, giù
per la scalinata, lungo il viale e le strade di campagna, lo
chiama con una forte voce. Il tempo passa. Gli orologi segnano le undici, le undici e un quarto, le undici e mezza, le
undici e quarantacinque. A Karl, che vuole andarsene dalla
casa, pare che il tempo scorra lentamente: mentre per noi
quelle indicazioni di ore e di minuti sembrano il ticchettio di
una velocissima macchina infernale che conduce alla catastrofe. Infine una campana suona dodici colpi, quasi senza
intervallo: ogni colpo batte mentre risuona ancora il precedente: la casa vuota e oscura è colma di questa presenza
minacciosa; Karl sente sulle guance l'aria mossa dal movimento delle campane. Green consegna a Karl la lettera dello
zio. È la seconda condanna, definitiva come la prima.

Così, nascosto tra gli eventi di un romanzo avventuroso,
Kafka scoprì il grande edificio della Legge Paterna, che
dopo di allora non smise di ossessionarlo per tutta la vita.
Come dirà Karl, il carattere più evidente della Legge è
quello di non avere nessuna «buona volontà». Per lei, non ci
sono innocenti, ma soltanto colpevoli: le cose più innocue
sono viste nella luce più sinistra; la colpa, come commenterà
Nella colonia penale, è sempre «fuori discussione». La
Legge apre dunque contro di noi un processo interminabile,
più lungo delle nostre vite. Cosa ci imputa? Non confondia-
mo la Legge Paterna con quella umana, che ci imputa
soltanto delle azioni e ignora il nostro inconscio. Karl non
ha violato nessun divieto: si è abbandonato a un innocente
capriccio infantile, a una lieve infedeltà alla casa paterna; e
la Legge, qui, come nel *Verdetto*, lo accusa proprio di questi

96

piccoli desideri e ribellioni inconsce, come se fossero delitti capitali.

Un qualsiasi avvocato difensore, inviato dallo spirito di buon senso e di tolleranza, potrebbe alzarsi in piedi davanti all'accusa, e sostenere che Karl è un nipote buono e affettuoso, come più tardi, all'Hotel Occidentale, sarà un bravissimo lift. Anche se quella piccola infedeltà fosse un delitto, Karl si è pentito la stessa sera: ha rimpianto lo zio, ed ha cercato in tutti i modi di tornare a casa. Il grande accusatore sorriderebbe, o sghignazzerebbe come Green. La Legge non conosce attenuanti, pentimenti, stati d'animo, buone intenzioni, tenere devozioni, rimpianti. Essa ignora la psicologia: quando vuole, trascura l'inconscio; lascia agli uomini questo territorio minato – sebbene, poi, lei stessa pretenda che gli uomini facciano della psicologia e si avventurino nell'inconscio, quando debbono intuire, in una specie di comunicazione medianica, i divieti non promulgati del Padre-Dio. La Legge – potrebbe continuare l'accusatore – è una scienza esatta. Per essa, esistono soltanto delle azioni ammesse o sbagliate, prescritte da una rigida norma. Karl non doveva lasciare la casa di New York (anche se nessuno aveva mai emesso una proibizione): o essere di ritorno ai dodici rintocchi della mezzanotte (sebbene questo gli fosse materialmente impossibile).

Cosa potrebbe rispondere l'avvocato difensore di Karl? Probabilmente tacerebbe, come Karl, che si chiude nel silenzio più ostinato. Ma dimenticherebbe una cosa. La Legge, che si vanta tanto di essere una scienza esatta, è invece, quando lo preferisce, la più inesatta delle morali. Green e Pollunder, i bracci della Legge, impiegano ogni raggiro per impedire a Karl di tornare a New York: gli dicono che non c'è l'automobile, che non c'è l'autista, che la fermata del tram è lontana, che bisogna salutare la signorina Klara, e attendere una lettera... Gli uomini badano di rado alle insidiose attività occulte della Legge. Come Karl, le attribuiscono buon senso, razionalità, ragionevolezza, comprensione, attitudine al compromesso. La Legge Paterna non possiede nessuna di queste qualità così umane; ed è proprio per questo che noi – accecati dalla violenza tenebrosa della sua luce – l'adoriamo.

L'evento della Tentazione, della Caduta e della Condanna si ripete, per la terza volta, nell'Hotel Occidentale: Karl viene cacciato nelle strade di Ramses. Ormai è giunto nel luogo da cui non c'è più ritorno. Poco prima aveva perduto la fotografia dei genitori – sopra la quale si addormentava, e che rappresentava per lui la famiglia, la patria e la speranza del ritorno –; e sebbene non apra bocca, non possiamo dimenticare la tragica intensità del suo dolore. È solo, nella vastità dell'America. Poi perde la valigia, odiata ed amata, simbolo della cacciata e del viaggio: la giacca, che lascia nelle mani del portiere dell'Hotel Occidentale: il danaro: l'indirizzo della Pensione Brenner, dove la cuoca gli aveva preparato un asilo; e i documenti dei quali era tanto fiero, che ostentava con tanta fiducia davanti alle autorità della nave, come se fosse così importante avere un attestato del proprio nome. La condizione in cui si trova può venire paragonata soltanto alla scena tremenda che vede David Copperfield in fuga per le strade dell'Inghilterra, minacciato dalle orribili creature dell'abisso. Ma, in fondo alla strada, David ha zia Betsey e zio Dick che l'aspettano. Karl non ha nessuno. Con due fra le più geniali omissioni della sua arte, Kafka ci impedisce di sapere cosa provi quando lo zio Jakob e il capocameriere dell'Hotel lo cacciano per le strade. Se l'osserviamo in viso, comprendiamo come sia mutato. Non più gli slanci, le effusioni, i sogni, le speranze, le tenerezze, che lo rendevano così incantevole all'inizio del libro. Tace, e china il capo davanti all'irreparabile. Nudo, spoglio, con la mente vuota, col cuore vuoto, contempla la realtà con occhi pietrificati, e osserva con sublime stoicismo la propria degradazione.

Uscendo insieme a Karl dall'Hotel Occidentale, Kafka si lasciò dietro le spalle il regno della Legge, dove viviamo soltanto per essere condannati. Non più padri, o sostituti del padre: né madri, tutte succube della volontà paterna.

Ora Karl abita nel grembo della realtà, dove avrebbe potuto perdersi, se fosse fuggito insieme al fochista sulle navi fluviali o sui prati d'America. Ma questa realtà non è tutta la vita: non è il rosso e vorticoso mondo del cibo e dell'amore, dell'avventura e della fantasia, della birra e del sesso, dei fiumi e delle strade, delle locande e delle cucine, del riso e della follia, dell'idiozia e dell'euforia, – il «mondo selvaggio e completamente inesplicato, il migliore dei mondi impossibili», nel quale visse Dickens. Con una restrizione significativa, la realtà è, per Kafka, soltanto il losco, l'equivoco, l'abietto: il «sottosuolo» dostoevskijano, dove Brunelda, Delamarche e Robinson recitano come attori da trivio. Per scoprire questo sottosuolo, Kafka non aveva bisogno di cercare lontano da sé, nella folla che percorreva i vicoli di Praga e le vie della sua America immaginaria: lo portava in sé stesso, perché lui, lo spirito più puro del tempo, era lo Straniero – e lo Straniero era anche un parassita, come i parassiti dei drammi yiddish di Gordin.

Al tempo del *Processo*, Kafka avrebbe visto riflettersi nell'abiezione le forme degradate degli dei. Ma, nel *Disperso*, il sottosuolo non aveva ancora un valore metafisico. Egli poteva raccontarlo senza tremore e senza angosce, con un immenso piacere narrativo e una ariosità di mano, che forse non ritrovò mai. Guidato dagli spiriti alleati del divertimento e della leggerezza, vinse tutte le difese interiori, e rappresentò l'America come un paese che passa la notte all'aria aperta, alle finestre e sui balconi, tra un suono di grammofoni, mentre sulla strada impazza la pantomima elettorale.

La casa di Brunelda, Delamarche e Robinson è la gigantesca casa-labirinto che Kafka aveva imparato ad amare in Dostoevskij. Ci sono atri, androni più piccoli e più ampi: cortili popolati e cortili quasi deserti, appartamenti e appartamenti; e le scale, le terribili scale oscure, che ad ogni rampa si allargano mentre continuano a salire senza apparentemente arrestarsi mai, – simbolo della clausura e della vertigine dell'infinito. Invece che in fondo alle scale, il sottosuolo sta in cima alle scale: l'esperienza della tana diventa, qui e nel *Processo*, quella della soffitta. Lassù in alto, dove si dovrebbe conoscere l'apertura e la luce, si sta chiusi come in un carcere. Una tenda calata fino al pavimento impedisce ai raggi del sole di penetrare: armadi e vestiti appesi gremiscono la stanza soffocante e polverosa: le stoviglie non lavate, con i resti dei cibi, sono accumulate sulle seggiole: in terra stanno i covili, fatti di vestiti, di coperte e di tende: sotto il divano ci sono batuffoli di polvere e di capelli femminili, scatole e scatolette; e dai cassetti esce la lava inarrestabile delle cose morte – vecchi romanzi, fascicoli di musica, bottigliette di medicine e di unguenti, piumini della cipria, barattoli di belletto, spazzole per capelli, riccioli, lettere, aghi, minuzie infeltrite.

La regina di questo spazio infimo, polveroso e rinchiuso, di questa tana edificata sui tetti, è Brunelda. Il nome richiama Wagner. Se dobbiamo credere alla leggenda di Robinson-Leporello, in passato è stata una grande cantante lirica: una donna agile e bella, vestita tutta di bianco e con l'ombrellino rosso: ma non la udiamo mai cantare, e di tutta questa leggenda dorata resta soltanto un mantello, qualche trina e un binocolo da teatro con cui guardare per strada. Nella soffitta, Brunelda conosce la degradazione. Porta una cuffietta sui capelli spettinati, numerose gonne infilate l'una sull'altra, della biancheria sporca e giallastra; e le rozze e spesse calze di lana bianca, che le salgono quasi fino al ginocchio, la fanno assomigliare a una pastora. Non sembra nemmeno più una creatura umana, ma un animale molle, gonfio e grasso, una foca o un'elefantessa, che estrae dalle labbra la lingua rossa e greve. Di giorno, sta distesa sul divano: dorme o dormicchia; di notte, russa e ha incubi bestiali. Ingurgita sesso come un animale o un'enorme pianta passiva; e finirà in una casa di tolleranza, come una specie di prostituta sacra. Ha sempre caldo, quasi fosse arsa dal fuoco erotico o da una incessante isteria, e deve spegnerlo, facendo continuamente il bagno in una tinozza. Robinson porta trafelato l'acqua: Delamarche lava e strofina tra mille spruzzi il corpo molle della gigantesca elefantessa, il cui capo sporge sopra gli armadi.

Lassù tra i tetti, nel chiuso della tana polverosa, difesa dalle tende abbassate, Brunelda esercita il suo sacerdozio erotico. Non conosce lo slancio e il fuoco del desiderio – ma eros come schiavitù, abiezione, degradazione. Delamarche la accudisce come un servo: la veste, la pulisce, la pettina, le fa il bagno; la domina sessualmente e si fa mantenere. Il marito abbandonato paga Robinson per avere notizie di lei; e darebbe molto danaro per stare sul balcone, dal quale spera di assistere ai coiti di Delamarche e della moglie. L'abiezione raggiunge il vertice nella figura di Robinson, che è un uomo trasformato in cane, che ama essere trattato da cane: vive disteso sul balcone, dove litiga coi gatti, viene chiamato col campanello, e picchiato con la frusta sul muso. Kafka si diverte a giocare col proprio tema vertiginosamente profondo. Robinson non è un abbietto dostoevskijano, che pretende di vivere la vita dell'anima e piange la propria degradazione: non è un animale kafkiano, che ritrova nella propria tenebra una verità che l'uomo ignora; e la sua abiezione non è nemmeno, come quella di Block, una via verso il sacro. In questa parte del romanzo, soffia un vento e un odore di opera buffa: l'aria del Settecento, che Kafka non farà più risuonare nei suoi libri. Robinson è un Arlecchino o un Leporello, pigro, sciocco, fannullone, sentimentale, millantatore e megalomane, che cerca di contagiare Karl con la sua fisiologia canina. Eccolo lì, sul balcone, disteso come un cane, che chiacchiera e chiacchiera: mangia una mezza salsiccia nera, dura come un sasso: intinge il pane in una scatola di sardine, che cola olio da tutte le parti, e si asciuga le mani in uno scialle di Brunelda, poi inzuppa il pane nel cavo delle mani piene d'olio, mastica una massa di cioccolatini schiacciati e incollati; e parla e riparla di Brunelda, vorrebbe toccarla, leccarla, vederla copulare con Delamarche, mangiare quella carne grassa da foca o da elefantessa, come se il coito non fosse che il prolungamento del suo pasto da cane.

Karl fa il servo nella tana aerea, tra il gatto-Delamarche,

il cane-Robinson e la foca-Brunelda, con scrupolo, come fa sempre tutte le sue cose: è un eccellente servo, come è stato un eccellente figlio e un eccellente nipote e un eccellente lift di albergo. La preparazione della colazione alle quattro del pomeriggio – in cucina ci sono le stoviglie degli inquilini non ancora lavate, bricchi con un po' di caffè e di latte, piattini con resti di burro, biscotti rovesciati da una scatola di latta, e Karl trasforma questi resti schifosi in una colazione presentabile, pulendo il vassoio, raccogliendo insieme i resti di caffè e di latte, raspando i pezzi di burro, pulendo i coltelli e i cucchiai, pareggiando i panini addentati – è un capolavoro di artigianato. Poi scende sempre più in basso: fattorino del bordello dove trasporta Brunelda in carrozzella; e forse garzone in una banda di gangster dove lo chiamano Negro, se è giusta l'ipotesi (inverificabile) di Hartmut Binder. Qualsiasi cosa gli accada, non muta natura. Vive nell'abiezione, sprofonda nell'abiezione: si direbbe quasi senza ripugnanza; eppure non si lascia nemmeno sfiorare dall'abiezione, scivola indenne in mezzo alle esperienze che gli vengono imposte, conservando l'anima immacolata della sua infanzia.

In questo punto, o poco prima, alla fine del gennaio 1913, Kafka arrestò la stesura del *Disperso*. Per più di un anno, non scrisse nulla: poi venne il fidanzamento con Felice Bauer, la rottura del fidanzamento e l'inizio del *Processo*. Dal 5 al 18 ottobre 1914 chiese un permesso all'*Istituto di Assicurazioni*. Cominciava a scrivere dopo cena e restava al tavolino fino alle cinque o alle sette e mezza della mattina, quando le prime luci e i primi rumori venivano a visitarlo, e abbandonava i fogli dove aveva steso un capitolo del *Processo* o *Nella colonia penale* o il penultimo e l'ultimo capitolo del *Disperso*, che Max Brod intitolò *Il teatro naturale di Oklahoma*. Vorremmo conoscere tutto – colori del cielo, nubi lievi o temporalesche, posizione del tavolo, qualità della carta, mobili della stanza, numero dei passanti notturni, – su quei quattordici densissimi giorni nei quali Kafka scrisse tre opere così profondamente diverse tra loro. Oggi quasi tutti gli studiosi ritengono che *Il disperso* si dovesse concludere, come *Il processo* e *Nella colonia penale*, con una condanna. A me non sembra possibile. Credo che in quei quattordici giorni, dividendosi e lacerandosi in sé stesso, procedendo grandiosamente nel regno della possibilità, trasformandosi in un vortice di antitesi, Kafka abbia tenuto aperte davanti a sé stesso due opposte ipotesi teologiche e narrative. Da un lato, nella fine del *Disperso*, il mondo divino come grazia, benvenuto, accettazione, rifiuto della Legge scritta: dall'altra, nel *Processo* e *Nella colonia penale*, il mondo divino come Legge del padre, scrittura e condanna. Nessun grande artista è mai tessuto di una sola stoffa; e nessuno fu più abitato di Kafka dal tragico gioco di tentare contemporaneamente tutte le ipotesi estreme, tutte le contraddizioni polari dell'universo.

Non sappiamo quanto tempo dopo la prigionia nella casa di tolleranza, Karl vede all'angolo della strada un manifesto con una scritta. «Oggi dalle sei di mattina a mezzanotte, all'ippodromo di Clayton, viene assunto personale per il teatro di Oklahoma! Il grande teatro di Oklahoma vi chiama! Vi chiama solamente oggi, per una volta sola! Chi perde l'occasione la perde per sempre... Ciascuno è benvenuto!... Noi siamo il teatro che serve a ciascuno, ognuno al proprio posto! Diamo senz'altro qui il benvenuto a chi si decide per noi! Ma affrettatevi per poter essere ammessi prima di mezzanotte! A mezzanotte tutto verrà chiuso e non sarà più riaperto! Maledetto chi non ci crede!» Con ironia, Kafka combinò in questo manifesto due lingue opposte. Da un lato, la lingua pubblicitaria di un parco di divertimenti di Chicago, che aveva conosciuto in un libro tedesco: «Che formalità uno deve osservare, prima di venir lasciato entrare qui? Quali carte, passaporti, legittimazioni, bollette delle tasse, certificati di battesimo, certificati di lavoro deve mostrare, per essere ammesso? *Why! Nothing at all!* Risponde il nostro americano stupito... Ciascuno è benvenuto... Non ha da mostrare carte, non deve far scrivere il suo nome in un libro, né quello vero, né uno falso. Ciascuno è benvenuto...».

Dall'altro, nello stile del manifesto, risuona la parabola evangelica delle dieci vergini, che a mezzanotte vanno incontro allo Sposo; e quell'appello al Regno di Dio, quel drammatico senso di imminenza che attraversa le parole di Matteo e di Marco. «Il tempo è compiuto, e il Regno di Dio è vicino. Convertitevi e credete al Vangelo» (*Mc.* 1,15): «Quando vedrete tutto questo, sappiate che egli è vicino, alle porte. In verità vi dico: non passerà questa generazione prima che tutte queste cose avvengano. Il cielo e la terra passeranno, ma le mie parole non passeranno» (*Mt.* 24,33-34). Il Regno di Dio è già arrivato con la parola di Cristo. La Voce dei Vangeli chiama tutti all'appello definitivo: tutti, innocenti e colpevoli; li chiama in un momento definito del tempo, in *questo* momento, perché poi l'appello non sarà più ripetuto.

Il teatro di Oklahoma non è un semplice teatro, sebbene possa dare delle grandiose rappresentazioni alle quali assiste anche il Presidente degli Stati Uniti. Il teatro di Oklahoma è uno di quei «prodigi», di quei «segni e miracoli», che ormai, dice lo zio, esistono soltanto in America: un'utopia realizzata, un *Theatrum mundi* vasto come l'universo, simile alle utopie con le quali giocava il vecchio Goethe nei *Wanderjahre*. Esso può raccogliere tutte le professioni e le disposizioni umane: tutti gli uomini, giacché «il numero dei posti è illimitato»; gli ingegneri, gli operai meccanici, gli studenti di scuole medie europee, i ragazzi degli ascensori e anche gli ex fattorini di bordello, se Karl avesse avuto il coraggio di dichiararsi. Accetta tutte le professioni; e cerca di scoprire la vera vocazione di ogni uomo e di indirizzarlo verso di essa. Mentre, secondo la Legge, «tutti, anche gli innocenti, sono colpevoli», secondo il Teatro tutti – anche i colpevoli, o coloro che non hanno meriti o che mentono e celano il proprio nome, come Karl – sono benvenuti e vengono eletti. Sui podii dell'ippodromo, la Legge del Padre – quella che continua a infuriare *Nella colonia penale* e nel *Processo* – ha finito di esistere. Qui parla la grazia. Come dice Matteo: «Chiedete e vi sarà dato, cercate e troverete, bussate e vi sarà aperto: perché chiunque domanda ottiene; e chi cerca trova; e a chi bussa sarà aperto» (7,7).

Come i Vangeli, Kafka raccolse una sapienza teologica antica e sottile. Ma, con levità e allegria incantevole, giocò: spinse sul proscenio delle immagini parodistiche e buffonesche, dove la forma è degradata e inadeguata rispetto al suo contenuto simbolico. Non conosceva altro modo per costringere la trascendenza ad apparire tra le pagine di un romanzo. Il burlesco anticipo del Regno dei Cieli ha preso posto nell'ippodromo. Centinaia di donne sono vestite da angeli con ampi costumi bianchi, capelli sciolti e grandi ali sulla schiena: sembrano figure gigantesche perché stanno in piedi su zoccoli, alcuni alti più di due metri, nascosti dagli ampi costumi che svolazzano al vento; così che gli angeli hanno teste piccolissime e capelli troppo corti e quasi ridicoli. Come nell'Annuncio e nel Giudizio, come nelle pitture di Simone e di Melozzo, suonano trombe risplendenti d'oro: ma nessuno bada alla bellezza della coreografia e all'armonia del canto: gli angeli giganteschi suonano tutti insieme, producendo un confuso frastuono: ora suonano più forte ora si interrompono; e i visitatori possono salire sugli zoccoli, prendere in mano la tromba d'oro e intonare, senza che nessuno protesti, una canzone udita in qualche osteria. I chioschi delle scommesse dell'ippodromo sono trasformati in uffici del Regno di Dio; e le tabelle coi nomi dei cavalli vincenti inalberano gli annunci della Elezione: «Negoziante Kalla con moglie e bambino», «Negro, operaio meccanico».

Come era accaduto diciannove secoli prima al messaggio di Cristo, il manifesto del teatro di Oklahoma – quell'appello urgente, definitivo, fino a mezzanotte – viene compreso soltanto da pochi. Non parla di paga; e come poteva parlarne, se offriva addirittura la salvezza? Pochi credono alle parole dell'Annuncio, e quei pochi sono un'altra volta le persone «nullatenenti e sospette», i relitti della terra, i senza casa, i senza patria, ai quali si rivolge il teatro di Oklahoma, come si era rivolto il Vangelo. Chi accetta subito, senza dubbi e ripensamenti, è Karl. Il viaggio in America era stato, per lui, una progressiva perdita di illusioni: ne aveva perdute molte lasciando il fochista; altre quando era stato cacciato dallo zio, altre ancora quando era stato espulso dall'Hotel Occidentale e, da servo di due parassiti, era disceso in una casa di prostituzione. Ma, nascosto sotto la delusione e la cenere, il suo animo infantile non è morto: pronto a credere, a illudersi, a dedicarsi completamente a qualcosa e a qualcuno. Così, quando legge il manifesto, si sente perdonato, amato, accolto a braccia aperte. «Per Karl... c'era nel manifesto qualcosa che lo attirava fortemente "Ciascuno è benvenuto" era scritto. Ciascuno, dunque anche Karl. Tutto quello che egli aveva fatto fino allora era dimenticato, nessuno glielo avrebbe più rinfacciato. Egli aveva la possibilità di presentarsi per un lavoro che non era una vergogna, al quale anzi si poteva essere invitati pubblicamente!... Se anche i paroloni che erano sul manifesto erano una bugia, se anche il grande teatro di Oklahoma era un piccolo circo ambulante, se voleva richiamare la gente, per lui bastava. Non rilesse il manifesto per la seconda volta, ma cercò la frase: "Ciascuno è benvenuto".» Entra nella cerchia dell'ippodromo; e il suo passato – al quale aveva dovuto rinunciare con tanto strazio – ritorna. In pochi minuti, travestita da angelo, rivede una ragazza, Fanny, che ha conosciuto in una fase a noi ignota delle sue vicissitudini: un capufficio del teatro gli ricorda un professore della scuola media tedesca dove aveva studiato; mentre al tavolo degli eletti ritrova Giacomo, il ragazzo degli ascensori, che aveva incontrato nell'Hotel Occidentale.

Il teatro sembra ripetere, nella scelta del personale, il medesimo procedimento degli Uffici, degli Enti, degli Istituti, delle Fabbriche, che formano la trama penosa della storia umana. Chiede delle «carte di riconoscimento». Karl ha perduto il suo passaporto all'Hotel Occidentale; e anche il proprio nome, scendendo nell'abiezione. Ora si chiama Negro. Così, quando dichiara di non aver documenti, il capufficio del teatro, come qualsiasi burocrate della terra, gli risponde che «è una negligenza incomprensibile». Ma ecco affacciarsi il nuovo Vangelo del Teatro. Mentre il capufficio sta per rivolgere a Karl le domande più importanti, il suo sottoposto – lo scrivano – dichiara senz'altro che Karl è assunto. Subito dopo, il fatto si ripete. Quando il capufficio gli chiede il nome, Karl si vergogna di denunciare il suo vero nome, e indica quello fittizio: «Negro». Il capufficio capisce che si tratta di un nome falso: non vorrebbe accoglierlo sul registro e assumere Karl; ma lo scrivano scrive «Negro» e gli comunica per la seconda volta di essere stato assunto al teatro di Oklahoma. La Legge scritta – la Legge del Padre, dei documenti, del nome e della condanna – è stata affermata per un istante, solo per venire stracciata pubblicamente. Chi trionfa nel teatro di Oklahoma è la legge orale, secondo cui, malgrado i peccati e le menzogne, *«Jeder ist willkommen»*, «Ciascuno è benvenuto». Mentre nell'ippodromo accade questo capovolgimento, ne assistiamo ad un altro, di rilievo non minore. Le autorità sono rovesciate. Il capufficio è deriso, lo scrivano suo sottoposto – il quale straccia ironicamente la legge scritta – decide in suo luogo. Come nel Vangelo, gli Ultimi sono divenuti i Primi.

Sulla tribuna dell'ippodromo, viene disposta una lunga tavola, coperta da una tovaglia bianca. Gli eletti pranzano: i servi portano dei grossi polli, come Karl non ne aveva mai visti, con molte forchette infilzate nella carne arrostita e croccante, e versano nei bicchieri del vino rosso. Tutti gli eletti sono allegri e eccitati, molti si alzano in piedi con il bicchiere, uno fa il brindisi al capo della decima compagnia di reclutamento, che chiama «il padre dei disoccupati». Ma i capi del Teatro non notano, forse non vogliono notare il brindisi della povera gente, degli umili eletti nel Regno di Dio, che consumano qui la loro prima festa nel paese di Cuccagna. Karl siede per ultimo al banchetto: l'ultimo degli ultimi; forse, dunque, il primo dei primi, come dice Luca: «E verranno da oriente e da occidente, da settentrione e da mezzogiorno, e si metteranno a mensa nel Regno di Dio. Ed ecco, ci sono degli ultimi che saranno primi e dei primi che saranno ultimi» (13,29). Tra i commensali, corrono immagini del teatro di Oklahoma. Nessuno le guarda. Nelle mani di Karl, giunge quella che rappresenta l'immenso palco del Presidente degli Stati Uniti. Il parapetto, in oro massiccio, è ampio e grandioso: tra le colonne sono disposti, uno accanto all'altro, medaglioni con il ritratto degli antichi Presidenti. Verso il palco, dal fianco e dall'alto, scendono raggi di una luce bianca e tenue che rivela completamente la parte anteriore: tende di velluto rosso, dal colore cangiante secondo il movimento delle pieghe, cadono sopra il parapetto; e il fondo appare «come uno spazio vuoto e oscuro, con lievi riflessi rossi». Mentre Karl guarda queste immagini colorate, siamo giunti al culmine del romanzo. Il Presidente degli Stati Uniti non si vede. Dio, o come vogliamo chiamare il Primo Principio di questo mondo di grazia e di elezione, non appare. Lassù, in alto, resta uno spazio vuoto e oscuro: la sua tenebra, la sua assenza. Forse Karl, l'ultimo degli ultimi, giunto a Oklahoma, avrebbe avuto l'ultima rivelazione? O il palco sarebbe rimasto vuoto per sempre? O da quella pompa, da quel cupo si sarebbe mossa qualche minaccia, capace di cancellare tutto quello che Karl sembra avere raggiunto?

Non sappiamo come il libro – che si interrompe a metà di un viaggio che pare sereno, tra alte montagne, valli scure e frastagliate, larghi torrenti, che fanno rabbrividire col soffio della loro frescura – avrebbe dovuto concludersi. Dobbiamo dar fede a Brod: «con parole enigmatiche, Kafka accennava sorridendo che in "quel teatro quasi illimitato" il suo giovane eroe avrebbe ritrovato, come per un incanto paradisiaco, la professione, la libertà, l'appoggio – e persino la patria e i genitori»? Per qualche tempo, l'ipotesi del teatro di Oklahoma occupò ancora la mente di Kafka. Poi concluse che per il suo amatissimo ragazzo diligente e scrupoloso, non c'era nessuna speranza di salvezza – e, se non c'era per Karl, tantomeno ci sarebbe stata per lui. Immaginò che la Grazia si ritrasformasse in Legge; e che qualcuno, nel teatro, o tutta la prodigiosa macchina del teatro, preparasse qualche orribile inganno. Quasi un anno dopo, il 30 settem-

bre 1915, scrisse sui *Diari* il passo famoso dove Karl Rossmann, l'innocente, viene condannato a morte come Josef K.,
sebbene «con mano più leggera, piuttosto spinto da parte
che ammazzato». Anche l'innocente doveva essere sacrificato al tremendo dio al quale Kafka aveva consacrato la sua
arte.

Con *Il verdetto*, *La metamorfosi* e sopratutto *Il disperso*,
Kafka elaborò e fissò per sempre i suoi strumenti narrativi,
che riposano su pochi princìpi semplicissimi. Il primo di
questi princìpi, come tutti hanno osservato, è la morte quasi
completa della figura del Narratore: il grande Ego, che nel
romanzo di ogni tempo esibisce le proprie qualità fabulato-
rie e istrioniche, rivendica il proprio rapporto col pubblico,
chiacchiera volubilmente e commenta i fatti, conosce tutti
gli eventi passati, presenti e futuri, e penetra senza resistenza nell'animo dei personaggi. Al posto del Narratore, c'è un
immenso vuoto, e noi percepiamo ancora l'angoscia, che
questa morte ha causato nel mondo. Col *Verdetto*, Kafka
incominciò a raccontare gli eventi usando l'ottica di un solo
personaggio: Georg Bendemann, Gregor Samsa, Josef K.,
K., l'animale senza nome della tana. Quest'ottica porta a un
impoverimento narrativo, che Kafka scelse a ragion veduta.
Con un gesto solo, egli condannò tutti i meravigliosi giochi
narrativi che un romanziere ottiene avvicinando la figura del
Narratore e le ottiche di molti personaggi, che spesso parlano l'uno attraverso la voce dell'altro: alternando l'onnipresenza e l'assenza, l'onniscienza e l'ignoranza, la visione e
l'omissione, la luce e la tenebra. Kafka non cercava la molteplicità: ma concentrazione, claustrazione, soffocazione,
compattezza stilistica, – ciò che l'ottica del personaggio gli
garantiva. Qualche volta, il tempo corre più veloce: Kafka
condensa in un capitolo (un «sommario») ciò che accade in
tre mesi, o un personaggio racconta la morte della madre o
le vicende di una famiglia esclusa dalla vita del villaggio. Ma

ciò accade di rado. Come Tolstoj, ma per opposte ragioni, Kafka non amava il tempo scorciato o ripetuto: accumulava scene dirette, al presente, che il personaggio-narratore esperimenta minuto per minuto.

In qualche romanzo moderno, il personaggio-narratore possiede le stesse conoscenze del Narratore; e ci aiuta a interpretare l'intreccio confuso e molteplice degli eventi. Il personaggio-narratore di Kafka non ci orienta mai: egli sa soltanto quello che vede: non conosce quello che accade in altri luoghi, non conosce i pensieri e le intenzioni degli altri personaggi, lascia nell'ombra alcuni fatti capitali, indugia su fatti minori; o, semplicemente, *non capisce* quello che avviene. Noi, che stiamo leggendo, affidati a una guida così incerta e poco degna di fede, comprendiamo meno di lui. Un groviglio oscurissimo di fatti, intrecciato dagli uomini e dagli dei, cade nell'Enigma, – che non riusciamo ad illuminare, fino a quando non sappiamo coincidere colla complessità vivente del libro. Quando, all'inizio del *Processo*, leggiamo: «Qualcuno doveva aver calunniato Josef K., perché, senza che avesse fatto nulla di male, una mattina fu arrestato», – ci domandiamo: «Chi sta parlando? Chi ci dice che Josef K. non ha fatto nulla di male?». A prima vista, non può essere che il Narratore, il quale stabilisce un fatto incontrovertibile coll'autorità della sua voce. In realtà, non parla affatto il Narratore: Josef K. pensa, attraverso la voce di un narratore, e un lettore ingenuo riuscirà difficilmente a capire che egli non è affatto innocente. Kafka non si accontenta dunque di omettere ciò che il personaggio non sa, ma ci inganna intenzionalmente conducendoci su false strade. L'arte del trucco, che egli conosceva come pochissimi, contribuisce all'Enigma.

Ci immaginiamo che, nei libri di Kafka, il personaggio-narratore parli in prima persona. Non è forse un *io*, che colora il racconto coi propri occhi, le proprie conoscenze e le proprie esperienze? Ma, se cerchiamo tra i grandi racconti, l'*io* ci viene incontro soltanto in due casi: *Indagini di un cane* e *La tana*, due racconti degli ultimi anni. Quanto ai romanzi, sono tutti scritti in terza persona: dopo pochi giorni di stesura, l'*io* del *Castello* venne trasformato in un *egli*. Questo *egli* è colorato da una specie di affettuosa intimità col personaggio soltanto nella *Metamorfosi* e nel *Disperso*. A partire dal *Processo*, Kafka adottò la condizione paradossale di accettare totalmente l'ottica del personaggio – ma di insinuare, nello stesso momento, una parete di cristallo tra lui e Josef K., tra lui e K., trasformando quell'*egli-io* in qualcosa di radicalmente estraneo. Questa condizione è resa ancora più paradossale da un altro fatto. Supposto che Kafka racconti secondo l'ottica di Gregor Samsa, di Karl Rossmann e di Josef K., dovrebbe conseguirne che conosciamo tutti i loro pensieri e i loro sentimenti, come se uno specchio seguisse ogni istante la loro coscienza. Kafka, invece, ricorre in modo sistematico alla restrizione di campo. Quando deve raccontare i fatti capitali della vita di Gregor e di Karl – come essi reagiscono alla metamorfosi in animale, o alla cacciata dalla casa dello zio o dall'Hotel Occidentale – non dice nulla. Sulla pagina scende un silenzio impenetrabile. Quanto più gli eventi sono tragici, tanto più è forte la reticenza e l'omissione: ogni volta che un altro scrittore metterebbe un pieno, egli ricorre alla spaventosa assenza del vuoto.

Senza l'aiuto del Narratore, senza interpretazioni, sottoposti a omissioni, ad assenze, a trucchi, a reticenze e restrizioni di campo, percorriamo i grandi libri di Kafka come il corpo stesso dell'Enigma. Quando mai potremo capire? Quando mai potremo scegliere tra le mille opinioni contrastanti? Quando potremo conoscere la verità senza ombre? Un ultimo paradosso vuole che i libri di Kafka siano tra i meno difficili della letteratura. Non c'è niente di soggettivo, di arbitrario o di dubbio: *Il disperso* non è la verità secondo Karl o *Il processo* secondo Josef K. Difficile è comprendere Dickens, non Kafka. Dobbiamo soltanto tener presenti tutti gli eventi e i personaggi del *Disperso* o del *Processo* o del *Castello*: stabilire un rapporto vivente tra loro, un intreccio senza fine tra tutte le parole che Kafka ha lasciato sulla carta. Non ci vuole che questo: un'arte della pazienza. Se tutte le fila sono state davvero tirate, la verità del *Disperso* o del *Processo* o del *Castello* – una verità che sta molto al di sopra o giace molto più nel profondo di Karl, di Josef K., di K. e di Kafka – prorómperà da sola, abbagliante.

V

1913-1914

Nel suo capolavoro, *Stadi*, Kierkergaard scrisse una pagina, che forse Kafka non lesse mai: «Un soldato alla frontiera dovrebbe essere sposato? Alla frontiera dello spirito, egli può sposarsi quando lotta giorno e notte come avamposto non contro i Tartari e gli Sciti, ma contro le orde selvagge di una melanconia essenziale? Può sposarsi a questo avamposto? Sebbene non combatta giorno e notte e goda di tregue abbastanza lunghe, non sa mai quando la guerra riprenderà perché non può vedere un armistizio in questa bonaccia».

Anche Kafka era un soldato sulle desolate frontiere dello spirito: combatteva anche lui gli assalti della melanconia, le tentazioni del nulla, l'angoscia del possibile e dell'impensabile; e, come Kierkegaard, pensava che il matrimonio fosse «il magnifico punto centrale della vita e dell'esistenza», la «pienezza del tempo», qualcosa di totalmente divino e di totalmente umano. Non tollerava la solitudine. Da solo, temeva di non saper sopportare gli assalti della propria vita, l'insidia del tempo e dell'età, il vago impeto della voglia di scrivere, l'insonnia, la vicinanza della follia. Voleva sposarsi, per entrare nella desiderata terra di Canaan. In quei primi mesi del 1913, il pensiero del matrimonio lo assaliva e lo sconvolgeva, costringendolo a contraddizioni, che lo portavano tuttavia alla medesima conclusione. Avanzava obiezioni sempre nuove contro il suo matrimonio: sempre più ardue, difficili e insopportabili – e concludeva sperando che il matrimonio scendesse sopra di lui come una grazia celeste.

Ribadiva che per Felice e per lui non c'era futuro: dovevano lasciarsi: «sarebbe assolutamente la soluzione giusta. Ciò che io soffrirò, ciò che lei soffrirà – non è paragonabile con le sofferenze comuni, che ne nascerebbero» – ma, se Felice parlava di·matrimonio, non osava resistere, sebbene il suo amore fosse soffocato nell'angoscia. Avrebbe voluto legare indissolubilmente il suo polso destro a quello sinistro di Felice: sapeva che, in quel modo, come aveva letto in un libro sulla Rivoluzione francese, sarebbero andati insieme fino al patibolo; ma preferiva questo matrimonio-patibolo all'assenza di matrimonio. Quali fossero le obiezioni e le reazioni, la conclusione era la stessa. Se non avesse sposato Felice, sarebbe andato in rovina. «Se non saremo presto insieme, l'amore per te, che non tollera accanto a sé nessun altro pensiero nella mia mente, si volge verso un'idea, verso uno spirito, verso qualcosa di assolutamente irraggiungibile, di cui io non posso assolutamente e mai fare a meno – e questo pensiero potrebbe strapparmi da questo mondo.» Il matrimonio con lei era la morte – ma l'unica morte che lo costringesse a restare su questa terra.

Qualche volta, i pensieri angosciosi prendevano un'altra strada. Pensava a Felice: a cosa avrebbe perduto sposandolo: «Io perderei la mia solitudine per lo più spaventosa e acquisterei te che amo sopra tutte le creature. Tu invece perderesti la vita che hai fatto finora, della quale eri quasi del tutto contenta, perderesti Berlino, l'ufficio che ti piace, le amiche, i piccoli divertimenti, la speranza di sposare un uomo sano, allegro, buono, di avere bei figli sani che, se ci pensi, desideri ardentemente. In cambio di questa perdita tutt'altro che trascurabile, acquisteresti un uomo malato, debole, poco socievole, taciturno, triste, rigido, quasi disperato, l'unica virtù del quale consiste forse nell'amarti». Poi esprimeva la propria ripugnanza, che giaceva nel suo oscuro abisso di animale: «Io sono avido di solitudine, l'idea di un viaggio di nozze mi fa orrore, ogni coppia in viaggio di nozze, sia che mi metta in relazione con essa o no, mi appare ripugnante, e quando voglio provare nausea basta che mi figuri di porre un braccio intorno ai fianchi di una donna». Un legame così stretto, come il matrimonio, avrebbe finito per dissolvere nell'aria la forma vaga e nebulosa che egli era. La letteratura si ribellava contro la vita coniugale; e gli sembrava che il matrimonio fosse una regione completamente ricoperta dal corpo gigantesco del padre, o una meta troppo alta perché lui – il prigioniero, l'escluso – potesse aspirarvi. Amava Felice con la forza infinita della fantasia, dell'angoscia e del senso di colpa: le aveva creato un altare nell'animo – e proprio per questo temeva, sposandola, di violare un «ordine del cielo», un tabù religioso-sessuale che qualcuno aveva innalzato, forse l'ombra antica dell'incesto. «Ho la precisa sensazione di andare in rovina col matrimonio, *col legame, con la dissoluzione* di questo nulla che sono, e non solo io ma insieme con mia moglie, e quanto più l'amo, tanto più rapidamente e terribilmente. Ora dimmi tu, che cosa dobbiamo fare?»

Poi, di nuovo, le resistenze vennero spazzate via. Decise di sposare Felice. Non la sposava per amore, sebbene l'amasse tanto: la sposava per obbligo davanti alla sacra idea del matrimonio – come il «soldato alla frontiera», tornato a casa in una breve licenza –; per dovere verso di lei, verso di sé, verso la tortura che si era imposto e le aveva imposto. Era una scelta tragica, formulata sull'orlo del suicidio, dove un filo divideva la totale felicità dalla totale sventura. Il 14 agosto scrisse sui *Diari*: «Il coito quale punizione della felicità di stare insieme. Vivere possibilmente da asceta, più asceta di uno scapolo, questa è per me l'unica possibilità di sopportare il matrimonio. Ma lei?». Così, rigido, meccanico, filiforme, nelle lettere che raggiungevano Berlino terrorizzando Felice, cominciò a programmare un matrimonio ascetico e monacale. Con una esasperazione che sembrava voler distruggere la vita comune sognata, dipingeva il loro ménage. Il marito tornava dall'ufficio alle due e mezza o alle tre: mangiava, si coricava, dormiva fino alle sette o alle otto, mangiava qualcosa in fretta, andava a camminare un'ora, si metteva a scrivere e restava a tavolino fino alle due di notte o fino all'alba. «Potresti sopportare una vita simile? Non saper niente di tuo marito se non che è nella sua stanza che scrive? E passare in questo modo l'autunno e l'inverno? E verso la primavera riceverlo mezzo morto sulla soglia dello studio, e starlo a guardare in primavera e nell'estate come cerchi di rimettersi per l'autunno? È una vita possibile? Forse, forse è anche possibile, ma tu ci devi pensare fino all'ultima ombra di dubbio.» La moglie conduceva una vita claustrale. Separata da genitori e parenti, priva di qualsiasi contatto, con la porta di casa chiusa perfino al migliore degli amici, passava soltanto un'ora della giornata «accanto a un *uomo indispettito, triste, taciturno, scontento, malaticcio,...* legato con catene invisibili a un'invisibile letteratura». In quell'ora non conversavano, perché lui detestava lo spreco e la futilità della conversazione: restavano muti, in silenzio, affascinati dalla loro oscura affinità magnetica, come Ottilie e Eduard nelle *Affinità elettive*, e comunicavano soltanto con qualche biglietto, come ora tra Praga e Berlino.

Negli ultimi mesi del 1913, la tensione fra Kafka e Felice diventò così violenta che li indusse ad allontanarsi l'uno dall'altra. Felice ebbe l'idea di mandare a Praga una sua amica di Vienna, Grete Bloch, con la missione di «mediatrice»: come tutti i mediatori kafkiani, essa complicò la situazione, che avrebbe dovuto semplificare. Kafka attendeva una «signorina piuttosto anziana, di sentimenti materni che, non so esattamente perché, fosse grande e robusta»: invece si vide venire incontro una ragazza giovane, delicata, un po' fragile. Ebbe compassione di lei. «In un certo modo è anche vero, io ho compassione di tutte le ragazze... Non ho ancora chiarito da dove venga questa pietà. Forse ho pietà di loro per la trasformazione in donna alla quale devono soggiacere.» Con Grete, rinacque la magia epistolare dell'anno prima: Kafka cominciò a confidarsi sulla carta; parlava di Felice, raccontava di Felice, – ma intanto le faceva le vecchie, tenere domande: «Si è già abituata a Vienna? Ha trovato un buon alloggio?...». Le raccontava i propri sogni, la avvolgeva con la propria squisita galanteria, le chiedeva di mandargli delle fotografie, voleva incontrarla da sola. Aveva bisogno della tenerezza, che Grete gli dava: dall'assente fuoco di Berlino, non ne giungeva ormai nemmeno una scintilla; aveva bisogno sopratutto di rovesciare sopra di lei quel fiume di tenerezza che restava, insoddisfatto, inesausto, inapplicato, dentro il suo cuore.

Grete ebbe presto degli scrupoli: le parve di tradire l'amica, intrattenendo una corrispondenza così intima con il fidanzato di lei; volle interromperla e riavere indietro le proprie lettere. Forse si era innamorata di Kafka. Kafka non lo permise: «abbastanza spesso ha già fatto il tentativo di liberarsi dal cappio, che però non è neanche un cappio, ma soltanto... be', in ogni caso io cercherò di tenere stretto con le unghie e coi denti questo cappio, se lei lo volesse sciogliere. Ma non c'è neanche da pensarlo. E le lettere? Beninteso lei può disporre di quelle passate (non di quelle future!), ma perché non vuol lasciarle nelle mie mani? Perché introdurre un sia pur minimo mutamento?». Le propose di andare insieme a Berlino, per il suo fidanzamento ufficiale con Felice: seduti dirimpetto nello stesso scompartimento, lei avrebbe raccontato qualcosa di divertente, e lui avrebbe annuito e scosso la testa, stringendole forte la mano in segno di saluto. Quando lui e Felice fossero entrati per la prima volta nella casa comune, lei doveva essere lì a benedirli; e addirittura doveva trascorrere insieme a loro i primi tempi della vita matrimoniale. Malgrado la volgarità della formula, Kafka meditava una specie di *mariage à trois*. Il suo rapporto con Felice restava incrollabile e simbolico come una volta: un soldato di frontiera, alle prese coi Tartari e la melanconia, tentava per mezzo di lei di entrare nella terra di Canaan: nessuna Grete ve l'avrebbe condotto; ma il profumo di affettuosità e di galanteria, con cui una volta aveva circondato Felice, si era esaurito e inaridito. La sua anima delicata ne aveva bisogno, e l'aveva raccolto in quella modesta dattilografa viennese. Così, ai piedi del grande, austero matrimonio che l'avrebbe consacrato uomo della comunità, sarebbe nato questo piccolo, tenero matrimonio, nutrito dei sentimenti superficiali dell'animo.

Intanto, sotto quella mite influenza, il suo tragico e austero moralismo parve intiepidirsi. Scrivendo a Felice, condannò con parole intense Hebbel, gli uomini della «coscienza», e il controllo razionale sulle proprie azioni. «Nessuna linea del suo carattere è sfumata, egli non trema... Quando parla di qualsiasi cosa che abbia fatto, può sempre cominciare con le parole: "se la coscienza tranquilla è la prova dell'agire...". Quanto lontano sono io da uomini simili! Se anche una volta sola volessi fare questa prova della coscienza, dovrei passare tutta la vita a contemplare le oscillazioni di questa coscienza. Perciò preferisco staccarmi, non ne voglio sapere di controlli...» Ora rifiutava l'attiva osservazione analitica di sé stessi: l'abitudine di controllare continuamente la propria esistenza, l'attribuire un sentimento a questo motivo, un secondo sentimento a quest'altro motivo, giudicando le circostanze che agiscono ogni momento. La vita auto-analitica – commentava – conduce alla esistenza artificiale, dove ogni sentimento mira a una meta e fa dimenticare tutto il resto: mentre la vera vita è quella di chi si abbandona spontaneamente, passivamente, senza controllarsi, senza giudicare, senza agire. Così condannava con violenza tutte le «costruzioni» psicologiche, che gli erano passate per la mente nella primavera e nell'estate, fino al punto da assordargli le orecchie. Tutti i suoi dibattiti sul matrimonio e l'ascetismo, con cui aveva fatto soffrire Felice e sé stesso, gli parevano insensati.

Abolito il chiasso della ragione, viveva nel silenzio e nella quiete mentale. Voleva sposare Felice semplicemente perché l'amava, anche se lei avesse nutrito per lui appena «un tiepidissimo affetto». L'accettava com'era, con quello che c'era in lei di buono e di meno buono: con il suo buonsenso borghese, l'aridità, la pedanteria, lo spirito di calcolo, l'incapacità di capirlo. Quando Felice gli chiese se avrebbe avuto in lui «un sostegno del quale aveva assoluto bisogno», le rispose col suo slancio più puro: «Ora se me lo chiedi posso dire soltanto: ti amo, F., fino all'estremo delle mie forze, qui puoi avere piena fiducia in me. Ma per il resto, F., non mi conosco abbastanza. Subisco sorprese e delusioni in una sequenza interminabile. Queste sorprese e delusioni ci saranno con me in un seguito ininterrotto. Queste sorprese e delusioni ci saranno, penso, soltanto per me, impiegherò tutte le energie perché giungano a te soltanto le buone, le migliori sorprese della mia natura; questo posso garantire, non posso invece garantire che mi riesca sempre... Alla tua ultima domanda se mi sia possibile prenderti come se nulla fosse accaduto, posso rispondere soltanto che non mi è possibile. Possibile mi è invece e perfino necessario prenderti insieme con tutto ciò che è stato e tenerti fino alla follia». Sognò che andava a visitarla a Berlino. Arrivava a Berlino e scendeva in una pensione dove stavano soltanto ebrei polacchi. Cercava una pianta topografica della città, per trovare la casa di Felice. Ma non riusciva a trovarla. Un giorno, vide in mano a uno dei pensionanti un libro che assomigliava a una carta: quando l'ebbe in mano, si accorse che conteneva un elenco delle scuole di Berlino, la statistica delle tasse, o qualcosa di simile. Poi, una mattina, si mise in marcia verso la casa di lei, con un senso di calma e di felicità e la certezza di giungerci. Le vie si succedevano: una casa bianca portava l'insegna *Le sale sontuose del Nord*. Interrogò un vecchio poliziotto cordiale, col naso rosso: ebbe consigli utili sul tram, sulla metropolitana, e gli venne indicata persino la ringhiera di un piccolo tappeto erboso in lontananza, alla quale avrebbe dovuto aggrapparsi per maggior sicurezza. Domandò: «Sarà distante mezz'ora, no?». Il vecchio rispose in sogno: «Io ci arrivo in sei minuti». Che gioia! Mentre camminava verso la casa di Felice, qualcuno – un amico, un'ombra, non sapeva chi fosse – lo accompagnava ad ogni passo.

Kafka non arrivò mai a quella casa nell'Immanuel Kirchstrasse. Credette di arrivarci per qualche giorno: vi pose piede; e poi si accorse che la carta topografica gli aveva dato indicazioni sbagliate. Il 12-13 aprile, a Berlino, si svolse la cerimonia del fidanzamento non ufficiale: durante la cerimonia Kafka e Felice non rimasero mai soli: non poté nemmeno baciarla: ebbe l'impressione di recitare la commedia del matrimonio senza il matrimonio, per divertire gli altri; ne soffrì orribilmente – eppure scriveva che non aveva mai fatto, in tutta la sua vita, «una cosa tanto buona e assolutamente necessaria». Il *Berliner Tageblatt* pubblicò la notizia del prossimo matrimonio. L'annuncio lo inquietò: l'avviso del ricevimento gli fece impressione come se avesse detto che Franz Kafka la domenica di Pentecoste avrebbe eseguito nel teatro di varietà una discesa dallo scivolo – ma i due nomi, Franz e Felice, stavano bene insieme. Non poteva più sopportare la lontananza: «quando si bacia da lontano, si cade col proprio bacio ben intenzionato nel buio e nell'assurdo invece di toccare la cara bocca lontana».

A Praga, cominciò la ricerca dell'appartamento. Il 28 aprile ne vide uno in mezzo alla città, una di quelle case che abitiamo nei sogni angosciosi: una scala piena di odori, di bambini che piangono, le cimici che aspettano la notte nelle loro tane. «Qui – sembrava dire la casa – non si lavora, si lavora altrove, qui non si commettono peccati, si commettono altrove, qui si vuole vivere e ci si riesce a malapena.» Il primo maggio Felice venne a Praga, e prese un appartamento nella Langengasse: «tre stanze, sole al mattino, nel mezzo della città, gas, luce elettrica, camera per la domestica, stanza da lavoro, 1300 corone». L'appartamento non gli piaceva: era chiuso tra gli edifici, la strada era rumorosa, non si vedeva verde dalla finestra. E meno gli piacquero i mobili, acquistati a Berlino: mobili pesanti, troppo solidi, mausolei, monumenti funebri alla vita impiegatizia, – che opprimevano la sua anima. «Se durante la visita avessimo sentito suonare in fondo al deposito di mobili un campanello funebre, nulla sarebbe stato più adatto.» Quella casa non era fatta per lui: era adatta alla gente sazia, per la quale il matrimonio era soltanto «l'ultimo boccone grande e grosso», mentre lui non aveva fondato aziende, non aveva bisogno di un'abitazione definitiva: voleva soltanto una casa leggera. Aveva faticato tanto: si era logorato, sfibrato e non aveva raggiunto il suo ultimo sogno. «Finora» scriveva a Grete «ho raggiunto tutto ciò che volevo, ma non subito, mai senza deviazioni, anzi per lo più sulla via del ritorno, sempre con l'ultimo sforzo, e, per quanto lo si potesse giudicare, quasi all'ultimo istante. Non troppo tardi, ma quasi troppo tardi, era sempre l'ultimo martellare del cuore. E non ho mai raggiunto al completo ciò che volevo...»

Il 30 maggio, alle dieci e mezzo di sera, arrivò a Berlino per il fidanzamento ufficiale: accompagnato da suo padre, invece che dalla tenera e amorosa Grete. Era malato o immaginava di esserlo. «Il mio bagaglio si comporrà di insonnia, peso allo stomaco, fitte alla testa, dolori al piede sinitro.» Poi venne la cerimonia, all'Hotel Askanischer Hof: Felice indossava un bellissimo abito azzurro, e gli diede il bacio di fidanzamento – ma egli si sentiva in carcere, legato come un delinquente. «Se con catene vere mi avessero messo in un angolo con davanti i gendarmi e avessero lasciato che gli altri mi guardassero soltanto così, non sarebbe stato peggio.» I dubbi si moltiplicarono appena arrivò a Praga: gli sembrava che il suo matrimonio fosse un edificio sbilenco, che sarebbe presto crollato, strappando nella caduta anche le fondamenta. La notte dormiva appena due o tre ore; e, alla mattina, mentre giaceva sfinito nel letto, i rintocchi del campanile gli rammentavano puntualmente che il tempo passa, e dopo la notte paurosa viene il pauroso mattino. Cercava di risollevarsi andando alla scuola di nuoto, facendo ginnastica e bevendo latte acido in una latteria. La sera, andava nel parco Chotek, come i vecchi coniugi che vi stavano seduti al sole del tramonto, godendo i tappeti erbosi, osservando i passeri e ammirando il chiasso magnifico dei bambini; e scriveva una lettera a Grete. Scriverle lo placava, ma poi lo riassaliva l'angoscia. Gli pareva che tutti i dolori della sua esistenza fossero soltanto miraggi, dietro ai quali lo aspettava il vero e proprio nocciolo della vera e propria sventura che non conosceva ancora direttamente, ma soltanto attraverso le sue minacce. Per cercare conforto apriva la Bibbia, e trovava queste parole: «Poiché in mano Sua è ciò

che sta sotto la terra e Sue sono anche le sommità dei cieli».
Ma gli sembravano quasi parole senza senso.

Il 12 luglio ci fu un altro incontro a Berlino, con Felice,
la sorella, Grete e Ernst Weiss. Quando Kafka ricordò la
scena nei *Diari*, registrò solo dei particolari irrilevanti: Felice che si metteva la mano nei capelli, che si puliva il naso
con la mano e sbadigliava. Quel giorno, mossa dalla gelosia
o dal pentimento per aver consigliato il matrimonio, Grete
fece la parte dell'accusatrice: lesse alcuni passaggi, sottoli-
neati in rosso, delle lettere che Kafka le aveva scritto. Felice
pronunciò la requisitoria. Kafka non disse nulla, o balbettò
parole insignificanti. Non aveva nulla da dire. Aveva compreso che tutto era perduto, e che quel tribunale che lo
giudicava era solo apparenza. Il vero tribunale era lui, Franz
Kafka; ed egli ne svolgeva tutte le parti – il pubblico accusatore, il presidente, la corte, l'accusato, il difensore che raf-
forzava l'accusa. La lettera inviata ai genitori di Felice gli
parve «una allocuzione dal patibolo». Tornò in albergo,
andò dai genitori di lei, la sera si sedette sotto i tigli, andò al
ristorante con la sorella di Felice, frequentò la scuola di
nuoto sulla riva di Strahlau, raggiunse Lubecca, Travemün-
de e Marienlyst, come un automa che ripeteva una lezione
imparata a memoria. Nel diario, tacque i pensieri che in
quei giorni si affollarono nella sua mente. Non segnò che i
gesti esterni della vita: «Un bevitore di vino mi osserva mentre cerco di tagliare col coltello la piccola pesca acerba. Non
ci riesco. Per vergogna, sotto gli occhi del vecchio, pianto lì
la pesca e sfoglio dieci volte i *Fliegende Blätter*. Sto aspettan-
do che quello si decida a guardare da un'altra parte. Infine
mi faccio forza e a suo dispetto mordo la pesca senza succo
e costosa». A Marienlyst riprese a mangiar carne: fino ad
averne la nausea; la mattina a letto, dopo aver dormito male
e a bocca aperta, si sentiva il corpo «profanato e punito
come una porcheria estranea». Ora che aveva rinunciato a
Felice, dalla cui legge si era difeso con l'ascesi alimentare,
aveva rinunciato anche alla proibizione ascetica.

Alla fine di luglio, tornò a Praga, e prese alloggio prima

nella Bilekgasse poi nella Nerudagasse, nella casa vuota delle sorelle. Da principio, rimpiangeva quello che non era accaduto: il matrimonio, l'abbraccio di Felice, l'entrata silenziosa nella irraggiungibile terra di Canaan. Intorno a lui, c'era la perfetta solitudine: ritornando a casa pensava che «nessuna moglie desiderata» gli apriva la porta. Aveva sofferto profondamente; e gli pareva che il sonno, la memoria, la capacità di pensare, la forza di resistere alle preoccupazioni fossero inguaribilmente indeboliti dentro di lui, quasi avesse abitato per lunghi anni in prigione. Ma presto cominciò a vivere senza pensare a Felice, come se nulla fosse accaduto tra loro e non avesse mai incontrato chi «gli era venuto vicino più di ogni altra persona». Viveva in una costante tensione tragica. Pensando a sé stesso, gli sembrava di essere la cimice che aveva appena schiacciato contro il muro: era la cimice torturata e la mano contorta che premeva e reggeva la cimice: alternava lo sguardo dall'insetto alla mano, fondendo in sé stesso la figura del torturato e quella del torturatore. Quali energie immense aveva sprecato in questi esercizi crudeli! Ma, intanto, stava lì, schiacciato, *retto* contro il muro, con una forza sovrumana, senza cadere al suolo. Si sentiva come un vaso vuoto, ancora intero e già tra i cocci, oppure già coccio e ancora fra i vasi. Gli pareva di aver sbagliato tutto. La sua capacità di descrivere la propria «sognante vita interiore» aveva atrofizzato e continuava ad atrofizzare tutto il resto della sua esistenza: capacità di vivere, di pensare, di amare, di viaggiare, di ascoltare musica. E ora, forse, anche il dono letterario – il suo punto archimedico – era scomparso. Era finito come scrittore.

Viveva assolutamente solo, appena disturbato dalle chiacchiere dei vicini, da strani rumori e rotolii sul capo, e da qualche fischio che rompeva il silenzio. Amava passeggiare nel parco Chotek, guardando le foglie degli alberi, e ascoltando, tra distratto e meravigliato, il canto degli uccelli. La sua era una vita folle, da scapolo. «Non mi rintano dagli uomini perché voglio vivere tranquillo, ma perché tranquillo voglio perire.» Gli sembrava di essere un sasso, incapace di pensare, di osservare, di ricordare, di parlare, di fare esperienze insieme agli altri: o una pertica infilata obliquamente nel terreno, in un campo profondamente sconvolto, in una buia notte invernale; o uno spettro, che svolazzava intorno al proprio tavolo da lavoro. Vacillava volando senza posa verso la cima di un monte; e giunto lassù, nel luogo della vertigine, cadeva e si rialzava, si abbatteva e tornava a salire, soffrendo ogni istante l'eterna tortura della morte. Scriveva nel deserto, nel provvisorio, senza terra, senza radici, sospeso come l'impiegato della ferrovia di Kalda, nella sua baracca di legno assediata dai topi. Se dobbiamo credere a questo racconto, conservato nei *Diari*, la solitudine lo curava dalle sventure passate: gli dava forza; e lo spingeva di nuovo tra gli uomini, a conversare con loro. Ma forse era soltanto cacciato sia dalla sventura che dalla solitudine. E gli pareva che la sua vita fosse come il progetto della ferrovia di Kalda: un progetto ambizioso, che qualcuno, chissà chi, aveva disegnato tanto tempo prima, ed era rimasto a metà, come un relitto abbandonato ed inutile.

Verso la metà di agosto, cominciò a scrivere *Il processo* – sotto il segno del «mostruoso Strindberg», ricordando il suo «furore, le sue pagine conquistate lottando a pugni». Pensava alla fine del 1912, quando era entrato strisciando nel lavoro, come un topo, e si era sentito pienamente al sicuro; e un impetuoso romanzo, un grande racconto simbolico, un immenso epistolario erano usciti dallo slancio della sua fantasia. Ora era più freddo. Ma anche adesso la sua vita vuota, folle, da scapolo, scoperse una ragione e una giustificazione. Non guardava più nel buio e nel vuoto assoluto. Non era più un fantasma, o un pipistrello che svolazzava attorno al tavolo da lavoro. Dopo due anni, aveva ritrovato il soccorso dello scrivere; e credeva che la letteratura avrebbe dato realtà, pienezza e libertà al suo destino. Teso, febbrile, ma lucidissimo, gli sembrava che in quei mesi cominciasse la sua «battaglia per l'autoconservazione». Stava avvicinandosi al tema che portava chiuso nel corpo e nella mente, e non aveva ancora espresso con le parole. Per quasi sei mesi non poté fermarsi. Scriveva fino a tarda notte, talora fino al mattino, fino a quando le sue forze – che gli sembravano già indebolite e corrose – glielo consentivano. Stava sette, otto, dieci ore legato al tavolino. Scriveva spesso in stato di quasi incoscienza: «rapito», «interamente rapito» dalla continua e disperata forza dello scrivere, che lo trascinava via come una corrente d'acqua. Aveva trovato il suo tono: una lunga, monotona modulazione, un soffocato lamento, un lento dissanguarsi, una minuziosa cineseria, senza che la sua voce vibrasse mai, o un'immagine ne turbasse l'uniformità meravigliosa. Mentre scriveva, scendeva sempre più verso il profondo: scavava verso il basso – che era per lui l'unico modo di volare, a ali ferme e sicure, attorno alle irraggiungibili cime dei monti. Il primo novembre, avvertì dei «sottili ostacoli», che doveva infrangere per andare avanti: in seguito ebbe l'impressione di essere giunto al «limite definitivo» dove forse avrebbe sostato ancora degli anni, «per poi forse incominciare una nuova storia che finirà di nuovo per restare incompiuta». Nel gennaio 1915, si arrestò definitivamente.

Qualche mese prima, alla fine di giugno, aveva abbandonato nei *Diari* un racconto di due pagine. Il protagonista era, come lui, uno scapolo, che passeggiava dalla mattina alla sera dentro una stanza, perlustrando con gli sguardi le pareti, seguendo fino nelle ultime diramazioni il disegno della tappezzeria e le sue tracce di vecchiaia. Perché guardava tanto? Cosa fissava con tanta intensità? Voleva forse produrre una lacerazione, un'apertura nel soffitto? Una sera, per la prima volta, seduto sul davanzale, guardò pacificato la stanza. In quell'istante, il soffitto cominciò a muoversi: ai margini, intorno ai quali correva un leggero fregio di gesso, si staccarono dei pezzetti d'intonaco e caddero a terra con colpi secchi. Presto le fratture si allargarono. Il centro del soffitto cominciò a emanare un bianco radioso, sopra la misera lampadina: più in là si mescolò un viola azzurrino, e il colore o forse una luce si propagava continuamente verso il margine che si andava oscurando. Nel viola si insinuarono dei colori giallo-oro. Non era soltanto un colore: dietro il soffitto sembrava che si librassero degli oggetti e volessero attraversarlo, e presto un braccio si stese, una spada d'argento si alzò e si abbassò.

Lo scapolo sapeva di non aver preparato l'apparizione: una realtà senza nome stava scendendo nella stanza e presto lo avrebbe liberato dalle catene della vita quotidiana. Egli balzò sulla tavola, strappò la lampadina e la scaraventò per terra, spinse la tavola verso il muro. In quel momento, il soffitto si aprì. Da una grande altezza, scese lentamente nella penombra un angelo vestito di un viola-azzurro, cinto di cordoni d'oro, con grandi ali bianche dal fulgore di seta, con la spada vibrata orizzontalmente nella mano. «Un angelo, dunque» egli pensò. «Tutto il giorno vola verso di me e io, scettico come sono, non lo sapevo. Adesso mi parlerà.» Quando abbassò lo sguardo, il soffitto s'era richiuso, e l'angelo librato a mezz'aria era soltanto una polena di legno dipinto, con l'impugnatura della spada che serviva da candeliere, come si vedono sul soffitto delle osterie dei marinai. Quale ironica trascendenza, quale delusiva apparizione! Nessuno era sceso sulla terra per liberarlo. Era calata la notte. La lampadina era strappata. Lo scapolo, che non voleva restare al buio, salì su una sedia: infilò una candela nell'elsa della spada, e la accese. Trascorse così tutta la notte «sotto la lieve luce dell'angelo». Che importava se l'angelo fosse soltanto una polena, e la trascendenza delusiva? La candela infilata nell'elsa gli dava la luce leggera e tranquilla che gli dei portano agli uomini quando scendono a liberarli.

Kafka non immaginava che Il processo sarebbe piombato nella sua stanza come la polena-angelo dell'osteria. Negli anni della giovinezza, era stato insensibile agli dei, o il loro nome velava dei giochi letterari. Di colpo, alla fine del 1912, fu assalito dal suo complesso edipico, di cui non conosceva la portata e le implicazioni. Nel Disperso, questo complesso assunse tre volte le forme della tentazione, del peccato e della condanna di Adamo nel paradiso terrestre. Ma Il disperso non è ancora un libro abitato da Dio. Nei mesi dal settembre 1912 all'agosto 1914, il complesso edipico si depositò nelle profondità della sua mente e del suo inconscio: si allargò, si complicò, accettò soccorsi da tutte le parti dell'anima e della cultura; fino a trasformarsi nel più grandioso e complesso sistema teologico del mondo moderno. Egli non sapeva di portarlo in sé, come lo scapolo ignorava che qualcuno si celava nella sua stanza. Così Dio scese nella sua vita, di colpo, senza preavviso, come l'angelo con le grandi ali bianche e la spada vibrata. Ma era veramente Dio? O era soltanto una sua contraffazione, una sua ombra, una polena di legno? Qualsiasi cosa pensiamo, Kafka visse sotto la luce del tremendo visitatore per tutto il resto della sua vita.

Col *Processo*, Kafka volse le spalle al grande romanzo, che aveva superbamente tentato col *Disperso*. Un romanzo è una concentrazione di tempo, che si svolge e si muove davanti ai nostri occhi, a ritmo ora lento ora veloce: nel *Processo* è assente questa continuità e fluidità temporale. Ogni capitolo è una scheggia di tempo – due ore o una giornata – strappata al corso del tempo, irrigidita e paralizzata; e tra queste schegge non vi è alcun nesso o rapporto o mediazione, ma un crepaccio che spesso ci è difficile valicare. La lancetta dei secondi della disperazione – diceva Günther Anders – corre senza pausa e a velocità folle: ma l'orologio è rotto, e la lancetta delle ore resta ferma. La struttura non potrebbe essere più elementare. Mentre un romanzo è un sinfonico intreccio di motivi, la vicenda del *Processo* è un seguito di incontri polari tra Josef K. e i personaggi minori (la moglie dell'usciere, la signorina Bürstner, lo zio, l'avvocato Huld, Leni, l'industriale, Titorelli, Block), che di solito appaiono una volta sola e non si incontrano mai tra di loro. Manca ogni gioco narrativo, ogni modulazione dell'intreccio, ogni *fondu*. Nella parte centrale, c'è un totale vuoto romanzesco, colmato dai grandi discorsi platonici di Huld e Titorelli, che K. ascolta quasi in silenzio.

Come era remoto *Il disperso*! Allora Kafka aveva cercato di investire e riscattare il mondo colla fantasia; e mille lega-

127

mi diretti e delicati lo legavano al destino di Karl. Ora, mentre scriveva solo nella sua casa deserta, si era ritirato contemporaneamente dal mondo e dal proprio libro: si era pietrificato, come Karl Rossmann nel corso delle sue peregrinazioni. Non voleva aver nulla a che fare col proprio eroe; e fece scendere una disumana parete di ghiaccio tra sé e Josef K. Tutti i colori e la luce del mondo sono scomparsi: tutto è nero o grigio cupo: non c'è più aria libera; e noi soffochiamo, come Josef K. nei solai del Tribunale.

VI

IL PROCESSO

La scrittura di Kafka è un colpo di dadi lanciato nel vuoto, che azzarda contemporaneamente delle ipotesi opposte. Scritta insieme al *Processo* e al *Teatro di Oklahoma*, *Nella colonia penale* ci informa che Dio è morto: che la macchina di punizione e di estasi, che formava la vecchia religione, è andata in pezzi: che l'ultimo adoratore di Dio è morto sulla sua croce; e ci attendono i tempi di un tiepido illuminismo. Nel *Processo*, l'immenso Dio sconosciuto, di cui non ascoltiamo mai pronunciare il nome, ha invece una vita così intensa e un potere così illimitato, come forse non ha mai avuto nei tempi. Invade tutta la realtà, anche quella che dovrebbe essergli più estranea: fino dalle prime pagine i suoi messi si insinuano nella stanza dove Josef K. dorme e l'arrestano, come nessun potere civile potrebbe fare.

Quale è il nome di questo Dio? O quali sono i suoi nomi? Oppure non si tratta di Dio, ma di una molteplicità di dei, ognuno dei quali possiede infiniti nomi, e genera senza fine altri dei? Al principio della teologia di Kafka sta una grandiosa omissione: nessuno dice che la Legge è la casa di Dio, o che il Tribunale è un'emanazione di Dio, sebbene la leggenda *Davanti alla porta* ci persuada che può trattarsi soltanto di lui. Questa omissione non meraviglia: perché qualsiasi mistica conseguente, ebraica o cristiana o islamica, finisce per balzare oltre il nome di Dio. Allora, potremmo attribuire a Dio la Legge e il Tribunale? Così verrà fatto nel corso di questo libro: sebbene, facendo così, compiamo un tradimento, perché la mancanza del nome insinua un vuoto, un'assenza, una specie di morte nel corpo di Dio, che noi sostituiamo col pieno di un nome.

La seconda frase della teologia del *Processo* informa che Dio è trascendente: nessuno, nei tempi antichi e moderni, nemmeno i grandi teologi dionisiani o i mistici islamici, ha forse affermato l'assoluta trascendenza di Dio con una fede così disperata e tagliente come Kafka nei suoi ultimi dieci anni di vita. Non possiamo dire altro, perché nulla si può dire del Dio senza nome. Sulla base di qualche frase del *Processo*, ci limitiamo a fantasticare che Egli forma una piramide dagli infiniti gradini, di cui nemmeno «gli iniziati possono avere una visione completa». Sui gradini più alti, stanno i giudici supremi: lontanissimi, misteriosi, invisibili, simili al centro perduto del mondo, all'imperatore della Cina morto nel suo palazzo, all'idea dimenticata che ha ispirato la Grande Muraglia. Non sappiamo cosa facciano, e se in altri tempi, savi o folli demiurghi, abbiano creato il mondo. Oggi il loro compito è soltanto di custodire la Legge: ora maestosa, ora arbitraria, ora crudele come il coltello dell'assassino, ora sovranamente mite e delicata come i raggi che la luna ci manda. Più in alto, al di sopra, sta un Dio nascosto e assente, un Uno, come sembrano suggerire *Il castello* e la *Muraglia cinese*? Oppure la piramide si allontana senza fine nel cielo? Possiamo dire soltanto che, in qualche parte dell'universo, c'è uno *sguardo totale*, che comprende tutta la complessità del Processo e la molteplicità di ciò che si è incarnato. Quanto a noi, che viviamo nel Processo, non possiamo scorgere né Dio né gli dei: non comprendiamo la loro misteriosa totalità: ogni rapporto con loro, sia pure il più remoto e indiretto, è impossibile; e nessuna delle nostre preghiere o implorazioni raggiunge la vetta dei cieli.

Questo Dio trascendente è luce e non può essere altro che luce. Sebbene siamo alla fine della grande tradizione platonico-cristiana, Kafka ribadisce due volte, e con particolare solennità, che dalla porta della casa di Dio erompe «uno splendore inestinguibile», una «luce accecante». Cosa importa che noi la vediamo tanto di rado, e forse solo quando siamo ottenebrati dalla cecità e dalla vicinanza della morte, come l'uomo di campagna? Malgrado tutto, che il Dio senza nome sia luce ci consola come una verità inconfutabile. Ma questa luce ha una proprietà singolare. Quando scende sul nostro mondo, e specialmente sui luoghi sacri di questo mondo, genera delle coltri di tenebra, come se una legge cosmica obbligasse gli dei luminosi a farci conoscere soltanto la notte. Ecco l'ombra cimiteriale che regna nei solai del Tribunale, le candele nella casa di Huld, il bagliore debolissimo nella scala di Titorelli, l'oscurità più completa che avvolgerà il duomo. Questa luce ha poi un'altra proprietà. Battendo sul tetto del Tribunale, il sole infuocato di Dio rende afosa, opprimente, irrespirabile l'aria dei solai dove soggiorna la Legge. I luoghi divini sono luoghi di claustrazione, come la «stanzetta, simile alle stanze da bagno in campagna, annerite dal fumo e con le ragnatele in tutti gli angoli» dove Svidrigajlov immaginava, in *Delitto e castigo*, che soggiornasse l'eternità. La Legge vizia l'aria della vita: distrugge la libertà e la freschezza dell'universo; ci soffoca e ci impedisce di respirare liberamente. Qualcuno può aggiungere che solo Josef K. trova l'atmosfera dei solai irrespirabile: gli impiegati (e i processati da lungo tempo) abitano in questi luoghi tenebrosi e mefitici, in questi sottosuoli sotto tetto, come se fosse la loro atmosfera naturale. Per gli eletti, l'aria viziata dei solai è la pura aria celeste.

Da decine di secoli, siamo abituati a credere che Dio, o gli dei, siano somma Verità e somma Giustizia. Il Dio del *Processo* non si lascia imprigionare in queste categorie troppo umane. Non ama la parola verità: o, per meglio dire, sta al di sopra di ogni singola verità, di ogni affermazione legata al sì e al no: la verità, per lui, sta nell'accettazione degli opposti: Dio è insieme veritiero e ingannevole, vicino e lontano, accessibile e inaccessibile, aperto e chiuso, luminoso e tenebroso; due pensieri che si escludono possono essere, per lui, ugualmente necessari, perché la «necessità» è la categoria più prossima al sacro. Così non ci meravigliamo se, come gli dei greci, o quelli dei *Lehrjahre*, gli dei del *Processo* abbiano una fortissima predilizione per tutto ciò che è menzogna, falsità, inganno, teatro. Mentono le guardie del Tribunale quando assicurano Josef K. che «saprà tutto a tempo debito»: mente il Tribunale quando attira K. nel duomo con un pretesto: il sacerdote inganna quando interpreta la leggenda: i ritratti dei funzionari sono falsi; e da quale volgare avanspettacolo, sono usciti i boia del Tribunale, questi automi teatrali col cappello a cilindro? Quanto alla giustizia, il Tribunale è sovranamente giusto: i suoi giudizi sono infallibili e nessuno può influenzarli, sebbene una crudele ironia voglia che ad affermare questa verità sia un confidente corrotto. Come Titorelli e Huld, Kafka è convinto che esso non sbagli e non possa sbagliare. Se non abbiamo notizia di nessun proscioglimento, è solo perché, a differenza dei tribunali umani, il Tribunale celeste con intuito meraviglioso accusa soltanto colpevoli. Ma è una strana giustizia. Infallibile, equanime, alteramente distaccata dagli uomini, essa ci appare, alle volte, come la dea della Caccia o la dea della Vendetta, tanto puro odio si chiude nel suo cuore inflessibile.

Come la Legge ebraica, cristiana ed islamica, quella del Tribunale è una Legge scritta, una Legge del libro: qualche angelo l'ha dettata a una mano umana, o l'ha fatta inghiottire a un veggente o a un profeta, col suo sapore di miele e di amaro, o l'ha iscritta in un cuore. Sappiamo dal sacerdote che da qualche parte esiste una Legge, sempre uguale a sé stessa, accompagnata da Scritture che l'introducono e dagli insaziabili commenti dei chiosatori che tentano sempre di nuovo di interpretarla. Questa Legge è segreta: solo pochi iniziati sfogliano il grande Libro; e quanto al Processo, tutto quello che i giudici compilano − atti d'accusa, documenti, sentenze finali − è inaccessibile sia agli accusati che agli avvocati e talvolta persino ai giudici. La saggezza dei cieli deve restare nascosta. Se vogliamo sapere di più, dobbiamo rivolgerci a *Nella colonia penale*. Qui le semplici parole della condanna, incise sui nostri corpi, sono circondate da un labirinto decorativo di fittissime linee, che si incrociano continuamente e le rendono incomprensibili agli occhi non abituati. La Legge scritta è dunque un gioco tremendo, che le potenze divine intrattengono con noi: questo gioco serve a nasconderci la verità e al tempo stesso a rivelarcela, perché solo la lenta impressione del labirinto di linee sul nostro corpo permette di conoscere la voce divina, di raggiungere l'estasi dolorosa della condanna, e di inscenare il rito sacro. Josef K. non comprende l'enigma col quale i cieli si proteggono: pretende mandati d'arresto, atti d'accusa, documenti, sentenze, carta scritta. Non capisce che, al di fuori dell'enigma divino, esiste soltanto la scrittura inutile e desacralizzata: le vacue memorie degli avvocati e i suoi insensati tentativi autobiografici, che la calligrafia cifrata dei cieli deride con la sua luce tenebrosa e accecante.

Per giungere al cuore del Dio del *Processo*, dobbiamo ripetere il paradosso che ha torturato quasi ogni coscienza religiosa. Quel Dio così trascendente, così remoto e lontano, simile alla stella più fredda e invisibile, all'imperatore della Cina perduto nel suo grande palazzo, – è, al tempo stesso, immanente nel mondo, presente nella realtà infinita, anche in quella che dovrebbe più ripugnargli. Ce lo rivela la più sicura delle guide, l'equivoco pittore Titorelli, con la sua consueta ironia. Quando Josef K. è molestato da alcune ragazzine, il pittore si china su di lui e gli mormora in un orecchio: «Anche queste ragazzine fanno parte del Tribunale». «Come?» chiede K., ritraendo la testa e fissando il pittore. Questi siede di nuovo sulla sua seggiola e dice, metà per scherzo e metà come spiegazione: «Tutto fa parte del Tribunale». Non possono esserci dubbi: non solo il culmine invisibile del *Processo*, coi suoi alti giudici segreti, ma tutto ciò che appare in queste pagine, perfino le guardie più ripugnanti, perfino queste tredicenni corrotte e abbiette, è Tribunale. Tutta la realtà è diventata Legge: tutta la vita quotidiana è divenuta sacra; Dio si è incarnato in tutte le cose, e vi dimora stabilmente. Così possiamo sciogliere l'apparente contraddizione, che attraversa il libro. Da un lato, nascosto negli alti solai, il Tribunale è segreto, o, come dice un funzionario, «non è molto conosciuto dalla popolazione». Dall'altra, non ha bisogno di edifici privilegiati, perché si stabilisce in tutte le case: comanda a tutte le persone e a tutti gli uomini, anche alla banca, dove dovrebbe trionfare un altro potere: i suoi emissari sono dovunque; e presto ci accorgiamo che tutti i personaggi del libro – i vecchi che si affacciano alla finestra, la padrona di casa, gli impiegati della banca, il piccolo industriale, i passanti, il sagrestano, – conoscono il misterioso Tribunale e sono al corrente, non sappiamo come, dello strano processo intentato a Josef K. Il Tribunale è segreto e manifesto, celato e apparente, invisibile e visibilissimo, – come lo è Dio.

Nel *Disperso*, lo spazio di Robinson, di Delamarche e di Brunelda, il mondo equivoco e parassitario del «losco», stava al di fuori delle mura della Legge, come una colorata prateria della quale essa non si curava. Ora, nel *Processo*, il «losco» è stato accolto nella Legge, e ha assunto un valore metafisico: queste guardie, questi funzionari, queste prostitute, questi pittori, questi avvocati, questi boia sono segni di *altro*. Mentre la sfera di Dio si è allargata e dilatata a dismisura, il sacro si è degradato: ha innalzato la sua tenda nell'infame e nell'infimo, come era accaduto già in Dostoevskij. Per uno scrittore barocco, questo processo di dilatazione sarebbe stato un trionfo: cosa poteva esserci di più entusiasmante dell'onnipresenza di Dio, di un universo totalmente dominato dalla sua Legge? Ma, per Kafka, questo processo era una tragedia senza pari. Tutta la realtà era stata assunta nella Legge: restando tale e quale, o ancora più turpe che ai tempi del *Disperso*; e ora muoveva contro di lui, dominata dalla sua nuova, atroce forza divina.

Il sacro degradato ha i suoi edifici privilegiati, dei quali abita i solai. Sono gli stessi edifici dove, mezzo secolo prima, era apparso il più famoso eroe di Dostoevskij. Quando Raskol'nikov viene chiamato all'ufficio di polizia, al quarto piano di una casa nuova, scende nel «sottosuolo» del mondo. Le scale sono strette, ripide, sudice, bagnate di acqua sporca e piene di gusci vuoti: tutte le cucine di tutti gli appartamenti di tutti i quattro piani danno sulle scale, rimanendo aperte quasi tutto il giorno e diffondendo la loro aria soffocante; e anche nelle minuscole stanze dell'ufficio di polizia c'è un'afa terribile, l'aria è piena di odore di cattiva vernice, fatta con olio di lino rancido. Qui Raskol'nikov sviene.

Scrivendo *Il processo*, Kafka ha reso un lieve omaggio al suo grande maestro: identificando gli uffici di polizia di *Delitto e castigo*, dove regna Porfirij Petrovič, il buffonesco giudice del «sottosuolo», con la prima sede del Tribunale, come a significare che anche lui era sceso nel «sottosuolo» di Dio. La prima casa del Tribunale è alta, grigia, abitata da gente povera: l'androne è pieno di furgoni chiusi: tre ingressi portano ad altrettante scale; per la scala, dove sale Josef K., le porte degli appartamenti sono aperte, e nelle piccole stanze-cucine, donne tengono in braccio lattanti e lavorano ai fornelli, ragazze seminude corrono indaffarate. Al quinto piano, sede del Tribunale, una giovane donna lava panni di bambini in un mastello: nella squallida stanza vicina, l'aria è piena di vapori, la luce sporca del giorno rende biancastra e abbagliante l'atmosfera; al piano superiore, dove sono i solai, c'è un lungo corridoio, diviso da porte rotte, quasi senza luce, con lunghe panche di legno, sulle quali attendono gli imputati, con la schiena curva e le ginocchia piegate, simili a mendicanti. Dietro semplici cancelli di legno stanno gli uffici, dove i funzionari passano la notte: gli inquilini appendono i panni perché si asciughino; l'aria è afosa e pesante e Josef K. sta per svenire come Raskol'nikov nell'ufficio di Pietroburgo. Il secondo edificio del Tribunale, che conosciamo qualche mese più tardi, è ancora più repulsivo. Il quartiere è ancora più povero, le case sono ancora più scure, le strade piene di sudiciume sulla neve squagliata. Da uno squarcio del portone, sgorga un liquido schifoso, giallo e fumante, che fa fuggire un gruppo di ratti; e nel cortile, dalla porta dell'officina, una grande lastra di lamiera stagnata getta una luce vivida sul volto di tre garzoni. La scala è stretta, senza gabbia, chiusa tra muri con piccole finestre: le porte degli appartamenti sono di legno grezzo, malamente dipinte di rosso; e l'aria afosa e opprimente tortura ancora una volta il viandante del sottosuolo celeste.

In questi luoghi degradati, vivono gli infimi rappresentanti del Tribunale. Guardie corrotte e grossolane, parassitarie e scurrili, bugiarde ed abbiette, festose come cani: fattorini dall'aria equivoca, uscieri miserabili, impiegati malvestiti, giudici vanitosi, loschi e famigliari, pittori infami, sicari ripugnanti: e un corteo di custodi-prostitute e di serve-prostitute, che offrono a ognuno le loro grazie infantili e indecenti, confortano e insidiano, insieme spie e complici degli accusati. Non c'è mondo più turpe di quello che vegeta sugli ultimi gradini della Legge. Eppure, in modo misterioso e paradossale, queste figure sotto il livello dell'esistenza quotidiana ci rivelano qualcosa della Legge. Le stesse guardie, che Josef K. disprezza, hanno una sottile coscienza teologica dei misteri del mondo divino; e sulla colpa e la Legge dicono le stesse cose che, molti mesi dopo, rivelerà il sacerdote. C'è un solo Tribunale. La Legge è identica, nell'alto e nel basso, nei giudici supremi, negli angeli dalle ali colorate, che forse intuiscono gli ultimi misteri del Dio senza nome, e in queste guardie che rubano la colazione, in questi giudici che leggono libri pornografici. «Dio nessuno l'ha visto» (*Giovanni* 1, 18), e noi possiamo giungere sino a lui non direttamente, come ripeterà *Il castello*, ma attraverso una sterminata moltitudine di mediatori e di mezzane. Forse la sua intensa, insopportabile luce ha bisogno di essere celata da qualcosa di oscuro: forse la sua maestà deve essere posta in rilievo dal contrasto con qualcosa di ripugnante; oppure ciò che è sublime può esprimersi, sulla terra, attraverso l'infimo. Questi sono i misteri di Dio, davanti ai quali Kafka chinava il capo: ma solo un grande mistico, come Rûmî o 'Aṭṭār o santa Teresa, non certo il povero, moderno Josef K., coi suoi miseri pensieri da impiegato di banca, può afferrarli.

Non conosciamo tutte le attività del Tribunale, questa specie di massoneria segreta, intrecciata alla vita intera dell'universo, come la «società della torre» nei *Lehrjahre* di Goethe. Se dobbiamo credere al libro di Kafka, oggi il Tribunale ha un'attività sola: quella di inscenare processi. Ma sono strani processi. Il Tribunale non accusa gli imputati di aver commesso questa o quella mancanza, di aver infranto questo e quel comandamento della Legge, come fanno tutti i tribunali umani, o come accade anche nella *Colonia penale*, dove il comandamento offeso è iscritto sul corpo dei condannati. Quando K. viene arrestato, le guardie non gli rivolgono nessuna accusa specifica; e nemmeno più tardi, quando il processo è ormai progredito, e neppure sotto il coltello dei boia, egli saprà qual è la sua colpa. Cosa dobbiamo supporre? Il Tribunale gli cela sino alla fine la sua colpa? Oppure quello di Josef K. è il peccato originale, che macchia per sempre le anime umane? Non sembra possibile, perché solo alcuni uomini, nel *Processo*, sono accusati dal Tribunale. Tutto lascia credere che il peccato di K. (e degli imputati del *Processo*) sia un altro. Il suo è la colpa senza nome e senza motivazione, la colpa ineluttabile, né lontana né vicina, che nessuno ha commesso nemmeno agli albori della terra, e che può gravare su molti uomini, come un alone di tenebra, come una macchia da cui non riusciranno mai a lavarsi il cuore e le mani. Il suo peccato, in una parola, è l'atroce senso di colpa che per tutta la vita torturò Franz Kafka.

Il Tribunale non ha dunque alcun bisogno di inquisitori e di poliziotti, come i tribunali umani, che indagano se una certa azione proibita è stata o non è stata commessa, se Raskol'nikov ha veramente derubato e ucciso le due vecchie. «Le nostre autorità» come si esprime con grande precisione una guardia «... non cercano, per così dire, la colpa nella gente, ma vengono attirate, come è detto nella legge, dalla colpa.» Il Tribunale possiede una specie di senso superiore che gli rivela la presenza del peccato: un olfatto magico, che gli fa scoprire chi, fra tutti gli uomini, è macchiato dalla colpa senza nome, come le Erinni avvertivano da lontano l'odore del sangue materno versato e inseguivano gli uccisori. Così la custode, che non ha mai visto Josef K., lo riconosce subito quando questi bussa alla porta del Tribunale chiedendo: «Abita qui un certo falegname Lanz?»; e così lo riconoscono il sagrestano e il sacerdote nella fitta oscurità del duomo.

Tra Legge e colpa, tra Dio e il peccato, tra giudici e peccatori, c'è una stretta affinità, come Kafka aveva già raccontato nella *Colonia penale*. Se il Tribunale è attratto dalla colpa, chi porta in sé il dono della colpa viene attratto dal Tribunale: accusatori e peccatori non possono vivere gli uni senza gli altri, e si comunicano magicamente i propri pensieri. La mattina della prima udienza, nessuno riferisce a K. l'ora della riunione o la scala del grande casamento popolare: eppure K. giunge all'ora fissata e prende senza incertezza la scala dove si nascondono i solai del Tribunale. La sera del suo ultimo giorno di vita, nessuno gli preannuncia la visita dei due boia: eppure egli aspetta l'arrivo degli assassini e indossa il vestito nero da cerimonia. Gli altri imputati posseggono lo stesso olfatto di K. Egli ne incontra alcuni nei solai del Tribunale: non ha mai visto persone così torturate dal senso di colpa: trascurati nell'abito, col viso umiliato, con la schiena curva e le ginocchia piegate, simili a mendicanti o a cani che leccano le mani dei loro aguzzini, seduti sopra le panche disposte nei corridoi, essi aspettano inutilmente l'assoluzione o la condanna, la fine che non verrà mai, la conclusione del processo inesauribile. Quando K. pone la mano sul braccio ad uno di essi, questi getta un grido straziante, come se l'avesse afferrato con una tenaglia rovente: sapremo più tardi che ha letto o creduto di leggere la propria condanna sulle labbra di K. Non incontriamo tra loro né donne né poveri: perché né le une né gli altri conoscono, secondo Kafka, il peccato indeterminato, ma commettono soltanto il peccato preciso. L'avvocato Huld ci informa che tutti, persino i più ripugnanti, col passare del tempo diventano belli. Come nella *Colonia penale*, qualsiasi procedimento del Tribunale è un'elezione: non la colpa né la punizione, ma soltanto il Processo, che li degrada e rimpiccolisce, aggiunge ai loro lineamenti una strana bellezza.

Il Processo è inconoscibile, come le altissime gerarchie del Tribunale e lo sconosciuto Dio che le sovrasta. I giudici, ereditari e infantili, capricciosi e vendicativi, senza senso per la realtà e i rapporti umani, non lo conoscono nel suo insieme: ognuno di essi ne conosce un minimo frammento e per il resto ignora «da dove viene» e non sa «dove prosegue». Quanto agli avvocati, sono appena tollerati: vengono derisi nel modo più crudele dal Tribunale: non possono consultare nessuno dei documenti, né testimonianze né atti d'accusa; e allora a che servono quei memoriali, pieni di latino, di appelli generici, di autoelogi, di umiliazioni, di analisi? Soltanto lo sguardo totale, che scende dalla tenebra degli dei superiori, può afferrare la totalità del processo; e scoccare il preciso giudizio. Nell'attesa di quel momento supremo, il processo fa la sua lenta e lunga strada: specie nei tempi moderni, quando il suo passo è diventato lentissimo e sfibrante, forse perché il nostro senso di colpa è molto più tortuoso e inafferrabile di quello degli antichi. Tutto respira la procrastinazione: il movimento sempre uguale, né ascendente né discendente; mentre l'imputato vorrebbe il dibattito, il Tribunale – sia per farci soffrire di più sia per obbedire alla propria natura spossante e labirintica – mira al prolungamento indefinito dell'istruttoria. Qualche volta, il processo ha una sosta. L'imputato riceve un certificato di «assoluzione apparente», ma l'accusa continua a pendere intatta sopra di lui, e un giudice può ordinarne un'altra volta l'arresto. Così l'istruttoria riprende, con nuove assoluzioni cancellate, nuovi arresti e nuovi rinvii: ristagna, rallenta e si perde come un rigagnolo tra le carte polverose del Tribunale. Finché un giorno, senza preannuncio né preavviso, il processo – l'imputato, le memorie minuziosamente redatte, i giudici inferiori – viene tolto all'avvocato e scompare. Non c'è più nulla. Tutto è passato sotto la competenza di corti inaccessibili, di dei invisibili, dai quali scende – ugualmente all'improvviso – la sentenza definitiva.

Quale sia questa sentenza è l'unica cosa certa del processo interminabile. L'avvocato Huld allude più volte a processi dall'«esito felice»: ma non ci offre nessun particolare; e del resto il suo compito è quello di intrattenere i propri difesi nell'abiezione della speranza. Titorelli dice di non conoscere «nessuna assoluzione reale»: l'usciere e lo zio pensano la stessa cosa. Josef K. non ha torto di aggiungere: «Un solo boia potrebbe sostituire l'intero Tribunale». Come afferma *Nella colonia penale*, la «colpa è sempre certa». Il Tribunale non ha pretese teologiche: non sostiene che tutti gli uomini sono colpevoli: non esclude, in pura linea di principio, che qualcuno possa salvarsi dallo sfibrante processo; ma possiede lo sguardo esatto, un fiuto senza errori per il peccato, e tutte le persone che accusa si rivelano colpevoli della colpa senza nome. Il lentissimo apparato processuale non serve che a confermare la sua prima, folgorante intuizione. Non ci sono innocenti, non ci sono assolti, – questa è la tremenda sentenza su cui Kafka ha costruito il suo libro. Solo alcune leggende, simili alle leggende cattoliche sul culto dei santi – di cui Titorelli parla con venerazione e con scherno – continuano ad assicurarci che, sì, nel passato, nel remoto passato, forse in quello stesso in cui Antonio e Francesco predicavano agli animali, qualcuno era tornato a casa avvolto dalla luce radiosa dell'assoluzione.

Quando Kafka concepì Josef K., al quale attribuì la propria età, parte del proprio nome e qualcosa della sua stanza, – cancellò ogni traccia di sé, avventurandosi in un luogo lontanissimo dalla propria natura. A Karl Rossmann lo legava un tenero affetto: di K., nel *Castello*, ammirava l'ardito tentativo teologico; ma cosa poteva importargli di quest'«uomo moderno» medio, di quest'eccellente impiegato di banca, che non crede nel cielo e non ha fiducia nell'invisibile? Come ce lo rappresenta Kafka, Josef K. è un uomo solo, arido, sicuro, arrogante, presuntuoso, certo della propria buona fede e della propria innocenza, ordinato, aggressivo, autoritario, egoista, incapace di capire gli altri, smanioso di successo terreno, talora megalomane. Egli ha tutti i difetti dell'«uomo moderno». Al contrario di Karl Rossmann, ha ucciso in sé ogni traccia d'infanzia e non si lascia nutrire dall'inconscio: non vuol guardarsi in cuore: non impara nulla dalla propria esperienza: non ama e non vuole essere amato: detesta l'irruzione del caso; e pretende di imporre alla realtà il gioco ferreo del suo volere. Se Kafka lo scelse tra tutti i personaggi che forse si affollarono alla sua mente, fu soltanto per una qualità che K. vorrebbe ignorare. Sebbene non creda nel peccato, come tutti i laici, è posseduto da un fortissimo senso di colpa. Questa è l'unica stimmate della sua vita mediocre. Come se volesse redimerlo, il processo fa crescere, maturare, complicare questo senso di colpa: rende più inquieta e sottile la sua intelligenza; fino a fargli dire delle parole che, una volta, non avrebbe nemmeno osato pensare.

Una mattina, Josef K. viene arrestato. La cuoca della padrona di casa, che ogni giorno verso le otto gli porta la colazione, non arriva nella sua stanza. La cosa non era mai accaduta. Quando K. suona il campanello, appare uno sconosciuto magro e robusto, con uno strano abito nero: mentre le altre camere della pensione sono occupate da guardie egualmente ignote. Come *La metamorfosi*, il romanzo incomincia con una rottura: l'irruzione dell'insolito e dell'inaspettato spezza violentemente una vita pietrificata dall'abitudine. Questa irruzione avviene al mattino: durante il momento più rischioso della giornata, perché c'è il pericolo che, la notte, il mondo cambi completamente, e ci risvegliamo in un letto diverso, tra mobili e pareti diverse, in un paese o in un pianeta o in un sistema galattico che non sa nulla di noi e delle nostre abitudini. Fino a quel giorno, K. aveva sempre ignorato che il processo è l'essenza della vita umana; e, di colpo, la realtà del processo si rivela ai suoi occhi e al suo spirito. Ma accade una seconda cosa non meno strana. Josef K., l'arrestato, viene lasciato libero, come Raskol'nikov viene lasciato libero da Porfirij Petrovič: il Tribunale, che insinua le sue sedi dappertutto, non ha bisogno di chiudere Josef K. in un carcere. Egli resta libero e prigioniero, senza catene e recluso, – come tutti noi, che viviamo allo stesso modo in una prigione senza sbarre.

Quando viene arrestato, Josef K. mette in dubbio l'esistenza del Tribunale, della Legge e di Dio. «Non conosco questa Legge» egli dice. Nell'anonima città moderna, è l'unico (forse insieme alla signorina Bürstner) a ignorare che la Legge abita tutti i solai e di lì governa inosservata i destini del mondo. Non accetta l'arresto: vuole che le guardie gli mostrino i documenti: disprezza le guardie, che nella loro abiezione posseggono un relitto augusto e luminoso della Legge di Dio; ed è sicuro della propria innocenza, come nessuno dovrebbe essere. Vorrebbe cancellare l'irruzione: mettendo i mobili e i comodini al posto di prima, allontanando le tazze, i piatti e le posate della colazione, abolendo ogni traccia delle guardie, spera di uccidere l'intervento divino nella sua vita. Quando si reca alla prima udienza, si meraviglia di trovarsi in un luogo che rifiuta tutte le forme, le ritualità e anche il decoro, senza capire che la Legge di Dio deride tutte le cristallizzazioni formali della terra. Davanti a quelle vecchie giacche nere da cerimonia, a quelle lunghe barbe rigide e rade, a quegli occhietti neri guizzanti, ostenta la propria superiorità e la propria nobiltà spirituale: è aggressivo, ironico, tagliente, sarcastico, sicuro di sé, esibizionista, e impersona la parte del cavaliere che combatte le ingiustizie terrene. Come Kafka ci fa capire, non ha compreso nulla di quello che gli è accaduto. Il suo peccato più grave è la mancanza di attenzione: non possiede la delicata e molecolare pazienza, la mite passività, che sola ci assiste nelle cose dello spirito. In poche ore il cerchio ossessionante del processo e della condanna si chiude intorno a lui. Nessuno, nemmeno la vecchia signora Grubach, gli stringe la mano, come se fosse un appestato. La sua sorte sembra segnata.

Dopo l'arresto, Josef K. conduce l'esistenza di una volta, lavora nella banca, conserva le sue mediocri abitudini, si mescola come prima ai grigi rumori e colori del mondo. Ma nessuno può essere marchiato dalle sbarre della prigione quanto quest'uomo che continua ad aggirarsi liberamente nelle strade. Come l'ultimo carcerato, vive soltanto nella dimensione del processo, incapace di cancellare dalla mente il pensiero di quella mattina – gli sconosciuti nella sua stanza, l'aggressione nella sua casa –: mentre, se sapesse dimenticare, le guardie, i giudici e le gerarchie del Tribunale tornerebbero forse nel vuoto dal quale sono usciti. Soggiogato dalla propria ossessione ripetitiva, giunge a recitare la scena nella stanza della signorina Bürstner, che abita nella sua stessa pensione. La grande ombra della colpa lo copre completamente. Quando attraversa la strada, si sente spiato da sguardi reali o immaginari: quando sta a casa, si sente sporcato dal sospetto; e va al Tribunale senza che nessuno l'abbia chiamato. Mentre i mesi passano sopra di lui, perde ogni forza. La mattina presto, è già sconfitto. Sta in ufficio, col braccio disteso sul tavolo e la testa china, come un vinto, come un dissanguato, come un sonnambulo: non riceve clienti, non risponde a chi parla, non riesce a pensare e a ricordare – e, intanto, guarda per ore la neve che continua a scendere silenziosamente fuori dalla finestra. Nel sogno o nella veglia, fissa affascinato e ossessionato i particolari più insignificanti: si abbandona a fantasticare e a giocare con le immagini della mente: la sua persona, il suo corpo, il suo nome, tutto quanto lo riguarda gli riesce di peso; e gli pare di essere l'unico accusato dell'universo, mentre gli altri uomini sono i suoi accusatori. Stare alla finestra e contemplare morbidamente le cose, sognare di fuggire dalla vita – ripetendo almeno in questo il destino di Kafka –, sembra diventata la sua unica salvezza.

Inquieto, dubbioso, senza fiducia nel proprio avvocato, Josef K. decide di difendersi da solo. Se il Tribunale non rivela l'accusa, lui non dovrà far altro che interrogare sé stesso, diventando il proprio inquirente, e scrivere la propria autobiografia. Così, disperatamente, comincia questo lavoro interminabile, questa fatica infinita. Rubando il tempo alle ore d'ufficio e al sonno, chiedendo una licenza alla banca, Josef K. racconta la propria vita, ne rievoca con cura minuziosa gli avvenimenti, esamina in ogni caso il proprio comportamento, fruga da ogni parte e in ogni luogo e in ogni angolo, cercando di scoprire la fessura dalla quale può insinuarsi il pungiglione della condanna. Se vuole difendersi, deve rinunciare a vivere, abbandonando il lavoro, dimenticando le abitudini e i pensieri, le consolazioni fuggevoli delle mattine, delle sere e delle notti. La difesa dalla colpa diventa così, come nel caso di Kafka, un sostituto dell'esistenza: una fatica spossante, condotta scrivendo in nome dell'accusa e contro l'accusa. Ma questa memoria autobiografica non sarà un nuovo errore di K.? Chi può assicurarlo che le sue domande siano le stesse che gli avrebbe rivolto il Tribunale? Chi può credere che egli sappia rintracciare tutti i minimi eventi della sua vita? Chi può immaginare che egli sia capace di penetrare fino nelle profondità del proprio inconscio, là dove si annida la colpa? Come Kafka pensava, l'autobiografia, quest'arma dell'io razionale, non ci assicura affatto di raggiungere la verità su noi stessi. Questa verità la permette soltanto l'autodistruzione dell'io: o l'impersonale metamorfosi del racconto e del romanzo, dove l'io si scioglie in una trama di rapporti oggettivi.

Intanto il processo, interminabile come l'autobiografia, continua. Sappiamo che gli altri imputati sono interrogati più volte la settimana. Quanto a Josef K., conosciamo soltanto la prima udienza, nella quale egli accusa il Tribunale, e un altro interrogatorio, di cui riferisce la cugina in una lettera al padre. Nulla d'altro: o Kafka pensò di rappresentare qualche udienza in capitoli progettati e non scritti; oppure non ha voluto rappresentare il processo. Questa è l'ipotesi più probabile. Dopo l'omissione del nome di Dio, è la seconda, grandiosa omissione del libro. Nessun racconto diretto ci riferisce il gioco delle domande e delle risposte, le accuse del Tribunale e la difesa di K., il lento procedere del dibattimento verso corti e gerarchie sempre più sublimi, verso lo spazio assente dove abita l'ultimo Giudice. Kafka dispone al centro del suo libro un altro vuoto. Niente può colmarlo: perché i racconti di Huld e di Titorelli, queste parole indirette, questi discorsi platonici intorno alla Legge, che dobbiamo interpretare come il filologo interpreta un papiro lacerato e frammentario, non ci danno nessuna certezza definitiva.

Dentro lo spazio immenso e desolato del processo, Josef K. incontra due figure, l'avvocato Huld e il pittore Titorelli, che gli offrono due opposte possibilità di salvezza, simili a grandi figure allegoriche della confessione e della rinuncia. L'avvocato Huld vive nella tenebra che Dio ha gettato sul mondo: la casa che egli abita è scura, l'infermiera-amante Leni illumina con una candela l'anticamera senza luce e la stanza buia, dove l'avvocato giace, con la barba lunga, in un letto. Ma lì, chiuso e sepolto nella tenebra, egli dice a Josef K. che potrà salvarsi dalla condanna del Tribunale solo se percorrerà la strada della fede, della devozione, dell'illimitata obbedienza religiosa e confiderà nella «grazia» (Huld significa «grazia») che scende dall'alto a salvare gli uomini dubbiosi e colpevoli. Il suo dono giuridico, le sue squisitezze da talmudista non debbono trarci in inganno. Per gli imputati che vivono insieme a lui, egli è molto più di un avvocato: recita per loro la parte di Dio-Padre, che diede al suo popolo le tavole del Sinai. «Chi è il tuo avvocato?» chiede al commerciante Block. «Siete voi» dice Block. «E oltre a me?» insiste l'avvocato. «Nessuno all'infuori di voi» dice Block, ripetendo le parole del popolo ebraico e dei milioni di uomini che da allora credettero in Dio.

Ai piedi di Huld sta la serva-infermiera Leni, che recita la parte della prostituta sacra. Leni non si prostituisce per tutti gli uomini nei trivii della grande città: soltanto gli imputati del Tribunale, con la strana bellezza che suscita in loro il procedimento criminale, solo gli uomini segnati dal marchio della colpa, risvegliano il suo desiderio. Prima di farsi possedere da K., gli mostra la membrana di carne che congiunge il medio e l'anulare della sua mano destra. Leni è dunque la sirena, la grande allettatrice, e i suoi occhi scuri, un po' sporgenti, le guance pallide, le tempie e la fronte tonda, il lungo grembiale bianco, le sue grazie oscene e infantili debbono stringere per sempre gli imputati alla Legge. Dedica ad essi quella mescolanza di oscenità e di lezio sentimentale, che distingue le donne di Kafka. Li bacia, li cura, li calma, li accudisce, li consola, li conforta, li avvilisce, li rende abbietti; e, se dobbiamo crederle, è persino capace di sacrificarsi per loro, come l'avvocato Huld si immola in nome della loro redenzione.

Nelle figure di Robinson e di Delamarche, Kafka aveva rappresentato la colorata e picaresca abiezione, che occupa il cuore della realtà. Nel personaggio del commerciante Block, l'imputato del Tribunale, l'abiezione diventa una delle vie che ci consentono di avvicinarci al sacro. Con una dedizione maniaca e inflessibile, Block consacra il tempo e l'anima al processo che incombe su di lui da cinque anni. Lascia la propria casa, e vive chiuso a chiave nello stanzino buio nella casa di Huld, prossimo fisicamente e spiritualmente alla Legge. Scruta tutto il giorno il libro sacro che l'avvocato gli ha imposto: tutto il giorno la stessa pagina, mentre il dito scorre lungo le righe – e la sua lettura è una preghiera, un'adorazione ebete, una supplica. Sta sempre lì, in attesa di venire chiamato dal suo Dio-avvocato.

Quando Huld lo chiama – non si sa mai quando, l'avvocato è capriccioso, il campanello può suonare anche di notte –, Block si avanza in punta di piedi, con le mani contratte dietro il dorso, lasciandosi aperta la porta alle spalle. Appena sente la voce, barcolla come se qualcuno lo colpisse nel petto, si arresta, si piega in due, e alza le mani per proteggersi, pronto alla fuga. L'avvocato parla, e Block non ha la forza di guardarlo: tiene gli occhi fissi da qualche parte in un angolo, per non guardare in viso il bagliore nascosto di Huld. Trema, si inginocchia, lo invoca come Dio, striscia carponi, si stende verso il letto dove egli giace, accarezza cautamente il piumino e infine gli bacia tre volte la vecchia mano. Poi rimane in ascolto della sua voce, a capo chino. Ha raggiunto l'ultimo grado della servitù, dell'avvilimento e della degradazione: intelligenza e sensibilità si sono affievolite nella sua mente. Come Robinson sul balcone di Brunelda, come l'uomo della leggenda che prega le pulci del custode, – è diventato un cane; e non ci meraviglieremmo se strisciasse sotto il letto e abbaiasse. Il sacro chiede questa mistica abiezione ai suoi devoti. Ma la degradazione non basta: Huld e Leni chiedono ancora di più. Come Circe, la sirena Leni offre il suo letto a Block, a Josef K., a tutti gli imputati, perché confessino, si pentano o almeno fingano di confessarsi e di pentirsi. Solo quando il processo dell'abiezione e della confessione sarà compiuto, l'avvocato Huld promette – ma con parole vaghe, incerte, senza un'ombra della sicurezza agognata da K. – che il Tribunale arresterà un giorno il procedimento infinito, ed essi potranno uscire, piegati e curvi ma assolti, alla luce del sole.

Se Huld vive nel cuore della notte, Titorelli abita nell'inferno. Abbiamo già conosciuto il misero quartiere della città, il portone dal quale esce lo sterco liquido e fumante, i ratti in fuga, la livida luce dell'officina, la scala stretta e quasi senza luce, la porta di legno malamente verniciata di rosso, le bambine corrotte; e ora penetriamo nella misera cameretta di legno, piena di ritratti e di paesaggi, dove l'aria è viziata e opprimente, vicino ai solai del Tribunale. In camicia da notte, a piedi nudi, con un largo paio di calzoni di tela, Titorelli parla, chiacchiera a lungo con K., volubile, futile, sfacciato, cinico, impudente. Egli appartiene all'alta nobiltà gerarchica del Tribunale, se ha ereditato dal padre la carica di pittore e le norme tradizionali secondo cui dipingere i giudici, come un pittore di icone. Ma i suoi ritratti, le sue figure allegoriche, i suoi monotoni paesaggi di brughiera sono così rozzi, che bastano a dimostrarci a quale punto di degradazione è giunta, nel mondo moderno, la tradizione sacra. Non ha nulla della maestà avvocatesca e talmudistica di Huld: non ha nemmeno letto la Legge; e intrattiene dei rapporti immondi con le bambine corrotte della scala, che penetrano a ogni istante nella sua stanza. Chi lo conosce, lo tratta da mendicante, da bugiardo e da avventuriero. Noi, che abbiamo appreso da lui le notizie più preziose sul Tribunale, capiamo che è uno dei mille, ulissiaci *trickster* del mondo moderno. Il suo parente più prossimo è il Mefistofele di Goethe, dal quale deriva la lucida, corrosiva intelligenza: come lui, non ci inganna mai (sebbene sia un bugiardo), dominato da quel disperato spirito di verità, che solo i *trickster* conoscono. Nei libri di Kafka, il cielo ama scegliere questi ironici e sconci mediatori tra sé stesso e la terra.

Quale strano universo è quello del Tribunale. Titorelli dipende dal Tribunale, come pittore religioso e come confidente: dunque egli appartiene al sacro: eppure volge risolutamente le spalle al mondo divino; vive nel sacro come se non fosse più sacro. Con ironica sobrietà, dichiara che non gli interessa sapere come sia fatto e dove abiti il Tribunale supremo. Tutte le categorie di Huld, per lui, non hanno valore: nella sua sfera, l'assoluzione reale è impossibile, si rinuncia alla salvezza e alla speranza della salvezza, non sono necessari né il pentimento né la confessione né l'abiezione o la prostituzione sacra. Chiacchierando con K. nella stanzetta afosissima, Titorelli lo informa che egli può sperare nella «assoluzione apparente» e nella «procrastinazione». Nel caso della prima, l'imputato ottiene un certificato che scioglie dall'accusa: ma l'accusa continua a pendere sopra di lui, e quindi si muove, sale ai tribunali superiori, ritorna a quelli inferiori, oscilla, si arresta, riprende a muoversi, fino a quando un giudice ordina di nuovo l'arresto immediato; ed ecco riaffacciarsi la possibilità dell'assoluzione apparente, e di un nuovo arresto, e così via all'infinito. La procrastinazione consiste, invece, nel fatto che il processo continua a rimanere nel suo stadio più basso, ruotando nella piccola cerchia alla quale è stato ridotto. I due procedimenti hanno in comune di impedire sia la condanna dell'imputato sia la sua assoluzione reale. Così tutta l'esistenza diventa nient'altro che processo e istruttoria, un seguito di assoluzioni cancellate, di condanne rinviate. Viviamo nella colpa eterna come se non esistesse, rassegnati all'infinito procedimento, rinunciando alla salvezza, senza verità, senza assoluto, senza innocenza, libertà, o speranza. La proposta avanzata da Titorelli è la vita moderna, come Kafka la immaginava: questa vita mediocre, questa monotonia, questa ripetizione, questo rinvio, questa disperata assenza di luce e di leggerezza; la vita che Josef K. ha sempre conosciuto e amato prima della fatale mattina in cui, «senza che avesse fatto nulla di male», la guardia penetrò nella sua stanza.

Josef K. è cambiato. Il peccato senza nome, che si è risvegliato in lui, lo straziante logorio imposto dal processo alla sua anima, l'hanno elevato sopra sé stesso, aprendo la sua mente all'intelligenza spirituale e infondendo a tratti nel suo comportamento una nobiltà tragica. Comprende che né Huld né Titorelli gli promettono l'assoluzione: nemmeno Huld potrà fargli intravedere la luce, quando egli avrà percorso strisciando il fango dell'abiezione. Così, con un disperato coraggio, rifiuta entrambe le strade. Da un lato, difende la dignità umana vilipesa da Block (sebbene Kafka, probabilmente, considerasse l'abiezione mistica come una meta dello spirito). Dall'altro, K. vuol essere liberato per sempre dalla macchia della colpa: non tollera che altre ombre circondino la sua anima: non sopporta rinvii, compromessi, indugi, mezzi termini, procrastinazioni, apparenze; e amerebbe conoscere l'alto Tribunale. Con tutto il proprio desiderio, riscoprendo in sé nostalgie dimenticate o mai esistite, sogna la luce.

In un momento che non possiamo determinare della stesura del *Processo*, Kafka pensò di salvare il suo eroe trasformato. Ne abbiamo la traccia in due frammenti onirici, che sono stati analizzati con grande finezza da Walter Sokel. Nel primo, Josef K. – il greve, l'oscuro – conosce la totale trasformazione. Titorelli lo abbraccia e lo trascina via con sé. Quando arrivano al palazzo della Legge, corrono per le scale: verso l'alto, in su e in giù, senza nessuno sforzo, leggeri come una barca leggera sull'acqua. Proprio allora, mentre K. si guarda i piedi, sopra il suo capo chino avviene la metamorfosi. La luce, che fino a quel momento era entrata da dietro le spalle, cambia direzione e irrompe, accecante, dal davanti. K. alza lo sguardo e la contempla. Quale cambiamento! Finora K. aveva creduto che la Legge fosse peso, opacità, tenebra, persecuzione: ora comprende che Dio è soltanto una irradiazione di luce, un'estasi di leggerezza, che ha il dono di rendere anche noi soprannaturalmente leggeri.

Nel secondo sogno, Josef K. passeggia in un cimitero. È una giornata bellissima: intorno a lui c'è un'aria stranamente allegra, le bandiere sbattono con violenza gioiosa le une contro le altre; egli scivola sopra un viottolo come sopra un'acqua rapinosa, con la sospensione propria dei sogni. Una fossa aperta, dove è conficcata una pietra tombale, attrae la sua attenzione. Un artista comincia a scrivere con la matita sulla parte superiore della pietra: lettere nitide e belle, incise profondamente in un oro perfetto. «Qui giace...» Quando ha scritto le due parole, guarda all'indietro verso K.: non riesce a continuare, come se ci fosse qualche ostacolo, e si volta di nuovo, pieno d'imbarazzo, verso di lui. Tutta la gioia e la vivacità di prima sono scomparse. Josef K. è desolato per l'imbarazzo dello scultore: comincia a piangere e singhiozza a lungo, con le mani sul viso. Appena si calma, l'artista decide di continuare a scrivere, sebbene con riluttanza: la scrittura è meno bella, l'oro è povero, il tratto pallido e incerto. Una J è quasi compiuta. Finalmente Josef K. capisce la ragione della riluttanza: quella è la tomba preparata per lui. Allora scava con tutte le dita la terra, che quasi non gli offre resistenza; e, rivoltato sul dorso da una lieve corrente, sprofonda in un gran buco dalle pareti scoscese. Mentre viene accolto in basso dalla profondità impenetrabile, in alto il suo nome sfreccia sopra la pietra, con possenti arabeschi. In quel momento si desta, estasiato. Queste pagine meravigliose ci ricordano la conclusione del *Verdetto* e della *Metamorfosi*: ma con accenti più gioiosi e luminosi. Nel sogno, Josef K. comprende che la propria vita e il proprio corpo sono ormai un ostacolo; e senza rancore e dolore, senza rimpianto ed emozione, sacrifica sé stesso, affondando nel tumulo preparato, perché sulla sua morte possa esplodere l'armonia trionfale dell'universo. Muore felice, mentre il miracolo dell'arte sfreccia, in lettere d'oro, sopra la sua pietra tombale.

Come aveva pensato di salvare «l'innocente» Karl Rossmann, Kafka pensava dunque di salvare anche «il colpevole» Josef K. Nella lieve sospensione del sogno, concedeva al suo eroe due doni supremi: l'illuminazione divina, e la conciliazione estatica col proprio destino e la propria morte. Anche *Il processo* si sarebbe concluso con il dono della grazia divina. Così i suoi grandi romanzi rivelano ancora una volta di essere dei campi di forza viventi, disposti ad accogliere ogni soluzione intellettuale. Non sappiamo quanto a lungo Josef K. rimase salvo: qualche ora, qualche giorno, qualche settimana. Poi, Kafka fu riafferrato dal proprio destino. Capì che, nel suo mondo, Josef K. non poteva salvarsi. Doveva credere che Dio è tenebra, violenza, peso, sopraffazione, – e soccombere con riluttanza, con sdegno, con vergogna, nella notte, senza alcun artista che l'assistesse con le sue lettere d'oro sfreccianti: come un cane, mentre i due sinistri assassini gli giravano il lungo coltello da macellaio nel cuore.

Verso la fine del libro, in una giornata piovosa di tardo autunno, la Legge – o almeno un'istanza superiore della Legge – si manifesta direttamente a Josef K., senza nascondersi attraverso le mediazioni dell'avvocato Huld e di Titorelli. Il cappellano delle carceri incontra K. nel duomo della città. Ma si direbbe che la Legge ignori ogni semplicità e chiarezza di procedimenti: che non possa fare a meno di illudere e di ingannare, e di muoversi nel modo più tortuoso. Invece di ricevere un appuntamento dal sacerdote, K. apprende che un cliente italiano della sua banca desidera visitare il duomo, e che lo aspetta la mattina alle dieci: egli è incaricato di illustrargli i monumenti, i quadri e le sculture. Alle dieci l'italiano non giunge: nel duomo lo aspettano il sagrestano e il sacerdote, due messi della Legge. Fin d'ora, la Legge ci confida attraverso quali mezzi ambigui avverrà la rivelazione definitiva, che dovrebbe illuminare, e getterà per sempre nelle tenebre, Josef K.

Quando K. arriva, la stretta piazza del duomo è deserta. Tutte le tende delle finestre sono abbassate: nessuno spettatore dovrà assistere all'incontro fra la Legge e questa innocente-colpevole creatura umana. Nel duomo, anch'esso deserto, a poco a poco si fa buio, e la vicenda angosciosa della luce che lentamente si affievolisce, si spegne, scompare dalla terra, farà da sfondo al dialogo angoscioso tra Josef K. e il sacerdote. Dapprima, sull'altare maggiore, brilla un grande triangolo di candele: un cero, alto e grosso, fissato a una colonna, invece di illuminare i quadri degli altari laterali, aumenta l'oscurità che li avvolge. Una lampada è fissata sopra un piccolo pulpito. Quando il sacerdote sale sul pulpito, fuori il tempo peggiora: non è più una giornata buia, è notte fonda: nessuna vetrata dipinta riesce a interrompere con un barlume l'oscurità; e il sagrestano comincia a spegnere, una dopo l'altra, le candele dell'altare maggiore. Il sacerdote scende dal pulpito, stacca la piccola lampada, e la porge a K. perché gliela porti. Così camminano affiancati nella buia navata laterale, mentre il sacerdote racconta e commenta la parabola *Davanti alla Legge*. Intanto la piccola lampada si spegne: per un istante la statua d'argento di un santo luccica col solo riflesso dell'argento; e poi nella chiesa, nell'anima di K., nell'universo scende il buio definitivo. In questa tenebra, avviene la sola rivelazione che la luce conosce nel *Processo*: invece di illuminare, la luce si fa tenebra, aumenta la tenebra, copre K. di tenebra, gli impedisce di vedere la luce, lascia che la sua anima sia avvolta dall'ombra dell'ignoranza, della colpa e dell'angoscia.

Verso la metà della storia di luce e di tenebra che ho appena raccontato, il sacerdote sale sul pulpito con un piccolo slancio, e rapidi, brevi passi. Verifica il bagliore della lampada, alza un poco lo stoppino, poi si gira adagio verso la balaustrata muovendo lo sguardo intorno. Che silenzio domina nel duomo! In punta di piedi Josef K. sta per allontanarsi, il pavimento di pietra risuona sotto i suoi passi leggeri, e le volte rinviano un'eco debole e ininterrotta. Quando ha quasi lasciato lo spazio dei banchi, ode per la prima volta la voce possente ed esercitata del sacerdote, che risuona nel duomo pronto ad accoglierla. La voce chiama: «Josef K.!». K. si arresta, con gli occhi al suolo. Poi si volta: con un cenno del dito il sacerdote lo chiama più vicino; ed egli corre con passi lunghi e veloci verso il pulpito. Si ferma ai primi banchi: ma il sacerdote, con l'indice quasi ad angolo retto, indica un posto proprio sotto il pulpito. K. gli obbedisce, sebbene debba piegare la testa all'indietro per vederlo. Ormai egli sa di avere esaurito tutte le strade: ha rifiutato il soccorso di Huld, ha respinto le astuzie di Titorelli, e il lungo lavoro della memoria autobiografica lo spossa e lo debilita senza rimedio. Non ha più speranze. Ignora che il sacerdote rappresenta, per lui, la Legge senza mediazioni: la Legge che gli si avvicina; l'unica via di salvezza e di redenzione per un uomo visitato dalla colpa. Nella chiesa buia, vuota e silenziosa, avviene l'incontro, infinitamente dolce, tra la Legge e una creatura umana. Sebbene gli parli dall'alto e non voglia dimenticare la distanza del proprio ufficio, il sacerdote partecipa alle angosce di K. Bisognoso e desideroso di aiuto, Josef K. lo invita a scendere accanto a lui: «Non vuoi venire giù? Non è che devi fare una predica. *Komm zu mir herunter.* Vieni giù da me». Il sacerdote scende, gli tende la mano, e gli offre la piccola lampada ancora luminosa. Più tardi gli ripeterà quasi le stesse parole. Come K. ha atteso il sacerdote in fondo alla scala, così la Legge attende K. se salirà fino a lei: «Il tribunale ti accoglie quando vieni, *Es nimmt dich auf, wenn du kommst*». La reciprocità sembra perfetta.

Mentre camminano affiancati avanti e indietro nella buia navata laterale, il sacerdote racconta a Josef K. la parabola *Davanti alla Legge*. Chi la commenta è un sacerdote cattolico: chi la ascolta è un uomo senza fede: il materiale della parabola è ebraico, le «scritture che introducono la Legge» paiono un *Talmud* che precede la Bibbia, il tono dell'elaborazione assomiglia a quello delle leggende 'hassidiche: il custode della Legge con la «pelliccia, il gran naso a punta, la lunga, rada, nera barba tartara» sembra un ebreo orientale – a meno che quella «rada barba tartara» alluda a un Oriente ancora più lontano, alla Cina conquistata dai Mongoli, dove cattolici e ebrei potevano confondersi davanti al manto bianchissimo di Qubilai Qan. Non ci meravigliamo che la Legge venga spazializzata: che l'unico Libro divenga un edificio con centinaia di sale, una interna all'altra, con centinaia di porte, e centinaia di custodi. La Torah come edificio è una immagine della gnosi ebraica, che risorse con fedeltà prodigiosa nella mente di Kafka, senza che egli sapesse nulla di lei.

Davanti alla Legge sta di guardia un custode. Un giorno, un uomo di campagna arriva da questo custode e lo prega di farlo entrare nella Legge. Ma il custode dice che per il momento non lo può permettere. L'uomo di campagna guarda la porta aperta della Legge, il viso del custode, e decide di attendere, fino al momento in cui gli sarà consentito di entrare. Per anni sta seduto sopra uno sgabello a un lato della porta: affatica il custode con le sue preghiere, conversa con lui di piccole cose, cerca invano di corromperlo, diventa vecchio, e a poco a poco impara a conoscere perfino le pulci sul collo di pelliccia del custode. Infine la vista gli diventa debole, e non sa più se intorno a lui si fa veramente buio o se gli occhi lo ingannano. Ma, in quel momento, nel buio ravvisa uno splendore, che erompe inestinguibile dalla porta della Legge. Sta per morire. Fa un cenno al custode, perché non può alzare il corpo che si sta irrigidendo. Il custode si china su di lui: «Cosa vuoi ancora sapere adesso?» chiede: «Sei insaziabile». «Tutti tendono alla Legge» dice l'uomo «come mai in tanti anni nessuno all'infuori di me ha chiesto di entrare?» Il custode si accorge che l'uomo è ormai alla fine, e per arrivare al suo udito che sta svanendo gli urla: «Qui non poteva entrare nessun altro, perché questo ingresso era destinato solo a te. Adesso vado a chiuderlo».

Come dobbiamo interpretare questa parabola? Quale è stata la sorte dell'uomo di campagna? Quale è la luce che l'abbaglia? È stato ingannato dal custode? Oppure è colpevole di non essere entrato nell'edificio? Queste domande, che anche noi rivolgiamo al testo, sono le stesse che, quel mattino, nel duomo buio, preoccupano Josef K. e il sacerdote, e che da allora inquietano tutti i lettori di Kafka. La risposta è paradossale, come ogni risposta di Kafka alle domande su Dio. Da un lato, Josef K. ha ragione. Dio «non vuole niente» dall'uomo: non desidera il nostro amore, o le nostre opere buone, o la nostra disperata ricerca di un'identità con lui. Lontano, freddo, irraggiungibile come la stella più separata, egli ci attende: attende che noi veniamo fino a lui; e se noi troviamo la strada ed evitiamo tutti gli inganni e i pericoli della strada, ci accoglie nell'edificio di mille sale dove abita. La porta della Legge è aperta: la Legge è accessibile a tutti, come pensa l'uomo di campagna: l'uomo di campagna era arrivato alla porta che gli era destinata: era atteso; e dunque il custode l'ha ingannato proibendogli di entrare. Ma, d'altra parte, l'uomo di campagna non ha avuto abbastanza fede: doveva entrare senza chiedere: varcare la porta, aperta davanti a lui, senza alcuna incertezza; se non è entrato, è soltanto perché la sua domanda non aveva abbastanza forza per suscitare la risposta. Dunque, egli è colpevole: il custode non l'ha ingannato. Ma ancora. Se egli non è entrato, è perché rispettava la parola dei messi e delle guardie di Dio, l'innumerevole gerarchia dei mediatori di Dio, che deve venerare. Dunque, egli è innocente. Così potremmo continuare ancora, come dei vecchi talmudisti, interrogando e perforando il testo da ogni parte, e verremmo condotti sempre davanti alla medesima risposta paradossale. Dio ci attende, nel suo alto Castello, ma fa il possibile, sia pure attraverso i suoi messi, perché noi non lo raggiungiamo. Dio è vicino ma lontano: accessibile ma inaccessibile. La porta del regno è aperta a tutti gli uomini, e quindi, nel mondo di Kafka, nasce la più estatica speranza di entrare nel regno. Ma nessuno varca quella porta, a causa degli inganni di Dio, e dunque la speranza non si compie mai. Dio è chi risponde alle nostre parole: ma la sua risposta è sempre muta.

Sia pure per via negativa, la parabola rappresenta quale era la suprema via mistica per Kafka: l'uomo che entra nella Legge varca mille porte, attraversa mille sale e quando giunge nel cuore della Legge, viene abbagliato dallo splendore della luce divina. Kafka sa che questo è il culmine di ogni universo, del *suo* universo: ma sa anche che non spetta a lui rappresentare la piena irradiazione e beatitudine della luce. L'unica via mistica che gli appartiene è quella dell'uomo di campagna. Egli sta seduto sullo sgabello davanti alla porta, fuori dalla porta: trascorre tutta la sua vita nell'attesa e nell'esclusione, come Kafka pensava di trascorrere la vita nell'attesa di Felice inattingibile. A poco a poco diventa un cane: guarda ininterrottamente il custode, che è solo l'ultimo dei custodi, impara a conoscere le pulci della sua pelliccia, marcisce davanti alla soglia, invecchia e diventa così umiliato e abbietto, da pregare anche le pulci di aiutarlo a persuadere il custode. Chi può ormai distinguerlo dai mendicanti, che nei libri di Kafka vivono nella melma e nei rigagnoli? È simile a Block: sebbene, a differenza di lui, che non arriverà mai davanti alla Legge, stia lì seduto, di fronte alla porta. In questo luogo, egli ha la sola visione che gli è consentita: scorge lo splendore erompere inestinguibile dalla porta della Legge, sebbene velato dall'ombra della sua cecità, dall'ombra del buio disceso sul mondo, dall'ombra della morte che si avvicina, dall'ombra della distanza dal luogo dove nasce la luce. Credo che Platone avrebbe deriso l'uomo di campagna e il suo misero dono di luce. Ma, per Kafka, egli è il simbolo della più alta condizione metafisica che si possa raggiungere: condizione a cui né Josef K. né K. riescono ad avvicinarsi.

L'apologo, che il sacerdote racconta a Josef K., rovescia il significato che finora avevamo attribuito alle vicende dell'imputato e di tutti gli imputati del mondo. *Il processo* ruota su sé stesso, si capovolge, e si mostra in una luce inaspettata. Avevamo creduto che il Tribunale accusasse Josef K. del peccato senza nome, dal quale egli cercava invano di difendersi. Invece, nell'apologo, la Legge nascosta dietro la porta, la Legge che l'uomo di campagna ricerca e che K. ignora di ricercare, – rivela di attendere tutti gli uomini, e soprattutto Josef K. Così, nel processo dove finora avevamo visto solo persecuzione e arbitrio, dobbiamo scorgere una specie di invito, che Qualcuno gli aveva rivolto. Il peccato senza nome, il senso di colpa di cui Josef K. e gli altri imputati sono colpevoli, è in realtà un'elezione divina: questo peccato li rende «belli»; mentre tutti gli altri uomini, che non vivono sotto quest'ombra, non esistono agli occhi di Dio. Dio li aveva accusati e li aveva fatti arrestare dai suoi loschi messaggeri: ma quest'accusa era il segno della sua ricerca. Tutte le indagini e il processo, la grande macchina su cui è costruito il romanzo, erano un'invenzione sinistra del Tribunale: la Legge giocava con sé stessa: perché come è possibile determinare il senso di colpa? L'unico rapporto tra il Tribunale e l'imputato è la loro magica affinità, la loro nascosta attrazione. Josef K. non aveva compreso l'invito della Legge. Nelle basse e triviali avventure del suo Processo, non aveva saputo riconoscere il cenno della grazia. Se avesse compreso, se avesse indovinato la strada del suo destino, se avesse aperto la porta preparata solo per lui, essa si sarebbe spalancata davanti ai suoi passi. Ma Josef K. non poteva capire. Nessun uomo può percorrere da solo la strada che conduce fino alla Legge, se qualche segno non lo soccorre; e K. non aveva incontrato che segni capovolti, messaggi oscuri, inviti indecifrabili.

A noi, che leggiamo dopo tanti anni queste pagine, sulle quali la mente del mondo si è torturata, l'invito del sacerdote sembra chiaro. Raccontando l'apologo, egli non propone a Josef K. di confessarsi e di pentirsi, come gli chiedeva l'avvocato Huld: la via della confessione, chiave di *Delitto e castigo*, dove Raskol'nikov sale le scale strette e maleodoranti per confessare l'assassinio, non porta in nessun luogo nei libri di Kafka. Il sacerdote propone a K. di entrare nell'edificio della Legge: o di attendere presso la porta della Legge, come fa l'uomo di campagna inebetito e quasi cieco, e come fa la Legge, – lontana, separata, nascosta dietro la porta. La categoria dell'attesa è il cuore del mondo di Kafka: attesa di Dio, attesa degli uomini. Ma il sacerdote maschera il proprio invito. Mentre parla con un uomo limitato, come K., non gli spiega che la Legge è paradossale. Gli racconta la storia di un inganno: quello del custode ai danni dell'uomo di campagna. E, mentre parla, inganna una seconda volta Josef K.: perché la sua interpretazione della parabola si sofferma esclusivamente sulla figura del custode e non tocca i luoghi essenziali, quelli che riguardano da vicino K., – la ricerca dell'uomo di campagna, la sua attesa, l'attesa di Dio. Se K. avesse capito la parabola, si sarebbe salvato, redento dalla luce: o almeno avrebbe atteso per lunghi anni, sprofondato nell'abiezione sacra, presso la porta. Ma nemmeno questa volta K. capisce e può capire. Forse, così attivo e aggressivo, egli è incapace di attendere. Ma, anche se fosse stato capace di aspettare, come avrebbe potuto comprendere che, lassù, nelle irraggiungibili vette del Tribunale, una porta era aperta per lui e che qualcuno lo attendeva? Egli capisce soltanto la cosa più ovvia: l'inganno del custode. Tutto il resto gli rimane oscuro. Così accade la nuova esclusione e la nuova condanna.

Tra la scena del duomo e l'ultimo capitolo del *Processo*, cade un immenso spazio bianco, più vertiginoso di quello che precede l'ultimo capitolo dell'*Éducation sentimentale*. Non sappiamo cosa faccia Josef K. nei mesi che dividono il tardo autunno e la tarda primavera: quali tentativi intraprenda, quali speranze lo accompagnino ancora, e se qualche eco della parabola del duomo penetri la sua mente limitata. Lo ritroviamo nella tarda primavera, la sera prima del trentunesimo compleanno. Come chiede il Tribunale, ha indossato i neri abiti da cerimonia, e seduto su una seggiola vicino alla porta si infila adagio dei guanti nuovi stretti alle dita. Sta attendendo i suoi boia: nessuno gli ha preannunciato la loro visita, ma egli l'ha presentita, a causa dell'affinità che lega la colpa e l'accusa, le vittime e i giudici. Verso le nove giungono a casa due uomini in finanziera, con cilindri in apparenza inamovibili, col volto liscio, pallido e grasso, con un pesante doppio mento, che sembrano avere appena nettato dal cerone. Non aprono bocca. Paiono automi dalle membra plastiche e senza vita: forse due vecchi attori d'avanspettacolo, di basso rango, o due vecchi tenori. Come la società della torre nei *Lehrjahre*, il Tribunale si esprime attraverso le apparenze del teatro: sembra parodiare sé stesso; l'esecuzione non ha nulla di sacro, come quelle di tanti secoli or sono, – ma è empia, vuota, sinistra, priva di ogni maestà e di ogni decoro. In quel momento, Josef K. confessa a sé stesso di avere aspettato una visita diversa. Chi attendeva? Una morte meno indegna e teatrale? Forse il sacerdote, che gli aveva insegnato come muoversi nel buio?

Va alla finestra – e guarda ancora una volta nella strada oscura. Anche le finestre sul lato opposto della strada – dalle quali il primo giorno erano apparsi gli avidi spettatori del suo supplizio – sono quasi tutte buie: molte hanno le tende abbassate. Ma da una di esse, ancora illuminata, traspare per l'ultima volta il tenero spettacolo della vita, che continuerà a rinnovarsi oltre la morte di Josef K.: dei bambini, ancora incapaci di muoversi, giocano dietro una grata, e si tendono a vicenda le piccole mani. K. e i due boia scendono le scale, raggiungono la strada, attraversano una piazza deserta, e arrivano a un ponte. K. si ferma per un istante, voltandosi verso il parapetto: l'acqua del fiume, fulgente e tremula nella luce della luna, si divide intorno a un'isoletta, sulla quale si addensano, come schiacciate, masse di alberi e di cespugli. Poi continuano il cammino, percorrono delle viuzze in salita, escono dalla città, fino a una cava di pietra, abbandonata e inselvatichita, accanto a una casa di aspetto ancora cittadino. «Dappertutto c'era il chiaro di luna, con la sua naturalezza e la sua quiete, che non è data a nessun'altra luce.» Quali parole strazianti! Per la prima volta in tutto il libro, la natura si risveglia dalla propria assenza e dona a

Josef K. la quiete e la dolcezza che egli non potrà mai possedere. Il mite splendore della luna, che illumina l'assassinio, è una grazia, come lo splendore che illumina alla fine della vita l'uomo di campagna: la dolcissima, terribile grazia, che la Legge concede soltanto ai condannati.

Dopo uno scambio di cortesie, uno degli uomini si avvicina a K. e gli toglie la giacca, il panciotto e la camicia. K. rabbrividisce. Vicino alla parete della cava, c'è un masso. Gli uomini depongono il condannato a terra, lo appoggiano al masso e gli fanno posare il capo sopra la pietra. Poi uno dei due apre la sua finanziera, e sfila da un fodero, appeso alla cintura sul panciotto, un lungo, sottile coltello da macellaio a doppio taglio, lo tiene sollevato e ne esamina il filo alla luce. Con nuove, grottesche, disgustose cortesie, passa il coltello all'altro sopra il corpo disteso, e l'altro glielo restituisce sopra il corpo. Josef K. si guarda intorno. Il suo sguardo cade sull'ultimo piano della casa vicino alla cava. Con una luce che guizza, si spalancano le imposte di una finestra: una figura, debole e sottile per la distanza e l'altezza, si sporge d'impeto tutta fuori, tende le braccia ancora più in fuori. «Chi era? Un amico? Un'anima buona? Uno che partecipava? Uno che voleva aiutare? Era uno solo? Erano tutti? C'era ancora un aiuto? C'erano obiezioni che erano state dimenticate?... Dov'era il giudice che non aveva mai visto? Dov'era l'alto tribunale, fino al quale non era mai arrivato?»

Queste ultime domande sono le ultime speranze di K. prima della morte: speranze che la morte vanifica. Eppure questo grido va oltre la morte, e nemmeno il massacro lo spegne. Ancora una volta, il Tribunale ci ricorda che la Legge aspetta gli uomini e, lassù, nella forma di una domanda e di una figura debole e sottile per la distanza, tende le braccia verso di noi. Il mondo di Kafka è aperto alla speranza come nessun altro; e la speranza non è irrealizzabile, perché allora non sarebbe più speranza. Noi possiamo solo stabilire un semplice fatto: per quanto sappiamo, la speranza non si compie mai, il sacerdote inganna K., e i boia lo uccidono. «Al di fuori di questo mondo che conosciamo, c'è ancora

160

speranza?» chiese Max Brod all'amico. Kafka sorrise: «Oh certo, molta speranza, infinita speranza; ma non per noi». La risposta sorridente di Kafka conferma la conclusione del *Processo*. Se il mondo di Kafka fosse senza speranza, sarebbe più lieve e sopportabile viverci. Che la speranza, malgrado tutto, non sia morta, che essa fiorisca sempre di nuovo, che voli alto nel mite cielo lunare, per venire sempre di nuovo delusa da mani spietate, – questo rende il mondo di Kafka così disperato, tragico e intollerabile.

Kafka conosceva la felicità del castigo. In un sogno, che registrò nei *Diari*, veniva punito e ne provava una «felicità smisurata». «La felicità consisteva nel fatto che il castigo veniva e che io l'accoglievo così libero, convinto e felice, – vista che doveva commuovere gli dei: anche questa commozione degli dei la sentivo fino quasi alle lacrime.» *Nella colonia penale* aveva rappresentato l'estasi della punizione. La grande macchina incideva sul petto e sulla schiena il comandamento violato: nelle prime sei ore, il condannato non era che dolore: ma, a partire dalla sesta ora, si quietava, decifrava lo scritto della Legge con le proprie ferite, gli si apriva l'intelligenza, stringeva le labbra come se fosse in ascolto; e la luce della Legge, incisa sul suo corpo, si diffondeva come luce dal suo volto trasfigurato. Nella condanna avveniva l'*unio mystica* tra l'uomo e il suo Dio. Qui invece, nelle ultime pagine del *Processo*, la condanna non genera nessuna luce o trasfigurazione: Josef K. non conosce la felicità del castigo: non l'accoglie «libero, convinto e felice»; né intuiamo, sopra di lui, la commozione degli dei per la sua punizione e la sua gioia.

Intorno alla gola di K. si posano le mani di uno degli assassini, mentre l'altro gli immerge il coltello fino al cuore, e lo gira due volte. Con gli occhi che si spengono, Josef K. vede gli uomini vicini al suo viso, guancia a guancia, che osservano la sua morte. Non ci può essere morte più scandalosa e indegna: nulla può riscattarla: essa è morte sino in fondo, in tutta la vergogna della parola, – vergogna per il delitto commesso dal Tribunale, vergogna per la turpitudine del gesto, vergogna per la colpa di K. sopravvissuta alla condanna. Mai come in queste righe abbiamo temuto l'orrore del sacro.

VII

UN INTERMEZZO GRECO-CINESE

Come le alte gerarchie del Tribunale, la direzione della Grande Muraglia cinese abita un luogo inattingibile. Per quanto l'anonimo Narratore della storia abbia interrogato, nessuno ha mai saputo dove fosse la sede della direzione, e chi ospitasse. Anche qui, il centro del mondo è ignoto. Ma, in questo luogo sconosciuto, si raccoglie la suprema sapienza del mondo. Sebbene la direzione della Grande Muraglia non sia, probabilmente, divina, dalla finestra aperta entra «il riflesso dei mondi divini» e illumina le mani dei dirigenti che stanno disegnando i progetti. Quello che colpisce, nell'attività della direzione, è il suo respiro di totalità. Lassù è la sede armoniosa del Tutto. Sotto la luce delle ampie finestre illuminate da Dio giungono tutti i desideri, le fantasie e i pensieri dell'uomo: tutti i suoi adempimenti e le sue mete; e le esperienze architettoniche di tutti i tempi e i popoli conosciuti.

Eppure questa direzione divina, ispirata dal soffio della totalità, ha costruito solo muraglie frammentarie. La Grande Muraglia non è una costruzione unica, che comincia nelle steppe del Nord, dove minacciano i mongoli, e finisce sull'orlo delle montagne del Tibet, attraversando pianure, montagne e deserti. È una serie di costruzioni parziali: muri lunghi cinquecento metri, costruiti ognuno da un gruppo di venti operai, e che non sono raccordati fra loro. Tra una muraglia e l'altra, a quanto racconta la storia o la leggenda, sorgono grandi lacune. A che può servire una muraglia così frammentaria? Come può difendere una muraglia piena di interruzioni? I barbari possono insinuarsi tra una parte e l'altra, avanzare nella pianura e demolire i muri costruiti nelle regioni deserte. Del resto, nessuno ha mai visto i barbari. I cinesi leggono di loro nei vecchi libri, e le crudeltà che essi commettono li fanno sospirare nelle pacifiche verande. Nei quadri realistici degli artisti, vedono quelle facce di dannati, le bocche spalancate, le mascelle armate di grandi denti aguzzi, gli occhi stretti che pare stiano già a spiare la preda che la bocca maciullerà e sbranerà. Vedendo questi quadri, i bambini piangono di paura. Ma dei barbari, i cinesi non sanno altro. «Non li abbiamo mai visti, e se restiamo nel nostro villaggio, non li vedremo mai, neanche se sui loro cavalli selvaggi si lanciassero direttamente verso di noi cacciando, – troppo grande è il paese, e non li lascerebbe avvicinarsi fino a noi, si smarrirebbero nell'aria vuota.» Nessuno, in realtà, ha mai pensato di costruire la Grande Muraglia contro i barbari. La direzione è sempre esistita, antica come gli dei della Cina; e anche il progetto architettonico si perde nel passato più remoto. La Grande Muraglia è una idea filosofica, una forma ideale, un'architettura della mente, che la gerarchia celeste ha immaginato per tenere insieme l'immenso e multiforme popolo cinese.

Il paradosso della Cina sta appunto in questo. La direzione totale vuole costruire una muraglia parziale, limitata e lacunosa, perché la totalità della mente celeste si rispecchia meglio, sulla terra, nelle costruzioni frammentarie. Il tutto è rigido: mentre il frammentario è flessibile, lento, disposto ad adeguarsi alle suggestioni della realtà, agli inviti del caso, alle differenze offerte dal territorio e dalla popolazione della Cina. Il frammentario è come l'acqua, emblema del Tao. La direzione non vuole impiegare gli operai in un'impresa titanica, nella quale sarebbero stati sopraffatti dalla disperazione. Sa bene che la creatura umana (la quale ha un fondo di leggerezza ed è simile alla polvere che si solleva nell'aria) non tollera catene. Quando la si lega ad un compito assorbente, a un'impresa sovrumana, a una catena unica, comincia dopo poco a ribellarsi, a scuotere febbrilmente i ceppi, a smembrare ai quattro venti il muro, le catene e sé stessa. Molti, in quel periodo, parlano della Torre di Babele: qualcuno pensa che la Grande Muraglia avrebbe dato per la prima volta, nella storia dell'umanità, le fondamenta sicure per una nuova Torre di Babele. Il nostro anonimo Narratore, a questo punto, sembra non capire. Ma il pensiero della direzione (il pensiero di Kafka) mi sembra chiaro. La Grande Muraglia è l'anti-Torre di Babele. La prima è figlia della pazienza, della prudenza e dell'accettazione dei limiti umani: la seconda è figlia della *hybris*, che vuole sfidare i limiti umani e il Dio dei cieli. La prima è una costruzione orizzontale: la seconda una costruzione verticale. La prima è una costruzione frammentaria: la seconda, come il Tribunale nel *Processo*, ambisce a riprodurre la circolarità e la tensione paurosa del tutto.

Così, protetta dalla Muraglia che non la difende dai barbari ma da sé stessa, la Cina vive la sua esistenza armoniosa nelle migliaia di piccole comunità che la popolano: una Cina che, con mano senza nervi, Kafka fa rivivere nella delicatezza e nella tenuità dei suoi colori. Siamo in un paese del Sud. In una sera d'estate (il tempo della Cina è il tramonto), un padre tiene per mano il figlio sulla riva del fiume, mentre passa l'altra mano sulla lunga, sottilissima pipa come fosse un flauto. Sporge la barba ampia, rada e rigida, gode il fumo della pipa e guarda in alto oltre il fiume: il codino si abbassa sulla schiena, frusciando leggermente sulla seta intessuta d'oro dell'abito festivo. Una barca si ferma sulla riva: il barcaiolo sussurra qualcosa nell'orecchio al padre. Il vecchio si fa taciturno, guarda pensieroso il figlio, vuota la pipa, se la infila nella cintola, gli accarezza una guancia, gli stringe il capo contro il petto. Quando ritornano a casa, il riso fuma sulla tavola, sono arrivati degli ospiti, la madre versa il vino nei bicchieri: il padre riferisce la notizia appena appresa dal barcaiolo, – nel Nord l'imperatore ha cominciato la costruzione della Grande Muraglia.

Un tratto della Grande Muraglia è compiuto. Durante l'entusiasmo delle feste, i capi vengono spediti lontano; e nel viaggio vedono sorgere qua e là tratti di mura finiti, passano davanti a quartieri di capi superiori che donano loro qualche onorificenza, odono l'esultanza di nuove masse di lavoratori che accorrono dai villaggi, vedono abbattere boscaglie destinate alle armature per la Muraglia, scorgono frantumare montagne, ascoltano nei luoghi sacri i canti dei devoti che pregano per il compimento della fabbrica. Ciò calma l'impazienza dei capi. Tornano nel loro paese. La vita tranquilla a casa dà loro nuovo vigore, l'autorità di cui godono, l'umiltà con cui sono ascoltate le notizie, la fiducia che il cittadino semplice ripone nel futuro compimento della Muraglia, – contribuisce a tenere tese le corde dell'anima. Poi la smania di riprendere il lavoro diventa invincibile, e prendono commiato dal luogo natale, come fanciulli animati da una perpetua speranza. Partono da casa prima del tempo: metà del villaggio li accompagna per lunghi tratti. Per tutte le strade, crocchi, vessilli, bandiere: non avevano mai visto quanto fosse grande e ricca e bella e amabile la Cina. Ogni contadino è un fratello per il quale si costruisce un muro di protezione; ed egli è grato per tutta l'esistenza. Per Kafka, fino allora il lavoro collettivo era stato un'operazione meccanica, angosciosa e senza vita, come nel *Disperso*. Ora, per la prima volta nei suoi libri, esso diventa una sublime utopia popolare: dalle vene del singolo, il circolo del sangue fluisce dolcemente, con un perpetuo ricorso, nelle vene della Cina infinita; e questa armonia collettiva di individui si compie soltanto perché la Muraglia non è una costruzione totale e rigida, ma una paziente, prudente, flessibile tarsia di frammenti.

Al centro della Cina, sta l'imperatore-Dio e Pechino: il suo corpo vivente. Come è immenso l'imperatore! È uno spazio, una città: dimore senza fine: le stanze più interne del palazzo imperiale, gremite di grandi del regno; palazzi dopo palazzi, scale, cortili, porte e porte, e infine «la città imperiale, il centro del mondo, piena colma della sua feccia». Dovunque un cinese abiti, anche se stesse a poche miglia da Pechino, una distanza incommensurabile lo divide dal centro. Dovunque abiti, egli vive nella periferia più estrema e di lì ascolta avidamente le notizie e le leggende che vengono dalla lontanissima capitale. Ma non sa quasi nulla. Non sa quale imperatore regni, ed è persino in dubbio sul nome della dinastia. Quanto al passato, nel paese si adorano imperatori defunti da molto tempo: battaglie della storia antica vengono combattute soltanto ora e il vicino tutto acceso in volto ne reca la notizia: le antiche concubine imperiali, gonfie della smania di dominio, eccitate dal desiderio, affondate nella lussuria, continuano a commettere i loro misfatti; un'imperatrice di millenni prima beve adesso a lunghi sorsi il sangue di suo marito. Il popolo vive fuori dal tempo di Pechino e dell'imperatore: vive le cose passate come se fossero presenti e il presente come fosse passato.

I cinesi si comportano come se l'imperatore-Dio non esistesse. Non conoscono la brama d'assoluto. Non provano mai verso il loro Dio-imperatore quel desiderio di identità e di unione mistica, che tortura il petto di tanti credenti, – e che li costringe a bruciare, a tramontare, a svanire, nel tremendo incontro amoroso. Se l'imperatore non esiste, non esiste nemmeno l'idea e l'istituzione dell'impero. La saggia gerarchia sa che non bisogna legare gli uomini con catene troppo strette: le redini sono molli, come insegna il Tao, in modo che i cinesi non ne avvertano il freno e non si mettano a scuoterle follemente. Il centro è lontano: i legami tra le diverse parti dell'impero sono labili e lenti, le leggi sono vaghe e mai applicate. Qualche teologo dell'unità e della totalità, qualche erede del *Processo*, potrebbe sostenere che ciò porta al caos, e invocare una Muraglia compatta, unitaria, rigida, come la più rigida religione. Ma, sebbene sia così incerto, l'anonimo Narratore di questa storia sa bene che il popolo cinese è tenuto insieme proprio perché la Muraglia è lacunosa, la costruzione dell'impero è molle e libera, Pechino è lontana, l'imperatore è come se non esistesse.

L'imperatore è morto: Dio è morto; forse per sempre. Dal suo letto di morte l'imperatore manda un messaggio all'ultimo, «misero suddito, ombra minuscola rifugiatasi dal

167

sole imperiale nella più remota lontananza» della Cina. Fa inginocchiare il messaggero accanto al letto e gli sussurra il messaggio; e tanto tiene alla esattezza delle proprie parole che se le fa ripetere in un orecchio. Con un cenno del capo, conferma. Mai come qui, nell'opera di Kafka, il Dio, il Dio che sta morendo, nutre attenzioni così delicate per un suo suddito: manda un messaggio non all'universalità dei suoi sudditi, ma proprio a lui, una persona, un individuo preciso tra le centinaia di milioni di individui che popolano la Cina. Il messaggio misterioso non arriva mai nell'ultima periferia. «La folla è così vasta! Le sue dimore non hanno fine. Se avesse libero il campo, [il messo] come volerebbe, e subito udresti lo splendido battere dei suoi pugni alla tua porta. Invece si affanna per nulla; ancora si sforza di attraversare le stanze del palazzo più interno; non le potrà superare mai; e se vi riuscisse, non avrebbe ottenuto niente; dovrebbe lottare lungo le scale; e se anche potesse farlo, non avrebbe ottenuto niente; dovrebbe attraversare i cortili; e dopo i cortili il secondo palazzo che li racchiude; e ancora scale e ancora cortili; e un altro palazzo; e così via nei millenni; e se infine si precipitasse di corsa dal portone estremo – ma mai, mai potrà avvenire – davanti a lui sta la città imperiale, il centro del mondo, piena colma della sua feccia. Qui nessuno può passare, e tantomeno col messaggio di un morto. – Tu invece, seduto alla finestra, te lo sogni quando scende la sera.»

Quest'ultima, brevissima frase, contiene un'intera teologia – la teologia nella quale abitano tutti coloro che, dopo la morte di Dio, credono in Dio. L'umile cinese non attende il messaggio nell'oscurità completa dove il sacerdote del *Processo* parla a Josef K.: o nel buio dove l'uomo di campagna avverte l'erompere inestinguibile della luce. Seduto alla finestra, attende il messaggio quando tramonta il giorno, intrecciando la luce e l'oscuro, il barlume e la tenebra. Come ognuno di noi, «è senza speranza» (perché Dio è morto irreparabilmente) e «pieno di speranza» (perché Dio non morirà mai). Conosce il divino nella morte del divino: vive come se gli dei non ci fossero, eppure sogna di loro; ed è immerso per sempre nella loro luce crepuscolare e nel loro profumo. Così, perduto nel suo sogno, conosce un'esistenza ariosa, libera, naturale, serena, mite, senza la tentazione della tragedia. Non ha più l'ossessione del sacro, come il cittadino del *Processo*: ma è aleggiato e protetto dall'immagine viva e morta del sacro. Ora che Dio è morto, ha ripreso un rapporto tenero e confidenziale col padre, come ci rivela l'immagine dei due sulla riva del fiume, col capo del figlio teneramente poggiato contro il petto del padre, – immagine che nell'opera di Kafka incontriamo soltanto in questo luogo.

Nella *Muraglia cinese*, Dio è un luogo vuoto: una figura assente e morente: un'oasi di gentilezza; e sebbene ignoriamo il messaggio che invia a ciascuno di noi, non possiamo credere che egli ci voglia sedurre con la sua parola affascinante. Non tutti gli dei sono come il remoto imperatore della Cina. Ci sono le possenti e bellissime figure dell'inconscio: le Sirene, che Kafka evocò qualche tempo più tardi: le Sirene che, dopo tanti secoli, si stirano sul prato roccioso, si girano, espongono al vento i terrificanti capelli sciolti e allargano gli artigli sopra le rocce. Cantano come al tempo di Ulisse: non più, come allora, le storie della guerra di Troia; ma le parole misteriose e terribili che gli dei rivelano agli uomini. Il loro canto penetra dovunque: seduce le menti e i cuori; non servono né le catene con cui i marinai si legano agli alberi maestri né la cera nelle orecchie a cui ricorre Ulisse. Tutti coloro che ascoltano la voce sacra vanno in rovina: non possono sopportare la rivelazione; e sulle rocce c'è un mucchio di ossa e di pelle raggrinzita. Ma, dal tempo di Ulisse al nostro, le Sirene sono diventate ancora più possenti. Ora la loro tentazione suprema è il silenzio. Mentre nella *Costruzione della muraglia cinese*, gli dei scomparivano e morivano, qui fingono di essere morti. La loro morte – il tema che affascinava Kafka in questi anni – è dunque soltanto la più insidiosa delle loro astuzie. C'è, in questo silenzio, un'intollerabile seduzione. Appena essi tacciono, noi pecchiamo di *hybris*: crediamo di averli ridotti al silenzio con la nostra forza: un orgoglio travolgente ci gonfia il cuore; e quella che credevamo fosse la nostra vittoria si trasforma nella nostra sconfitta definitiva – l'accecamento.

Quando l'Ulisse di Kafka arriva nel mare delle Sirene, esse non cantano: credono di poterlo sopraffare col silenzio, o dimenticano di cantare alla vista della beatitudine che spira dal suo volto. Non hanno più desiderio di sedurre: vogliono soltanto ghermire il più a lungo possibile lo splendore riflesso dai suoi grandi occhi. Per difendersi da loro, Ulisse è ancora più cauteloso dell'Ulisse di Omero: si fa incatenare all'albero maestro, si riempie le orecchie di cera, – mentre, nell'*Odissea*, da grande esperto delle tentazioni e dei misteri, aveva lasciato le orecchie libere al canto delle Sirene. Egli ha gioia e fiducia nei suoi mezzi insufficienti e puerili, mentre tutti i viaggiatori avevano sperimentato che non servivano a nulla. Non ode il silenzio delle Sirene. Crede che cantino, e immagina che lui solo, con le orecchie piene di cera, sia preservato dall'udirle. Di sfuggita le vede girare il collo, respirare profondamente, nota i loro occhi pieni di lacrime, le labbra socchiuse, e crede che tutto questo faccia parte delle melodie che, non udite, si perdono intorno a lui. Lo spettacolo sfiora appena il suo sguardo volto verso la lontananza del ritorno. Se si salva e sconfigge le Sirene, è per il suo carattere limitato, risoluto, deciso. Egli è un semplice, un illuminista, un uomo attivo, – il contrario di quella figura polimorfa, intricata, attentissima alle voci e alle magie divine, che era stato nell'*Odissea*. Non suppone nemmeno che il canto delle Sirene avrebbe vinto le sue difese ridicole; ed è così insensibile al silenzio mortale degli dei, da scambiarlo per un canto che non sente. Ma non è nemmeno un empio: non si lascia vincere dall'orgoglio di avere ucciso gli dei. Così, per una curiosa combinazione di casi, Ulisse è l'unico uomo che sopravvive alla scomparsa del divino.

Sebbene con molte cautele, Kafka avanza un'altra versione della leggenda delle Sirene: l'unica nella quale, evidentemente, crede. Ulisse non è affatto quell'eroe limitato e puerile, che, per gioco, Kafka aveva supposto: è rimasto l'uomo dell'*Odissea*; insieme dotato della più sottile saggezza religiosa e di quelle astuzie umane che ci permettono di ingannare gli dei e di convivere con loro. Quando vede le Sirene girare il collo, respirare profondamente con gli occhi pieni di lacrime, e aprire appena le labbra, non crede che esse cantino: né che l'artifizio della cera gli impedisca di udire. Capisce che le Sirene tacciono: che egli assiste al silenzio e alla morte degli dei. Ma, al contrario degli altri uomini, non si lascia vincere dalla seduzione di questo silenzio, credendo di averli sconfitti con le proprie forze. Astuto come una volpe, finge di credere che essi cantino ancora. Questo Ulisse moderno è Kafka, l'uomo che ci ha insegnato a convivere con la morte degli dei. Quando l'ultimo cinese della provincia non riceve il messaggio dell'imperatore, capisce che l'antico dio è morto, eppure continua a vivere, «senza speranza e pieno di speranza», nel sogno e nel ricordo di lui. Ulisse comprende che la morte degli dei è la prova suprema che gli dei ci impongono nella nostra epoca, l'ultima astuzia divina nel corso di una lunga battaglia con gli uomini. Se vuole sopravvivere, non può che contrapporre astuzia ad astuzia; e finge di essere un uomo limitato, puerile, che crede nella protezione dell'albero e della cera. Chi più volpe di lui? Ma, al tempo stesso, chi più devoto e religioso di lui? Perché, nel mondo desolato, che la morte degli dei apre al cuore degli uomini, egli continua ad ascoltare la loro voce immortale – così tremenda, così implacabile e ricca di seduzione, come mai era stata finora.

Confesso di provare una predilizione per questa esperienza greco-cinese, per questo spazio non tragico, nutrito dei colori del Tao e dell'*Odissea*, che Kafka tentò nel 1917, sui margini della tragedia che fu per lui la rivelazione della malattia. Essa occupa un posto unico nella sua opera. Poco più di due anni prima, aveva concluso *Il processo* e *Nella colonia penale*. Era stata l'esperienza assoluta del centro:

come l'uomo di campagna, aveva tentato di entrare dentro l'edificio luminoso-tenebroso di Dio, e cercato disperatamente l'unione con lui. Ma questa esperienza si era conclusa con la morte e lo scacco: la morte estatica dei condannati nella vecchia colonia, la morte vergognosa dell'ufficiale e di Josef K. Ora, in questi anni di vita tranquilla e di legame rallentato con Felice, in questo tempo di piccoli racconti e di piccole prove, Kafka si era allontanato dal centro. Tre anni più tardi, in una lettera a Max Brod, avrebbe espresso con meravigliosa esattezza il senso della *Muraglia cinese* e del *Canto delle Sirene*: «I greci... erano gente particolarmente umile... Immaginavano il divino il più possibile lontano da loro, tutto il mondo degli dei era soltanto un mezzo per allontanare l'elemento decisivo dal corpo terreno, per dare aria al respiro umano... In teoria esiste una possibilità terrena di perfetta felicità, quella di credere in ciò che è decisamente divino e di non aspirare a raggiungerlo. Questa possibilità di essere felici è altrettanto blasfema quanto irraggiungibile, ma i greci le furono forse vicini più di molti altri».[1] In queste due prose Kafka aveva provato, almeno come ipotesi intellettuale, la «perfetta felicità», che poi considerò come «blasfema». Era stata l'unica esperienza di distanza dal centro che avesse tentato. La fede in Dio nella morte e nel silenzio di Dio: la muraglia frammentaria e lacunosa, che avvolge la terra: la vita flessibile, lenta, mite, ariosa, paziente, prudente: il cauto legame con gli altri: il tenero amore tra il padre e il figlio nella sera d'estate; l'astuzia di Ulisse con le Sirene... Kafka non aveva mai conosciuto un'immagine così luminosa della vita celeste e terrena.

---

[1] La frase centrale era già stata scritta nel terzo quaderno in ottavo, il 19 dicembre 1917.

VIII

GLI AFORISMI DI ZÜRAU

Nella notte tra il 12 e il 13 agosto 1917, Kafka ebbe il primo, grave sbocco di sangue. Erano le quattro del mattino: si svegliò, meravigliandosi della strana quantità di saliva in bocca: la sputò; e, quando si decise ad accendere la luce, vide sul fazzoletto la grande macchia di sangue. Pensò che avrebbe continuato così tutta la notte, fino a dissanguarlo lentamente. Come faceva a chiudere la sorgente, se non l'aveva aperta! Si alzò agitato dal letto, andò alla finestra, guardò fuori, girò per la camera, si avvicinò al lavabo, si mise a sedere sul letto – sangue, sempre sangue. Infine cessò quasi all'improvviso; e subito, visto che era stata emanata la sentenza definitiva ed era inutile discuterla, si addormentò come non aveva mai dormito negli ultimi tre anni. Qualche tempo dopo, scrivendo agli amici, disse che la malattia non lo meravigliava. L'aveva pronosticata nel *Medico di campagna*, quando il dottore scopre sul fianco destro del ragazzo una ferita grande come il palmo di una mano: «di color rosa, in diverse gradazioni, scura in fondo, più chiara verso gli orli, leggermente granulosa, col sangue raggrumato a chiazze, aperta come la bocca d'una miniera».

Non aveva bisogno di ricordare le cause della turbercolosi: le incessanti insonnie, i mali di testa, le febbri, le spaventose tensioni di nervi, che l'avevano sconvolto nei cinque anni del fidanzamento con Felice. Ormai era abituato a leggere tutti gli eventi della sua vita come una tessitura simbolica, di cui era il centro involontario. Sulla scena della sua esistenza, avevano combattuto tra loro il mondo – Felice ne

era la rappresentante – e il suo Io: o due parti del suo Io –
quello buono, che voleva sposare Felice, e quello cattivo,
che non voleva sposarla. L'Io buono, che apparteneva a Felice, era rimasto sconfitto. E ora, debole, stanco, quasi dissanguato, si appoggiava invisibile sulle spalle di lei, e guardava sconfortato il grande uomo cattivo che cominciava a
commettere le sue volgarità. Kafka ribadiva: «Io non guari-
rò mai. Appunto perché non è tubercolosi, che messa su
una sedia a sdraio si possa sanare, ma un'arma, la cui estrema necessità rimane fin tanto che io vivo. E tutti e due non
possono rimanere in vita». Oppure era accaduta un'altra
battaglia, che aveva anch'essa un rapporto simbolico con
Felice. Dopo anni di ansie, il cervello non riusciva più a
sopportare le preoccupazioni e i dolori che gli erano impo-
sti. Diceva: «Non ne posso più, ma se c'è ancora qualcuno
cui importi di conservare la mia vita mi tolga una parte del
mio peso e si potrà campare ancora un poco». Allora si
fecero avanti i polmoni, che non avevano molto da perdere,
e dopo trattative spaventose si assunsero il peso. Se avesse
avuto una perdita di sangue sopportabile, avrebbe potuto
sposarsi, e questa vittoria avrebbe avuto, nella sua storia
universale privata, «qualcosa di napoleonico». Ma la macchia era immensa, come lo spaventoso fiore rosso aperto nel
fianco del ragazzo del *Medico di campagna*.

Il gioco dei simboli conduceva sempre più in alto, verso
quell'Altro, quel principio tenebroso-luminoso da cui di-
pendeva la sua vita. Come in molti interventi dell'Altro, egli
sentiva nel suo intervento qualcosa di dolce (specie «in con-
fronto alla media degli ultimi anni»), ma anche di estremamente semplice e di grossolano. Era tutto lì, egli pensava?
L'intervento celeste non era altro che uno sbocco di sangue,
una macchia rosa sul fazzoletto? La malattia, che non era
andato a cercare, prendeva ai suoi occhi una strana aria pro-
tettiva e materna. «Oggi ho verso la tubercolosi l'atteggiamento che ha il bambino verso le pieghe della gonna materna alle quali si aggrappa.» Non sentiva la malattia come una
prova o una battaglia, che doveva sopportare come uno stoi-

co combattente. Non era fatto per le prove: non lo fortifica-
vano, e il suo primo istinto era quello di andare verso i colpi
e scomparire sotto di essi. Voleva guarire: ma voleva anche il
contrario – scomparire definitivamente, sotto le percosse in-
viategli da Dio.

I sintomi della malattia non lo preoccupavano molto.
Scrisse a Brod che «quasi non la sentiva». Non aveva febbre,
non tossiva molto, non aveva dolori. Aveva il fiato corto – è
vero –, ma se stava coricato o seduto non se ne accorgeva; e
quando camminava o faceva qualche lavoro, lo sopportava
facilmente: «Respiro con velocità doppia, ecco tutto, non è
un disturbo considerevole. Sono arrivato alla conclusione
che la tubercolosi, come ce l'ho io, non è una malattia particolare, un male degno di un nome speciale, ma soltanto una
maggiore intensità, per ora non valutabile nella sua importanza, del germe generale della morte». Aumentò di peso:
un chilo in una settimana, due chili e mezzo in tre settimane.
Scherzava senza letizia sulle diagnosi dei medici. Dopo la
prima visita avevano detto che era quasi interamente sano:
dopo la seconda che stava persino meglio, poi ci fu un po' di
catarro bronchiale a sinistra, più tardi tubercolosi a destra e
a sinistra che però sarebbe guarita a Praga presto e completamente, e infine poteva perfino aspettare, ma soltanto un
giorno, un sicuro miglioramento. Aveva l'impressione che
gli altri fossero diventati oltremodo buoni con lui: tutti erano subito pronti a sacrificarsi, dal più umile al più alto. «Ma
probabilmente io sono in errore, così sono soltanto con co-
lui al quale nessun aiuto umano può giovare. Un olfatto speciale rivela loro questo caso.»

Gli sembrava che i medici e gli amici volessero coprire
con le loro spalle l'angelo della morte, che stava dietro di
loro, e poi si tirassero da parte a mano a mano. Egli non
aveva paura dell'angelo della morte; e questo era un segno
che stava rapidamente abbandonando la vita e le sue sedu-
zioni. Con un'amara ironia accettava la morte, che faceva un
passo ogni giorno, nella sua salute apparente. Mentre gli
altri vedevano un passato, un presente e un futuro, lui non

vedeva più niente: gli pareva di essere qualcosa di buio che correva a precipizio nel buio; e a volte gli sembrava di non essere nemmeno nato. «Se potessi salvarmi come il pipistrello scavando buche, scaverei buche.» Max Brod lo rimproverò di essere «felice nell'infelicità». Il rimprovero lo colpì. Quasi con le stesse parole, rispose a Max e a Felice che «essere felici nell'infelicità» (che significava anche essere «infelici nella felicità») era stata probabilmente la sentenza impressa in fronte a Caino. Chi porta in fronte quel segno lascia la vita, frantuma il mondo, non va più di pari passo col mondo: incapace di ricostruirlo vivo, viene cacciato e perseguitato attraverso le sue macerie. Anche lui portava dunque in fronte il segno di Caino? Sia con Max sia con Felice, protestava di no. Eppure, malgrado le difese, accusava sé stesso di non aver saputo conoscere la felicità che gli era stata affidata, e di godere disperatamente della propria sventura.

Non gli restava che lasciare Felice. Il 21 settembre, quando lei venne a trovarlo in campagna, Kafka ebbe l'impressione che la tubercolosi fosse l'ultima arma che aveva escogitato per torturarla. «Io ho commesso il male per cui viene torturata, e oltre a questo faccio il servente allo strumento di tortura.» La allontanò da sé, con un gesto; e, come disse qualche giorno dopo, recitò la commedia: «La scena che vedevo... era troppo infernale perché non si sentisse la voglia di venire in aiuto ai presenti con un po' di musica capace di distrarre». Rivide Felice alla fine di dicembre, a Praga. La accompagnò in lacrime alla stazione: poi andò a trovare Max Brod, in ufficio. Aveva un viso pallido, duro e severo: ma a un tratto si mise a piangere, come non aveva fatto da quando era bambino. Era seduto su una piccola seggiola accanto alla scrivania di Brod, dove di solito sedevano debitori, pensionati e postulanti. Con le lacrime che gli rigavano il volto, mormorò: «Non è spaventoso che questo debba succedere?». Brod non l'aveva mai visto così privo di sostegno. Nei giorni successivi scrisse nei *Diari*: «Partenza di F. – Pianto. Tutto difficile, sbagliato eppure giusto».

Quindi: «Non fondamentalmente deluso». Infine: «Di propria volontà si girò come un pugno e schivò il mondo».

Il 12 settembre era partito per Zürau, nella campagna boema, dove viveva la sorella Ottla: due anni più tardi scrisse che quegli otto mesi passati in un villaggio dove credeva di essersi distaccato da ogni cosa, sotto la tutela della malattia, erano stati il tempo migliore della sua vita. Aveva una camera calda e ariosa, davanti alla quale si estendeva la campagna libera. «Non ci può essere, in tutti i sensi, niente di meglio per respirare.» La casa era tranquilla – sebbene qualche volta i rumori lo torturassero anche lì: il suono di un pianoforte, un battitore di legno e uno di metalli. Si sentiva libero come non si era mai sentito: libero dalla famiglia, dal lavoro, da Felice, dalla realtà, dalla letteratura, e in certo modo persino dalle inquietudini del suo futuro, visto che la malattia disegnava con precisione la linea dell'orizzonte. Non aveva prove da affrontare: non doveva subire confronti; Ottla lo portava «sulle sue ali attraverso il mondo difficile». Viveva con lei in un piccolo, buon ménage quotidiano: si assoggettava al suo ritmo con dolcezza, quiete, pazienza, e moltissima buona volontà. Non c'era mai, con lei, la tensione violenta di un corto circuito, come con Felice e poi con Milena: ma una corrente tranquilla, placida, sinuosa.

Teneva lontani gli amici, che gli avrebbero fatto domande a cui non voleva rispondere; e non desiderava interrompere l'eguaglianza del suo tempo con un viaggio nell'inferno di Praga. Non amava vedere il padre e la madre. Chiuso in campagna, lontano dalla ferrovia, vicino alla sera indissolubile che scendeva senza che nessuno o qualcosa le si opponesse, gli sembrava di ripetere il destino di un membro della famiglia: lo zio, il medico di campagna, con la sua ironia sottile, da scapolo o da uccello. Aveva mutato il regime della sua vita in qualcosa di essenziale: non scriveva più di notte, come quando combatteva con gli incubi di Gregor Samsa e degli dei degradati. Il suo tempo era avvolto dal silenzio: viveva quasi senza parlare, quasi senza ascoltare parole. Stava coricato vicino alla finestra, leggendo o senza leggere.

Viveva benissimo tra gli animali: dava da mangiare alle capre, – che, con il loro muso gli ricordavano il viso del suo medico curante, o di medici e di avvocati ebrei, o di qualche ragazza, anch'essa ebrea. In casa gli avevano costruito una comoda sedia a sdraio, con una vecchia larga poltrona imbottita, e due sgabelli davanti; e l'avevano portata in un vasto bacino semicircolare, circondato da una catena di colli. Lui stava lì disteso, «come un re», senza camicia, mentre nessuno poteva vederlo. Ascoltava le voci del mondo sfoltirsi e ammutolirsi: scorgeva un raggio, una striscia di sole, gli pareva di vedere la felicità discesa tra i colli della terra; e avvertiva un totale senso di pienezza. «Non trabocca una goccia, ma non c'è più posto per una goccia.»

Non fu soltanto un soggiorno di luce. Una notte, verso la metà di novembre, lo riassalì l'orrore della muta, insidiosa forza animalesca che avvertiva in sé stesso e nel mondo. Ogni tanto, nell'autunno, aveva sentito un rosicchiare sommesso: una volta si era alzato tremando ed era andato a vedere. Ma, quella notte, assistette alla sommossa muta e rumorosa del popolo spaventevole dei topi. Alle due venne svegliato da un fruscio presso il letto, e da quel momento non cessò fino al mattino. «Su per la cassa del carbone, giù dalla cassa del carbone, una corsa lungo la diagonale della camera, cerchi tracciati, legno rosicchiato, sibili leggeri durante il riposo, e intanto sempre il senso del silenzio, del segreto lavorio di un popolo proletario oppresso, al quale appartiene la notte.» Cercò di salvarsi col pensiero collocando lo strepito principale vicino alla stufa, all'altro capo della camera, – ma il rumore veniva da ogni angolo, da ogni parte, e di tanto in tanto l'intera tribù saltava giù compatta da qualche mobile. Era completamente smarrito: non osava alzarsi: non osava accendere; tentò soltanto di spaventarli con qualche grido. Aveva paura di quella presenza accanita e subdola: aveva l'impressione che avessero sforacchiato i muri in cento punti, e vi stessero in agguato, signori della tenebra. La mattina non poté alzarsi per la nausea e la tristezza: rimase a letto fino all'una tendendo l'orecchio per sentire che cosa gli istancabili stessero preparando per la notte successiva. Poi prese in camera una gatta. Ma aveva paura anche di lei. Non aveva il coraggio di spogliarsi in sua presenza, di far ginnastica e andare a letto davanti a lei: non tollerava che gli balzasse sulle ginocchia o che sporcasse per terra.

A Zürau, nei pensieri che disseminò nei «quaderni in ottavo» e nelle lettere, prese di petto il proprio passato. Aveva fallito in tutto. Sia in città che in famiglia, nella professione, in società, nell'amicizia, nel fidanzamento, in letteratura, – non aveva «dato buona prova», come non era accaduto a nessun altro intorno a lui. Non aveva fatto che rivolgere domande: domande di ogni tipo; domande sempre più tormentose e più alte e più ardue, e non aveva mai ricevuto risposta. Adesso non capiva come potesse essersi illuso di fare domande. Non aveva aria dove respirare: non aveva terreno – leggi, abitudini, pensiero, religione, letteratura, – sul quale posare i piedi. Tutti i suoi libri – e i frammenti davanti ai quali provava soltanto rossore – li aveva scritti nella lingua «del possesso e dei suoi rapporti»: non dello spirito; e ora gli sembrava un mucchio di carta inutile, migliaia di fogli coperti di inchiostro, da gettare via con un gesto, o da affidare a un rogo pietoso. Della sua vita non gli restava che un atroce senso di vergogna: quasi fosse morto miseramente, o fosse stato ucciso come il suo Josef K., con la vergogna sopravvissuta alla propria morte.

Ora, lì, quasi solo, protetto dalle ali della sorella, con pochi libri, voleva trovare una risposta a tutte le questioni che lo avevano torturato, e che avevano torturato gli uomini, fin da quando Adamo era stato cacciato dal paradiso terrestre. Aveva poco tempo. Voleva cominciare da capo, come se nulla fosse mai stato scritto, come se il tempo non fosse mai esistito; e, con un balzo, simile ai suoi acrobati ardimentosi, saltare a piedi uniti nell'eterno. Nessuno gli copriva le spalle: ma egli lo dimenticava sempre, e tornava a cercare una copertura, per quanto caro gli costasse. Come disse a Brod, tentava di acquistare chiarezza sulle cose ultime, mentre l'ebreo occidentale non aveva le idee chiare su nulla. Voleva «sollevare il mondo nel puro, nel vero, nell'immutabile». Non gli interessavano più le verità separate – solo la metafisica, la teologia: Dio, nient'altro che Dio. Ma cosa aveva fatto d'altro, negli ultimi anni? Dai primi barlumi del *Disperso* al *Processo* alla *Muraglia cinese* cosa era stata la sua opera, se non una incessante ricerca dove solo il nome di Dio era omesso? In realtà, aveva cercato di arrivare a Dio attraverso il mondo: la realtà degradata, i messi infimi, la costruzione lacunosa della Muraglia. Ora, per la prima volta, avrebbe affrontato Dio di fronte, con il puro sforzo del proprio pensiero.

Le prime righe che scrisse nel terzo quaderno lasciano credere che egli volesse condurre, come Pascal, una battaglia intellettuale contro il suo tempo e tutti i tempi. «Non posso combattere una mia lotta personale.» In questa battaglia non era solo: non guerreggiava per conto proprio, come aveva creduto: aveva alleati, staffette, retroguardie, franchi tiratori ai suoi fianchi; sebbene riesca difficile immaginare di quali alleati si trattasse, visto che anche Kierkegaard lo aveva abbandonato. Ma, d'altra parte, rivendicava il diritto di usare le armi dei propri avversari. Non era essenzialmente ambigua, forse, la sua condizione? Non stava a tutti i crocevia, a tutti i punti d'incontro del pensiero? Figlio della notte, si trovava a combattere per la luce: nutrito solo di lacune e di vuoti, voleva costruire un pieno edificio in muratura; figlio del negativo del suo tempo, cercava di costruire una metafisica dell'Uno.

Quale compito paradossale! Da una parte, il suo obbligo supremo era quello di costruire un Tutto. Voleva imparare le lettere che ne componevano l'invocazione, invocarne il sogno, sognarne l'esistenza, intuirne la vicinanza, sfiorarne il disegno. E poi, mentre teneva il Tutto nelle sue mani, aggredire qualcosa o qualcuno con il pugno levato, «come si stringe un sasso da scagliare, un coltello per macellare»: immolare ed essere immolato, perché quel coltello era anche il coltello sacrificale – ed egli doveva morire ai piedi del Tutto. Ma, d'altra parte, dov'era questo Tutto? Egli possedeva soltanto frammenti: una miriade di pensieri, una quantità di aforismi, di frasi scardinate, senza armonia, di pietre scheggiate, che non avrebbero formato nemmeno le mura lacunose della sua muraglia cinese. Non desiderava costruire un Tutto. Non voleva elaborare una teoria – perché detestava le teorie che fanno violenza al mondo, lo schiacciano, lo deformano, e finiscono per distruggere il mondo. Sebbene la sua opera fosse totalmente foggiata dal pensiero, si sottraeva a tutte le forme esistenti del pensiero. «Solo dal di dentro» si può conservare «sé stessi e il mondo in silenzio e verità.» E dove erano quegli alleati che aveva sognato, e insieme ai quali pensava di condurre una battaglia filosofica o metafisica? Lui era davvero solo. «Il compito sei tu. Da nessuna parte si vede un alunno.» Era una fortuna che il terreno sul quale stava ritto non potesse essere più largo dello spazio coperto dai suoi piedi. Scavando lì, in quel terreno inesauribile, utilizzando le sue mancanze, i suoi vuoti, l'assenza di fondamenta, i suoi abissi, avrebbe costruito la più fantastica delle muraglie cinesi.

La premessa della ricerca di Zürau è un'ipotesi indimostrata e indimostrabile: il punto di arrivo esiste, quale sia il suo nome, Dio o l'Uno o l'Essere, o «l'indistruttibile», come lo chiama Kafka, nel desiderio manifesto di non nominarlo. Qual è la strada che vi conduce? Qual è la via sino al punto d'arrivo? La prima risposta ci sconvolge: non c'è alcuna strada, nemmeno un viottolo d'alta montagna. La «vera via passa su una corda»; e per percorrerla, bisogna essere dei saltimbanchi, degli equilibristi, uno di quelli che il giovane Kafka amava, e che riappaiono qui come unici mediatori nella strada verso l'Essere. Ma c'è una nuova difficoltà: la corda non è tesa in alto, tra due case sopra una piazza, o sopra un lago. La corda è tesa a livello del suolo; e bisogna probabilmente camminare su di essa, senza mettere il piede sulla terra. Così il vecchio aereo equilibrista, che camminava sul filo o nel vuoto con le braccia distese che gli tenevano luogo del palo, diventa una figura grottesca, che si contorce a terra, senza più nulla del suo vecchio prestigio e della sua gloria nichilistica. La corda non comunica più tra due punti sul vuoto. «Sembra fatta più per inciampare che per essere percorsa.»

Questa è l'ipotesi più favorevole. Qualche volta, non esiste nemmeno la corda rasoterra, e non c'è «nessuna via». Quella che noi chiamiamo via non è altro che la nostra esitazione, o la nostra incertezza, la nostra inquietudine, come Josef K. sapeva bene. Oppure la strada c'è, ma è in un pendio scosceso, non meno ripido davanti a noi che sotto di noi; e invece di salire scendiamo. Oppure la strada non disegnata percorre il deserto, come quella che portò nella Terra Promessa: non è una lunga retta attraverso il deserto, ma una via labirintica, che va avanti e indietro, di lato e di traverso, e ci permette di toccare col piede ogni grano di sabbia. Nel secondo caso, Kafka ci dà un consiglio amaramente ironico: non devi disperare, appunto perché la strada è in salita e «i suoi regressi possono anche essere causati dalla conformazione del terreno». Ma non è proprio questo che deve farci disperare? Che il terreno che conduce verso l'Unico sia così ripido, che noi non potremmo mai valicarlo? Che non potremo mai, a nessun costo, arrivare in alto?

Kafka si chiese se poteva raggiungere il punto d'arrivo con il soccorso dell'arte delle domande e delle risposte; e si provò a interrogare il meccanismo di quest'arte. Quale rinnovata angoscia! Tra le sue mani, il meccanismo si era capovolto, guastandosi irreparabilmente. Mentre noi immaginiamo che la domanda abbia un volto aperto, come hanno tutti coloro che chiedono, essa ha, per lui, «un volto inaccessibile»: il volto della pietra, della sfinge, dell'enigma. Mentre noi crediamo che la domanda percorra dei sentieri raggiungibili, essa si getta, per lui, nei sentieri più remoti e assurdi. Mentre noi supponiamo che la domanda (col suo ampio punto interrogativo) sia «in agguato, timorosa, speranzosa», per lui è la risposta ad esserlo: mentre noi attribuiamo alla domanda un'intenzione interrogativa, per lui la risposta interroga, anzi striscia come un serpente attorno alla domanda: mentre noi immaginiamo la domanda in movimento e la risposta immobile e ferma, per lui la domanda è immobile e la risposta in eterno movimento; mentre noi possiamo credere che la domanda sia «disperata», per lui la risposta è inesorabilmente disperata. Se la domanda si muove e striscia, pavida, speranzosa, disperata, è possibile che la risposta la soddisfi. Ma se è la risposta stessa a strisciare e a disperarsi, chi potrà risponderle mai? Tra la domanda e la risposta, nasceva un abisso incolmabile, sul quale conduceva il ponte di nessuna voce.

L'ultimo paradosso è che, malgrado queste incertezze, questi inciampi, questi arresti, questi labirinti e questi abissi, la vera via esiste veramente, perfetta e intangibile, e non vi possiamo «sottrarre né aggiungere nulla». È lassù, e ci attende, e noi possiamo percorrerla. O forse «percorrerla» non è la parola giusta: vi siamo portati, trasferiti, trascinati in volo. Come dice la massima, «chi cerca non trova, ma chi non cerca viene trovato». Qualcuno ci trova. Così dobbiamo capovolgere tutto quello che abbiamo detto finora: la via che passa sopra la corda tesa a terra, la strada senza strada, l'ardua strada in salita, la strada labirintica attraverso il deserto, ci portano indubitabilmente al nostro punto di arrivo.

Lassù, nel punto d'arrivo, nel Luogo al quale tende tutta la nostra vita e la nostra via, cosa troviamo? È una delle questioni più discusse dagli interpreti di Kafka, e che sembra, a prima vista, insolubile. Ma Kafka non è Kant, e nemmeno Nietzsche. La sua battaglia intellettuale, la sua edificazione di un Tutto fatto di soli frammenti, il suo compito che riguarda tutti ma lui solo, non si conclude con la costruzione di una teoria sistematica. Con disperazione e speranza, con violenza e dolcezza, Kafka azzarda, specula, tenta delle ipotesi intellettuali in ogni verso, pensa continuamente una cosa e il suo contrario. Come un vecchio rabbino, chiosa incessantemente i primi capitoli del *Genesi*, e ne fruga e ne rovescia il senso in ogni modo. Dalla massa dei pensieri raccolti nei quaderni in ottavo, una piccola parte dei quali è andata a confluire negli aforismi, possiamo desumere almeno due grandi immagini della vita dello spirito. Nella prima (se queste etichette culturali hanno un senso) Kafka è un monista, con una risolutezza e una completezza rare nella storia del pensiero: nella seconda è, con la stessa decisione, un manicheo.

Il primo mondo culmina nel simbolo dell'albero della vita. Mentre l'albero della scienza distingue tra il bene e il male, l'albero della vita descrive un bene che sta prima (o dopo) la distinzione tra il bene e il male: unità armoniosa tra gli opposti dell'esistenza, abolizione dei contrari, luce senza macchia d'ombra. Mentre l'albero della scienza invita i suoi cultori alle virtù attive, l'albero della vita raccomanda la quiete mistica: il dono che nessun personaggio di Kafka ha conosciuto e conoscerà mai. Mentre noi abbiamo già mangiato il frutto dell'albero della scienza, quello dell'albero della vita possiamo solo presentirlo: forse lo conosceremo il giorno in cui cadrà la separazione tra Dio e noi; eppure lo conosciamo già, perché quando viviamo nella luce dell'eterno, vi incontriamo l'albero della vita, fiore di ogni eternità. Fin qui Kafka segue il testo biblico. Ma su un punto lo modifica radicalmente. Se nel *Genesi* i cherubini proteggono con «la fiamma della spada guizzante» il giardino di Eden dal ritorno degli uomini, Kafka ci assicura che il giardino esiste ancora, sebbene vuoto di noi, e ancora oggi è destinato a servirci ed è fatto per noi. Malgrado la cacciata, l'indistruttibile che era in noi non è stato distrutto: il peccato originale non ha trasformato completamente la nostra natura; abbiamo acquistato la scienza divina. Vi è una notizia ancora più consolante. Non solo il Paradiso è sempre aperto, ma noi lo abitiamo, viviamo lassù mentre soggiorniamo nel nostro tempo, anche se pochi o forse nessuno di noi se ne rendono conto. Noi abitiamo già qui, ora, nell'eterno. L'eternità non è qualcosa che verrà dopo, come affermano la religione cristiana e persiana: non è pensabile che qualcosa di tanto corrotto come la temporalità si capovolga nell'eterno, e venga così giustificata. Ci sono due vite, come due alberi nel Paradiso Terrestre. Da un lato, corre inquietamente la vita temporale: dall'altro, come un quieto lago di luce si allarga e riposa la vita eterna, che in modo incomprensibile a noi, forse comprensibile a Kafka, «corrisponde» alla prima.

Se dalla scienza edenica passiamo a quella dell'uomo, se alla teologia congiungiamo la psicologia, abbiamo le stesse verità. La realtà quotidiana non esiste: nell'universo non c'è altro che anima, altro che spirito: solo *Seele*, solo *Geist*; e questo «ci toglie la speranza e ci dà la certezza». Ma Kafka preferisce evitare questo linguaggio carico di risonanze secolari, e intinto di dualismo: lo purifica, e parla dell'«indistruttibile» che abita in noi e ci domina e unisce tutti gli uomini tra loro, come origine «dell'incomparabile, inscindibile unione» che forma il genere umano. Che quest'«indistruttibile» ci resti nascosto: che noi perdiamo la nostra fiducia in lui: che noi lo nascondiamo con ogni specie di costruzioni e di illusioni, e magari con la fede in un Dio personale, non ha alcuna importanza; l'indistruttibile esiste ed è l'unico fondamento della nostra vita. Il male invece non è che apparenza: è totalmente *altro* rispetto all'uomo: può tentare l'uomo, sedurlo, ingannarlo, imporsi a lui, ma non può diventare uomo; e infatti Satana dovette accettare di incarnarsi nel serpente.

Sebbene Kafka eviti il nome di Dio, la sua psicologia si chiude in una metafisica monista. Il fuoco che sta in noi, vale a dire l'«indistruttibile» in noi, viene risucchiato da Dio: «credere significa: liberare in sé stessi l'indistruttibile, o meglio: liberarsi, o meglio ancora: essere indistruttibili, o meglio ancora: essere»; e l'Essere non è che una parola per indicare Dio. Un'ultima frase dice: «il cielo è muto, e fa da eco solo a chi è muto». Non importa che Dio non ci parli; o addirittura che sia morto, come aveva raccontato la *Muraglia cinese*. Kafka rovescia ogni frase sulla morte di Dio. Questo cielo, che è muto, si accorda con noi, ci fa da eco, ci risponde, se anche noi tacciamo, secondo quella quiete dell'anima, quel mite silenzio interiore, che l'albero della vita ci consiglia.

Dove esiste Dio e la verità assoluta, non c'è più la parola o una forma qualsiasi di espressione. «Il mutismo è un attributo della perfezione.»[1] Questa ineffabilità di Dio, o della verità, o del bene, o dell'anima, o dello spirito, dipende da una causa più profonda. L'immensa anima, che costituisce l'unica realtà dell'universo, ignora sé stessa: quieta, muta, racchiusa nel silenzio della propria tenebra. La verità non si conosce: «è indivisibile, perciò non può riconoscersi da sé stessa: chi vuol riconoscerla, dev'essere menzogna». Chi possiede la riflessione, lo spirito analitico, l'autocoscienza, la coscienza dell'altro, negli aforismi di Zürau, è sempre il male: il male conosce sé stesso e il bene, mentre il bene giace nella propria mite e oscura indistinzione, come insegna l'albero della vita. Non abbiamo bisogno di esperienza: come sempre, basta leggere i primi capitoli del *Genesi*. Il peccato è stato generato nell'uomo dal desiderio di conoscenza: «ciò che provoca il peccato e ciò che lo conosce è la stessa cosa»; e se desideriamo ascendere dall'albero della scienza, questo primo indispensabile gradino, fino all'albero della vita giungendo così alla vita eterna, dobbiamo cancellare in noi tutto ciò che fa ostacolo – la conoscenza, tu stesso che parli e conosci.

Kafka non ha abbastanza parole per condannare il vano desiderio di Josef K.: la confessione, l'autoosservazione, l'autoanalisi, la psicologia, tutte forme mascherate del male. «Confessione e bugia sono la stessa cosa. Per poter confessare, si mente. Ciò che si è non lo si può esprimere, appunto perché lo si è; non si può comunicare se non ciò che non si è, cioè la menzogna. Ossèrvati è la parola del serpente.» La psicologia analitica non fa che riflettere il mondo terreno

---

[1] L'edizione tedesca dei *Quaderni* non riporta questo aforisma, che si trova solo nella traduzione italiana (p. 718). Ma l'aforisma è senza dubbio di Kafka: Ervino Pocar aveva collazionato il testo pubblicato da Brod con i manoscritti.

sulla superficie celeste dell'anima. Se vogliamo raggiungere la verità indivisibile in noi, dobbiamo ignorarci, distruggerci, come insegnano i mistici: trovare ciò che noi siamo sotto le apparenze; non agire o costruirci o imporci una autodisciplina, – ma contemplare passivamente l'immenso cerchio della nostra anima quieta.

Vivere secondo l'albero della vita genera una particolare arte della visione. Lo sguardo delle nostre pupille deve, in primo luogo, ignorare noi stessi; e scendere sul nostro io come se fosse una cosa estranea, – una di quelle migliaia di cose che non ci appartengono. Anche verso il mondo, Kafka consiglia la stessa rinuncia. Qualunque persona che osservi in un certo senso partecipa alla vita, si attacca alla vita, cerca di tenere il passo col vento; e allora bisogna non osservare, o se abbiamo osservato peccaminosamente, dimenticare e cancellare tutto quello che abbiamo visto, trasformando la nostra memoria in un serbatoio vuoto. Se lo stimolo fosse ancora troppo forte, i nostri occhi debbono gettare sul mondo una luce così abbagliante da dissolverlo e farlo sparire nel nulla, come se non fosse mai esistito. Così l'arte di vedere diventa un'arte di non vedere. Solo essendo ciechi, come eravamo senza parola e senza conoscenza, possiamo conservare il dono supremo: l'incontaminata purezza dello sguardo.

Chi vive nell'eterno, non conosce che l'anima, non conosce e non si conosce, non vede e non si vede, – compie una rinuncia al mondo così radicale, come Kafka non aveva mai immaginato. Ora è solo: mai lo Straniero e lo Scapolo erano stati soli come il quieto mistico che soggiornò otto mesi nella campagna di Zürau. Ma questa totale rinuncia si capovolge nel suo contrario. Mentre lo Scapolo temeva che la solitudine gli impedisse di amare gli uomini, gettandolo nel deserto che si stende attorno alla terra di Canaan, – ora, proprio nel cuore della solitaria rinuncia al mondo, Kafka scopre l'amore per gli altri. Capisce che non può amare gli uomini «entro il mondo» come aveva fatto nella giovinezza: perché chi, «entro il mondo», ama il suo prossimo, commette la stessa ingiustizia di chi, «entro il mondo», ama sé stesso. Non può amare questo o quello: deve schivare le singole passioni; e dalla sua rinuncia ascetica fiorisce l'amore per tutti gli uomini, per tutto il genere umano, «per la vera natura umana, che non si può altro che amare, a condizione di avere la sua stessa dignità». Così, pensando disperatamente da solo, con le spalle nude, folle come un acrobata, Kafka acquistò in pochi mesi una teologia, una scienza dell'anima, una mistica, un'arte di vedere, una morale. Non gli mancava più nulla. Quell'edificio del Tutto, che aveva sognato, era chiaro, evidente, davanti ai suoi occhi. Come poteva evitare di scorgere finalmente il *luogo*, il luogo utopico, il luogo di luce, a cui tutta la sua vita aveva aspirato? «In questo luogo non ci sono mai stato: si respira diversamente: più abbagliante del sole splende accanto a lui una stella.»

Qua e là incontriamo delle massime folgoranti, che non sappiamo come interpretare. Che significa: «Il bene, in un certo senso, è *trostlos*»? Potremmo interpretare, nel modo più ovvio: il bene è «sconsolato», «sconfortato», «triste», «afflitto», «inconsolabile» (perché manca la meta, non può raggiungere quello che sogna). O, invece, è «senza speranza di miglioramento»? (il bene è il raggiungimento supremo, non può migliorarsi). O, infine, il bene è «sconfortante», «avvilente», «scoraggiante», «desolato»? Tutto lascia supporre che questa, l'interpretazione corrente, sia l'interpretazione giusta; e dovremmo dunque credere che il bene emani una scarsa attrattiva, susciti uno scarso desiderio, sia avvolto da una specie di grigiore, di mediocrità e di desolazione. Un altro aforisma sembra esaltare la metafisica dell'Essere; ma con quale capovolgimento! «Non esiste l'avere, esiste solo l'essere: solo un essere che anela all'ultimo respiro, alla soffocazione.» Il paradosso di questo Essere è che non mira all'eternità, all'immutabilità, alla luce senz'ombra: ma alla vergogna della morte, a una morte che non sappiamo se naturale o provocata, ma che forse potrebbe essere indegna come quella di Josef K. Quando mai l'Essere, che è Dio, aveva sognato la morte per soffocazione?

Queste massime sconvolgenti si spiegano, probabilmente, con quella che è la suprema nobiltà e la suprema debolezza del bene negli aforismi: la sua ignoranza, la sua incapacità di conoscere, il suo desiderio di non conoscere. Ma avremmo torto a credere che la teologia del bene di Zürau occupasse un posto assoluto nel mondo di Kafka. Mai, nemmeno in questi mesi di raccoglimento, egli condivise la pura innocenza del bene: la sua arte non rinunciò mai al dono della conoscenza: la sua teologia, anche se si rovesciava come qui nell'attesa della Quiete, nasceva da una drammatica e quasi disperata tensione intellettuale; e mentre la realtà si annullava nell'anima sconosciuta, egli continuava ad essere l'unico, paradossale osservatore che la scrutava. Una cosa Kafka non potrà mai accettare: attribuire esclusivamente al male la tremenda forza di capire l'universo. Il bene, quale egli lo inseguì per tutta la vita, non era solo una forza mite, quieta ed oscura: era un bene torturato, diviso, ferito, frantumato, – ma agguerrito da tutta la luce della conoscenza, animato da un'immensa volontà di capire.

Il secondo edificio intellettuale, che Kafka costruì a Zürau, è quello manicheo. Esso riposa sul fatto che nel Paradiso Terrestre noi abbiamo peccato: sia per aver mangiato i frutti dell'arido albero della scienza, sia, e sopratutto, per non avere ancora assaggiato i frutti beatifici dell'albero della vita, che costituisce il simbolo dell'esistenza perfetta. «Peccaminosa è la condizione in cui ci troviamo, indipendentemente da ogni colpa.» Sotto questo doppio, intollerabile carico, l'uomo di Kafka è peccatore come nessun altro uomo era mai stato: l'uomo di Agostino, il bambino che, «pallido, con lo sguardo amaro», invidiava il fratello che prendeva il latte dal seno della stessa madre, il bambino che rubava poche pere su un albero per il puro piacere di commettere il male, è un innocente accanto a lui. Così è stato cacciato per sempre dal Paradiso: le fiamme guizzanti delle spade dei cherubini si sono levate a difendere la porta; e ora vive nel deserto del mondo, senza speranza di rivedere il giardino, immerso nel fango quotidiano del male.

Mai, nella letteratura moderna, il male aveva forse regnato sopra uno spazio così gigantesco, e gettato un'ombra così sinistra sull'universo. La figura malvagia che incontriamo negli aforismi non è, come alcuni credono, una nostra illusione ottica o una nostra proiezione: non è la piccola perversione quotidiana; e nemmeno qualcosa di puramente oggettivo – quello che è «qui», come vorrebbe assicurarci una massima. In queste righe conosciamo la maestà atroce del Male Assoluto: la trascendenza del Male; una specie di Essere capovolto, che qualcuno potrebbe venerare e adorare. Se accogliessimo senza riserve un breve racconto, potremmo affermare che il Male è l'unico Essere dell'universo.

Il male conosce sé stesso: nessuno dei suoi abissi, dei suoi raggiri, delle sue astuzie, dei suoi enigmi gli è ignoto; tutti coloro che praticano l'analisi, la confessione, la riflessione, la psicologia sono suoi scolari. Il male conosce l'intera vastità dell'universo: l'innocente e oscura estensione del bene, la grande anima che s'ignora, i segreti degli spiriti individuali. «Non lasciare che il male ti faccia credere che tu potresti avere dei segreti davanti a lui.» Questa teologia culmina in un grande aforisma enigmatico: «Il male è il cielo stellato del bene». Davanti a frasi come questa, l'analisi dovrebbe arrestarsi; e, dopo aver raccolto tutte le analogie e le relazioni e i sovrapensieri e i sottopensieri, ammettere che il contenuto intellettuale brucia nella luce accecante dell'enigma, della frase assoluta, che rende vano il proprio contenuto.

Il punto di partenza è la più celebre frase della filosofia moderna: «Due cose riempiono l'animo di ammirazione e venerazione sempre nuova e crescente...: il cielo stellato sopra di me, e la legge morale in me». La prima interpretazione è chiara: il male (che si conosce e conosce) è luce, mentre il bene (che s'ignora e ignora) è tenebra. Ma forse Kafka invitava tacitamente a leggere tutta la pagina di Kant, dove il cielo stellato ci fa conoscere, da una parte, il posto che occupiamo nel mondo sensibile esterno, ed estende la nostra connessione a «una grandezza interminabile, con mondi e mondi, e sistemi di sistemi, e poi ancora ai tempi illimitati del loro movimento periodico, del loro principio e della loro durata» – e, dall'altra, «annulla la nostra importanza di creatura animale, che deve restituire nuovamente al pianeta (un semplice punto dell'universo)» la materia del nostro corpo. Dunque il male dà al bene la coscienza dei suoi infiniti rapporti con l'universo, che egli – da solo – non possederebbe? Dà al bene il senso della sua finitezza? Tutto ciò sarà per sempre misterioso. Nella nostra mente, rimane l'immagine di questo bene prono, quieto, innocente, tenebroso, silenzioso, che guarda al male come alla sua luce, – e forse come alla meta alla quale aspira.

Come il male di Baudelaire, il male di Kafka è il più grande attore, trasformista e illusionista che sia mai esistito, mentre il bene, nella sua semplicità indivisa, non è capace di recitare. Sa impersonare tutti i ruoli offertigli dal repertorio del teatro universale: nessuno lo supera nella parte del Malvagio: recita sempre, perché è sempre scisso; eppure una specie di debolezza, o un nascosto complesso di inferiorità, lo induce a rivestire sopratutto il ruolo del bene. Così possiamo assistere a spettacoli terrificanti. Davanti a noi, che dobbiamo scegliere, stanno il male e il bene: non sono figure opposte; è sempre il male, ora nella sua natura autentica, ora nella parte del bene. Se non ce ne accorgiamo, non possiamo che soccombere, perché il finto bene è molto più seducente di quello vero. Ma, se ce ne accorgiamo, una caccia di diavoli ci sospinge verso il finto bene: come oggetti schifosi, veniamo rotolati, pungolati, cacciati da una barriera di punte di spillo verso di lui; mentre gli artigli del finto bene si allungano per acchiapparci. Noi, allora, arretriamo di un passo; e, con morbida tristezza, veniamo inghiottiti dal vero male, che, alle nostre spalle, ha atteso tutto il tempo la nostra decisione. Per delicatezza verso di noi o per non spaventare le nostre anime o per scrupolo d'artista o perché, per una volta, è caduto schiavo del male, Kafka ha sottaciuto il fatto più significativo. La nostra alternativa è tra due forme di male. Non è che il bene sia meno seducente del male. Il bene è scomparso dall'universo visibile. Il mondo, dove finora avevamo visto soltanto l'Essere divino, è completamente occupato da questo enorme, intelligentissimo, agilissimo, luminosissimo, mobilissimo Essere negativo.

Non abbiamo ancora conosciuto il capolavoro dell'arte scenica del demonio. Finora, era rimasto al di fuori di noi, e si era limitato a rappresentare perfettamente il ruolo del bene. Ma il male sa fare di meglio. Se vuole, si trasforma meravigliosamente in te stesso: diventa, ecco, le tue stesse labbra, si lascia mordicchiare dai tuoi denti, e mentre tu le mordi, ti accorgi che le tue vecchie labbra – quelle che credevi *tue* – non si erano mai adattate così docilmente alla tua dentatura. Poi ti fa parlare. Non ti fa dire, come un ingenuo potrebbe credere, delle parole blasfeme, che offendano il bene, o Dio, o l'albero della vita: ma, con tua sorpresa, tu pronunci «la buona parola». Dopo aver dimostrato questo potere illusionistico, non fa fatica a sedurti. La prima delle sue arti è la più semplice. Come aveva svelato Baudelaire, appena si è infilato dentro di noi, cerca di farci credere che non esiste: noi siamo al sicuro, coi nostri segreti, protetti dalla sua onniscienza. Può scegliere anche una strada diversa. Cosa è più nobile che lottare apertamente, a viso aperto, senza mezzi termini, senza sosta, contro il male? O cosa è più dolce che dialogare con gli amici, interrompendo la quiete del silenzio? Sono alcune tra le astuzie del male: tra le molte che Kafka conosceva.

Alcuni stupendi aforismi, che hanno già i modi del racconto, narrano la condizione intermediaria dell'uomo. Sappiamo che, come nella mitologia platonica, da un lato egli vive nel Paradiso Terrestre o nel cielo, dall'altro nel mondo della caduta. Siamo doppi, intessuti di cielo e di terra. In apparenza, un testo ripete questa condizione: ogni uomo è, al tempo stesso, «un libero e sicuro cittadino della terra» e «un libero e sicuro cittadino del cielo», e ha dunque a disposizione tutte le possibilità morali e fantastiche. Ma le immagini di Kafka trasformano completamente la mitologia platonica. L'unico uomo del mito si suddivide in due uomini, che in una drammatica scissione, in una totale schizofrenia, non si incontrano mai. Il «libero e sicuro cittadino della terra» diventa un carcerato terrestre: il suo collo è legato da una catena abbastanza lunga per lasciargli raggiungere qualunque luogo terrestre, ma che gli impedisce di oltrepassare i limiti della terra; se vuol salire in cielo, il collare della terra lo strozza. Il «libero e sicuro cittadino del cielo» diventa un carcerato celeste: il suo collo è legato da un'analoga catena; se vuol scendere in terra, lo strozza il collare del cielo. La completezza della doppia esperienza si è perduta. L'abitante del Paradiso Terrestre, l'uomo abitato dall'eterno, dall'«indistruttibile», è diventato un carcerato: quella che sembrava la sua salvezza è ora la sua condanna; perché nulla ci lascia credere che le prigioni del cielo siano più accoglienti di quelle della terra.

Chiusi nel carcere terreno, proviamo il desiderio di morire: come in Platone, è il primo indizio che cominciamo a comprendere. «Questa vita ci sembra insopportabile, un'altra irraggiungibile.» Non ci vergognamo più di morire. La fede cristiana ci assicura che nel momento della morte saliremo nel cielo, liberi da ogni costrizione e da ogni peso: quella greca ci parla di metamorfosi successive, che ci porteranno in una forma più alta di vita. In Kafka, non c'è nessuna liberazione, nessun balzo, nessuna ascesa, nessun improvviso spazio di cielo. Continuiamo a vivere nel ciclo inarrestabile dei ferrei destini. Come nella gnosi, veniamo «trasferiti dalla vecchia cella che odiamo, in una nuova, che dobbiamo ancora imparare ad odiare». L'universo è una prigione, dalla quale non si esce mai. La speranza, che sembrava essersi aperta sul letto di morte, è subito chiusa. Eppure, malgrado l'inesorabilità della ripetizione, un filo di speranza rimane: un'ironica, paradossale speranza, su nulla fondata, da nulla documentata, – la sola che Kafka conosca, e che ogni volta viene delusa. «Forse, durante il trasferimen-

193

to dalla vecchia cella alla nuova, il Signore passerà per caso nel corridoio, guarderà in faccia il prigioniero e dirà: "Costui non rinchiudetelo più. Viene da me".»

Nella parabola della *Repubblica* di Platone, gli uomini vedevano riflesse sulle pareti della caverna le ombre del mondo ideale. In Kafka la caverna di Platone è diventata un moderno tunnel ferroviario. Un gruppo di viaggiatori ha subìto un sinistro: essi sono in un luogo dal quale non si vede più la luce dell'ingresso, e quella dell'uscita è così piccola, che lo sguardo deve cercarla continuamente e continuamente la perde. Non si è nemmeno sicuri se quella luce da fiammifero venga dal principio o dalla fine del tunnel. I viaggiatori stanno lì, chiusi, senza possibilità di raggiungere l'uscita che, forse, non esiste. Non sanno cosa debbano fare né perché debbano farlo: ogni questione morale, ogni etica dell'azione, ogni spiegazione delle cause sembrano assenti dalla loro vita. Eppure la vita continua. Con i sensi sconvolti, confusi o ipersensibili, essi si creano dei mostri: si abbandonano a un gioco «caleidoscopico affascinante o affaticante, secondo l'umore e la ferita del singolo»; gli amori, le passioni, i desideri, le illusioni, che rendono così colorata e penosa la nostra esistenza. Malgrado la somiglianza del tema, la differenza tra Kafka e Platone è invalicabile. Mentre le ombre, nella *Repubblica*, sono riflesse dal sole e dal mondo reale delle Idee, nella caverna di Kafka la luce del sole non si riflette. I mostri e i giochi caleidoscopici dei viaggiatori sono soltanto una semplice fantasticheria dei nostri sensi eccitati, dei nostri capricci e dei nostri dolori, ai quali nulla di oggettivo corrisponde. Nessun educatore, a differenza di quanto avviene in Platone, potrà mai liberarci dal tunnel, e condurci, a poco a poco, dalle ombre verso la luce del sole.

Il quarto raccontino è il più inquietante. Molto tempo fa, gli uomini furono invitati a scegliere tra diventare re o corrieri di re: dei o corrieri di dei. Frase enigmatica: chi pose la scelta? Dio? Ma in quel momento non c'era Dio, come apprenderemo poco dopo. Un Dio senza nome? Un Dio assente? O fu una scelta anonima, indifferenziata, posta dalla vita stessa? In ogni caso, come afferma il *Genesi* e sospettano le *Indagini di un cane*, gli uomini, all'inizio della loro storia, avrebbero potuto diventare dei e «vivere in eterno»: promulgare le leggi, contemplare gli astri, vivere raccolti attorno all'albero della vita. Ma, data la loro inguaribile frivolezza infantile, attratti dai cavalli, dai vestimenti colorati, dai campanelli, dalle stazioni di posta, dalla vita movimentata, preferirono diventare «corrieri di re». Così ora, viviamo in un mondo senza dei, perché in quel tempo originario gli dei non furono creati. Nessuno dà la Legge, impone gli ordini, promulga i veri messaggi. Non ci sono che gli uomini, corrieri di re, i quali galoppano attraverso il mondo, e siccome non ci sono dei, si gridano l'un l'altro i loro messaggi privi di senso. Che significa continuare una vita così vuota e assurda? Continuare a portare messaggi incomprensibili? I corrieri lo sanno, e volentieri la farebbero finita con la loro misera esistenza e con l'intero universo. Se continuano a correre con i loro berretti, i loro sonagli e i loro messaggi senza senso, è per via del giuramento di corrieri che hanno prestato all'inizio del mondo: giuramento in un Dio inesistente, patto tramato col vuoto, impegno col nulla.

Qualche anno dopo, Kafka avrebbe rappresentato questa parte della propria ricerca con un altro stupendo aforisma: «*Noi* scaviamo *il pozzo* di Babele».[2] Nella terra di Sennar, i discendenti di Noè avevano edificato una città e una torre, servendosi di mattone in luogo della pietra, di bitume in luogo del cemento: volevano rimanere uniti, per non disperdersi sulla faccia della terra; ed elevare la cima della torre fino al cielo, per conoscere i segreti di Dio. Kafka non aveva costruito nessuna torre: nemmeno una muraglia cinese, che difendesse il suo immenso territorio. La sua descrizione del luogo luminoso dell'Essere era stata, forse, soltanto un'illusione. Ma aveva scavato il Pozzo di Babele: come Dostoevskij, aveva cercato sempre più profondamente nella

---

[2] Così legge la traduzione italiana, che quasi sempre risale al manoscritto originale.

notte e negli abissi: era disceso nella tana dell'animale, nel sottosuolo di Dio; aveva descritto il tremendo Essere del Male, l'esistenza dell'uomo nel peccato, il doppio carcere, la dissipazione dei corrieri del re. Quale superbo pozzo di Babele! Mentre annotava a Berlino il suo aforisma, dovette essere assalito dall'inquietudine. Forse aveva peccato anche lui di *hybris*, come gli uomini di Sennar: sebbene di un'*hybris* capovolta. Forse anche lui, volendo disperatamente restare unito, si era disperso sulla faccia della terra, inducendo gli uomini a imitarlo. Forse il risultato del suo scavo era stato soltanto la confusione delle lingue – un messaggio senza senso e incomprensibile, come quello degli ultimi corrieri del re.

IX

MILENA

Nei primi giorni di aprile del 1920, Kafka giunse a Merano, per curare, in un clima più mite, la propria tubercolosi. Quando la vide per la prima volta, la pensione Ottoburg non lo attrasse: era piccola e somigliava un poco a una «tomba di famiglia» anzi a una «fossa in comune». Qualche giorno dopo, il 10 aprile, ci ritornò; e la pensione, malgrado la sua aria funeraria o proprio per questo, gli piacque. Gli ospiti erano tutti tedeschi cristiani. Kafka si era fatto mettere a un tavolino isolato, sia per le sue abitudini vegetariane, sia per la sua obbedienza al metodo Fletcher, che lo obbligava a masticare cento volte ogni boccone. Ma, appena si sedette, un colonnello, che fungeva da capotavola, lo invitò subito alla *table d'hôte* così cordialmente che Kafka non poté rifiutare. Gli piaceva sopratutto il balcone della sua stanza: era al primo piano, esposto al sole e affondato nel giardino, circondato, quasi ricoperto dai cespugli: le lucertole e gli uccelli venivano a trovarlo; e, sul fondo, gli arbusti in piena fioritura, alti come alberi, formavano una specie di quinta teatrale, mentre più lontano altri grandi giardini – i treni della ferrovia – sembravano stormire. Passava la maggior parte della giornata coricato quasi nudo sul balcone. Un giorno, vicino a lui, un coleottero cadde sul dorso, ed era disperato di non potersi rizzare: Kafka non lo aiutò, perché stava leggendo una lettera di Milena; una lucertola scivolò sopra il coleottero e lo raddrizzò, il coleottero rimase ancora un istante fermo, come se fosse morto, e poi si arrampicò di corsa per il muro della casa.

In quei giorni di aprile, scrisse due lettere a Milena Je-senkà, una giovane ceca, che conduceva una vita triste a Vienna, accanto a un marito torturatore. L'aveva conosciuta a Praga nell'ottobre 1919, quando Milena aveva manifestato l'intenzione di tradurre in ceco i racconti di Kafka. Mentre aveva ricordato fino all'ossessione tutti i particolari del volto di Felice, non ricordava nulla del viso di Milena: nella sua memoria era rimasta soltanto una figura, un abito, un'aura. Girava e rigirava quell'esile ricordo: gli sembrava di ricono-scere sotto l'aspetto delicato una freschezza quasi campa-gnola; e via via che lettere sempre più accese giungevano da Vienna, trasformava l'impressione delle lettere in una visio-ne a distanza, esatta come in una comunicazione medianica. Lo stile epistolare diventava la luce degli occhi di lei, il re-spiro delle sue labbra, i movimenti del corpo e delle mani, così rapidi e così risoluti, – ma quando si avvicinava al volto non vedeva altro che fuoco. Milena gli aveva detto che, a Vienna, non «poteva respirare». L'impressione della sua in-felicità lo attrasse; e con l'audacia dei timidi la invitò subito a Merano. «Non do consigli – come potrei consigliare? – ma domando soltanto: perché non si allontana un poco da Vienna? Lei non è senza patria come altre persone. Un sog-giorno in Boemia non le darebbe nuova energia? E se per qualche ragione, che io non conosco, forse non vuole anda-re in Boemia, potrebbe andare altrove, forse Merano stessa andrebbe bene.»

Con rapidità e naturalezza, come se l'avesse conosciuta da sempre, Kafka le confidò subito i grandi segreti della sua vita: la tubercolosi, la spiegazione psicologica della tuberco-losi, il Processo al quale era sottoposto, i suoi fidanzamenti, il suo senso di colpa. Fece così solo con Felice e con Mile-na? Oppure c'era in lui – il solitario, il separato – il dono di aprire agli altri il suo cuore, per legarli per sempre a sé stes-so, come un Cristo che dice: *vide, cor meum*? Non solo le aprì il suo cuore, ma cercò di farle aprire il proprio, insi-nuando che anche i polmoni di lei erano malati per ragioni psichiche, e presentandosi come confidente e medico. Fu subito curioso di tutto ciò che la riguardava, come era stato con Felice, sebbene non in modo così molecolare: «È bella la Sua casa?». La invitò ad abbandonarsi alla propria malattia: «Ogni tanto ci dovrebbe essere pronta per Lei, nella penombra del giardino, una sedia a sdraio con una decina di bicchieri di latte a portata delle Sue mani. Anzitutto, in ogni caso,... trarre dalla malattia... la maggior dolcezza possibile. Essa ne contiene molta». Per lei, estrasse dal suo cuore ferito la delicatezza e la gentilezza quasi estenuata che vi si nascondeva; e con una insinuante grazia, con tenui carezze e baci verbali, cominciò ad attrarla verso il suo mondo: «Non che Lei non sia padrona del tedesco. Per lo più ne è padrona in modo stupefacente e, se qualche volta non lo è, esso si piega davanti a lei spontaneamente, e ciò è più che mai bello; cosa che un tedesco non osa nemmeno sperare dalla sua lingua, perché non osa scrivere in modo così personale. Ma vorrei leggere uno scritto Suo in ceco, perché al ceco Lei appartiene, perché qui soltanto è tutta Milena..., mentre là è sempre soltanto quella di Vienna o che per Vienna si prepara». Questo lieve sfiorare le acque placate del cuore provocò in lui una crisi di insonnia. Lei, invece, dormiva tranquilla. Con la sua galanteria da ragazzo e da vecchio gentiluomo, commentava: «Se dunque di notte il sonno mi passa davanti, so la via che prende e accetto». Sapeva che il sonno era la grazia suprema e lui, l'insonne, era l'uomo della tenebra, il supremo colpevole. Ma, per una volta, mitigò la sua colpa. Se lui non dormiva – spiegò – era perché il suo corpo non aveva peso, e invece di entrare in quella cosa greve che era il sonno, volava capricciosamente intorno fino al soffitto.

Molta parte di quest'amore, la creò Kafka: molta ne trasse dalla sua immaginazione incendiaria. Mentre Felice era rimasta passiva sotto i suoi razzi epistolari, la fantastica Milena collaborò con una inventiva continua alla creazione di questo rapporto a distanza. Subito Kafka avvertì, in lei, «il fuoco» della passione: lei era fuoco e le sue lettere generavano fuoco, e lui era come il moscerino o la farfalla dell'apologo iranico, che si bruciava alla fiamma. Senza essersi mai conosciute, le due anime si accesero l'una dell'altra: la divisione le teneva unite più della vicinanza; non era necessario il gesto dei corpi, il bacio, l'abbraccio, bastava l'impulso incontaminato del desiderio, come se solo la distanza potesse cancellare il limite delle persone chiuse in sé stesse. Così Kafka vedeva l'immagine di Milena tutto il giorno nella propria camera, sul balcone, nelle nuvole: l'amata aveva attraversato gli spazi e respirava accanto a lui, su di lui: «È vero che la mia camera è piccola, ma qui è la vera Milena che evidentemente le è scappata domenica e, mi creda, è meraviglioso starle accanto... E poi sarebbe una menzogna se dicessi che sento la mancanza di Lei, è la magia più perfetta, più dolorosa, Lei è qui esattamente come me e più ancora; dove sono io è Lei, come me e più ancora».

Davanti all'assalto amoroso di Milena, Kafka si arrese subito: passivo, sfibrato, in una condizione di dipendenza totale, perduto, ridotto a un'ombra, come non era mai accaduto nel rapporto con Felice. Lui era Sansone, che aveva rivelato a Milena-Dalila il segreto della sua forza e della sua vita. Con lei perdeva tutto: persino il nome. A volte, specie più tardi, gli sembrava «un sacrilegio» dipendere così da un'altra creatura umana; e questa dipendenza faceva nascere l'angoscia – non l'angoscia innata nell'amore, ma l'angoscia della soggezione amorosa. Ripeteva che lei gli apparteneva, anche se non avesse dovuto mai più rivederla; e allora sarebbe stato necessario che anche lei dipendesse allo stesso modo da lui – ma sapeva bene che questo non era vero: Milena era sola, autonoma, nel suo castello di fantasie. Da lei non voleva il matrimonio, che aveva chiesto a Felice: ma soltanto la felicità – la piena, bruciante, intollerabile felicità. Le sue lettere erano già un anticipo di questa felicità futura: ne traeva gioia, allegria, salvezza: gli sembrava che Milena si immolasse per lui; e con quale slancio di gratitudine la ringraziava per il semplice fatto di esistere. Nel lunghissimo rapporto epistolare con Felice, qualcosa, in lui, era sempre rimasto rigido: ora si abbandonò, si sciolse e si donò, con una immediatezza che non aveva mai conosciuto. Per la prima volta nella sua vita, intuì cosa fosse essere libero.

Subito presentì che l'amore, tra loro, non avrebbe potuto essere che angoscia e tremore. Temeva che Milena, dopo averlo attirato, lo avrebbe respinto nella sventura: ma proprio questo eventuale rifiuto l'affascinava. Più profondamente, aveva paura dello sconvolgimento che sarebbe stato, che era già per lui l'amore. «Tu hai 38 anni e sei tanto stanco come probabilmente non ci si può stancare per la sola età. O meglio: non sei affatto stanco, ma irrequieto, e hai paura di fare un solo passo su questa terra irta di tagliole, perciò tieni sempre, per così dire, i due piedi sollevati contemporaneamente nell'aria; non sei stanco ma hai soltanto paura dell'enorme stanchezza che seguirà quest'enorme inquietudine (non per nulla sei ebreo e sai che cosa sia l'angoscia) – stanchezza che può essere pensata come un guardare da ebete davanti a sé... Sei già diventato invalido, uno di coloro che si mettono a tremare appena vedono una pistola da bambini e ora, ora all'improvviso, è come tu fossi richiamato alla grande lotta redentrice del mondo.» Qualsiasi minimo evento accadesse, diventava isterico: un'onda di ansia e di frenesia lo sconvolgeva; senza capacità di controllo e di difesa. «Questo incrociarsi e attraversarsi di lettere deve cessare, Milena, ci fanno impazzire, non si sa che cosa si è scritto, e che cosa si riceve in risposta e, comunque sia, si trema sempre... La mia natura è: angoscia.» La voce di Milena, che lo voleva con sé a Vienna, era per lui la stessa terrificante voce di Dio che chiamava i profeti: come loro, lui era soltanto un piccolo bambino atterrito – o un passero che beccava le briciole nella sua stanza, tremando, stando in ascolto, con le penne arruffate. Tutto il mondo gli crollava intorno. «Incomincio davvero a tremare come sotto la campana a martello, non posso leggere, e naturalmente leggo lo stesso, come l'animale che muore di sete beve, e ho angoscia e angoscia, cerco un mobile sotto il quale possa rintanarmi, prego tremando e del tutto fuori di me in un angolo perché tu, come sei entrata rombante in questa lettera, possa volare di nuovo via dalla finestra, non posso tenere nella mia camera un uragano: in tali lettere tu devi avere la testa grandiosa della Medusa, così guizzano i serpenti del terrore intorno al tuo capo e, intorno al mio, ancor più selvaggi i serpenti dell'angoscia.» Non rispondeva a Milena le lettere fluide e interminabili, che aveva scritto a Felice: ma frantumi, schegge, talvolta ellittiche, oscure, nebbiose, ottenebrate, spesso ricorrendo, come per difendersi, alle figure letterarie della sua adolescenza.

A fine maggio, Milena l'aveva invitato a passare da Vienna, durante il viaggio di ritorno a Praga. Ma Kafka si difese, e negò, temendo che l'amore riprendesse per lui il terribile volto che aveva assunto durante il suo primo fidanzamento. «Io non voglio (Milena, mi aiuti! comprenda più di quanto non dico), non voglio (non è un balbettio) venire a Vienna perché non sopporterei spiritualmente lo sforzo. Sono malato spiritualmente, la malattia polmonare è soltanto uno straripare della malattia spirituale. Io sono tanto malato dopo i quattro, cinque anni dei miei due primi fidanzamenti.» Aveva ricevuto un telegramma da Julie, la sua attuale fidanzata: «Appuntamento Karlsbad giorno otto prego conferma scritta»: a Milena parlò della fidanzata, l'essere «più disinteressato, più tranquillo, più modesto»: le disse che forse aveva mandato a Julie una lettera sul rovescio di una delle lettere incominciate per lei; e le confessò che, appena ricevuto il telegramma, lo guardava e non riusciva a leggerlo. Era come se ci fosse una scrittura segreta che cancellava lo scritto e diceva: «Fa' il viaggio passando per Vienna!».

Fece delle prove puerili: gettò a un passero del pane nel mezzo della sua stanza: se il passero fosse entrato, sarebbe andato a Vienna; dal balcone, il passero scorse nella penombra l'alimento della sua vita, aveva paura ma era attratto smisuratamente, era ormai più nel buio che nella luce, – e quando venne il momento della prova, egli lo rese vano, facendo fuggire il passero «con un piccolo movimento». Ribadiva che non sarebbe mai andato a Vienna – e nemmeno a Karlsbad: certamente non sarebbe venuto, ma se con sua paurosa sorpresa fosse arrivato a Vienna, non avrebbe avuto bisogno né della colazione né della cena, ma di una barella sulla quale coricarsi un momento. Immaginava il suo arrivo: «Apparirà un uomo alto e scarno, sorriderà gentilmente (lo farà sempre, lo ha preso da una vecchia zia che anche lei sorrideva sempre, ma entrambi non lo fanno con intenzione, soltanto per timidezza) e si metterà a sedere dove gli sarà indicato. Con ciò la festa sarà terminata, poiché egli quasi non parlerà, per farlo gli manca l'energia vitale... Non sarà neanche felice, anche per questo gli manca l'energia vitale». Infine chinò il capo davanti alla volontà e alla violenza amorosa di Milena: sì, sarebbe venuto, alla fine di giugno. Sognò il proprio viaggio. Aveva dimenticato l'indirizzo di lei, la via, la città, tutto: solo il nome Schreiber gli affiorò in qualche modo nella mente, ma non sapeva chi fosse. Milena era perduta. Nella sua disperazione, fece diversi tentativi astutissimi, che però non vennero eseguiti e dei quali uno solo gli rimase nella memoria. Scrisse su una busta: «Milena» e sotto: «Prego di recapitare questa lettera, perché altrimenti l'amministrazione delle Finanze subisce un danno enorme». Con questa minaccia sperava di mettere in moto tutti i mezzi dello Stato, perché Milena fosse rintracciata. Oppure sognava che Vienna era soltanto una piazzetta tranquilla, con un lato formato dalla casa di Milena, dirimpetto l'albergo dove lui sarebbe stato alloggiato: a sinistra la stazione Ovest alla quale sarebbe arrivato, e a destra la stazione Francesco Giuseppe dalla quale sarebbe partito. Poi negò ancora: non sarebbe andato a Vienna. Un simile viaggio andava al di là della sua energia spirituale.

Prima di conoscere Milena, aveva già formato in sé l'immagine di quella ragazza di Praga, che avrebbe dominato per anni la sua esistenza. Felice era stata, per lui, la moglie devota, senza ombre di eros, che doveva condurlo nella terra di Canaan. Milena era invece una possente e irradiante figura erotica: ma il suo fascino non affondava nei sensi; non aveva nulla di quella atmosfera notturna, di quel desiderio di sporcizia e di sudiciume, che egli legava alla sessualità, e che rappresentò nel rapporto tra K. e Frieda. L'eros di Milena respirava l'aria del paradiso terrestre, prima del peccato di Adamo e di Eva. Come Kafka disse esplicitamente, Milena era «la Madre»: l'immensa, vitale, nutritrice, figura erotica materna, nata dai suoi sogni incestuosi, che aveva rimosso per tutta la vita. Rispetto a Milena imitava la figura del figlio, del bambino e dello scolaro: «Vorrei essere Suo allievo e fare continuamente errori solo per poter essere rimbeccato da Lei: sto seduto sul banco di scuola, oso appena alzare gli occhi, Lei si china sopra di me e in alto balena continuamente il Suo indice col quale accompagna le osservazioni»: «e qui sto davvero davanti a te come un bambino che ha fatto qualcosa di molto cattivo, e ora si trova davanti alla mamma e piange e piange e fa un voto: "non lo farò mai più"». Siccome era la madre, Milena era anche il mare: con le sue infinite masse d'acqua, con le sue inondazioni, con la forza della marea che attrae e viene attratta: le lettere di lei erano acqua da bere; e, reciprocamente, l'amore di lui doveva essere il flutto che la inondava, senza più nulla della rigidità dedicata a Felice. Così Milena aveva, nella realtà o nel sogno, tutte le qualità materne: l'equilibrio, la calma, la fiducia, la chiarezza, la forza di verità, l'incapacità di menzogna; l'intelligenza chiaroveggente, il coraggio, la grandezza d'animo, la dolcezza che allontana la sofferenza.

Ma Milena era anche la figura simbolica opposta: la casta luna, inattingibile nella sua lontananza, che attrae le acque marine; la fanciulla, la vergine, la Bella, – opposta a lui, oscuro animale dei boschi. Se Milena-madre allontanava con la sua mano soave ogni dolore, Milena-luna portava ogni dolore, dai suoi occhi irraggiava il dolore del mondo, soffriva e faceva soffrire, – ed era la regina del dolore. Eros, in lei, aveva il volto di Thanatos. Già agli inizi della loro corrispondenza Kafka la vide come l'angelo della morte, il più beato fra gli angeli, che toglie agli uomini la forza e il coraggio di morire. Ma Milena era anche qualcosa di più terribile. Dalle sue lettere, Kafka immaginò un'oscura storia di orrori, che aveva accompagnato la sua giovinezza; e scorse in lei Medusa, coi serpenti del terrore intorno al capo, che lo guardava con un occhio così penetrante da pietrificare. Aveva terrore della sua intelligenza, della sua forza, del suo coraggio, della sua energia vitale, della sua disperazione, della sua nascosta abiezione, della sua grandezza d'animo. Una sola cosa, in lui, non la temeva: la letteratura. Mentre Felice, il matrimonio, la terra di Canaan facevano fuggire la letteratura, il dolce e libero abbraccio erotico di Milena proteggeva la letteratura – e, forse, la comprendeva in sé.

Il 24 giugno Kafka scrisse a Milena che aveva deciso di arrivare a Vienna il 29, martedì – «a meno che succeda dentro o fuori qualcosa di imprevisto». Non aveva la forza di fissarle già ora un appuntamento: «fino allora soffocherei, se oggi, adesso, ti dicessi un luogo e per tre giorni e per tre notti vedessi come è vuoto e come aspetta che martedì mi ci fermi ad un'ora determinata». Arrivò la mattina alle dieci, quasi svenuto dall'angoscia e dalla stanchezza. Non dormiva da due notti. Le scrisse subito, da un caffè della stazione Sud: l'aspettava la mattina dopo, mercoledì, alle dieci, all'Hotel Riva. «Ti prego, Milena, non sorprendermi arrivando di fianco e di dietro.» Intanto, avrebbe consumato il tempo dell'attesa, «vedendo i monumenti», visitando i luoghi che Milena frequentava: la Lerchenfeldtstrasse dove era la sua casa, l'Ufficio Postale, dove riceveva al fermo posta le lettere di Kafka, la circonvallazione meridionale, la venditrice di carbone, – tutto, possibilmente, senza farsi vedere. Ma Milena non ebbe pazienza di attendere così a lungo il suo complicatissimo innamorato: passò in rassegna tutti gli alberghi presso la stazione, e finalmente lo trovò, in un'ora che ignoriamo del 29 giugno.

Così, in quell'ora incerta – lui quasi svenuto, lei affettuosa e sicura – cominciarono i quattro giorni e mezzo di Franz Kafka a Vienna: gli unici di intimità con Milena. Non ne sappiamo molto: passarono molte ore nei boschi presso

Vienna: sostarono in un giardino pubblico sotto una statua di Grillparzer, furono in una cartoleria, lui vide la casa e la stanza di lei, dove trionfava un pesantissimo armadio; e la domenica mattina, il giorno della partenza, lei portava un abito «follemente bello». Abbiamo due versioni: quella positiva e vitalistica di Milena e quella, più perplessa, di Kafka. Qualche mese dopo Milena scriveva a Max Brod: «Quando sentiva quell'angoscia, egli mi guardava negli occhi, aspettavamo un momento come se non riuscissimo a tirare il fiato o se i piedi ci facessero male, e dopo poco tutto passava. Non c'era bisogno di nessuno sforzo, tutto era semplice e chiaro, lo trascinai per le colline presso Vienna, lo precedevo correndo mentre lui camminava adagio pestando i piedi dietro a me, e se chiudo gli occhi vedo ancora la sua camicia bianca e il collo scottato dal sole e lo vedo affaticarsi. Camminò per tutta la giornata, in salita, in discesa, esposto al sole, non tossì neanche una volta, mangiò tanto da far paura e dormì come un masso, era semplicemente sano e in quei giorni la sua malattia ci parve qualcosa come un piccolo raffreddore». Kafka distingueva i giorni: «Il primo fu l'incerto, il secondo il troppo certo, il terzo il contrito, il quarto fu il buono»; e l'anno dopo, scrivendo a Brod, disse che «felicità furono soltanto i frammenti di quattro giorni strappati alla notte». La domenica mattina, alle sette, Kafka partì per Praga: Milena lo accompagnò alla stazione. «Come eri bella in quel punto! O forse non eri neanche tu? Sarebbe stato molto strano che tu ti fossi alzata così presto. Ma se non eri tu, in che modo hai saputo con tanta precisione come è stato?»

Appena tornato a Praga, per la felicità e la follia, nella sera di domenica Kafka scrisse tre lettere a Milena. «Tutto il tempo e mille volte più di tutto il tempo e anzi tutto il tempo che esiste mi occorre per te, per pensare a te, per respirare in te.» Ormai, al mondo, non esistevano altro che lei e lui: quel «noi» che ora declinava all'infinito; non esisteva più né passato né futuro, ma solo il presente irradiato dalla luce dei suoi grandi occhi azzurri. Egli si annullava in lei, si perdeva in lei senza lasciare residui: non c'era più marito né amici, e quel «noi» era così gigantesco da riempire il mondo. Non temeva più di morire: anzi desiderava morire di felicità amorosa, e poi rinascere grazie al dono di quella felicità. Nel cielo c'era un'immensa campana che suonava: «lei non ti abbandonerà» – sebbene, ecco, mescolato a quella campana, un campanellino suonasse insistente nell'orecchio: «lei non è più con te...». Perduto in quest'estasi, Kafka ferì profondamente, come non gli capitava mai, un altro essere umano. Fu spietato con Julie, la fidanzata. La incontrò nella piazza San Carlo: le parlò di Milena; e per lunghi minuti la ragazza rimase accanto a lui, tremando in tutto il corpo. Non poté fare a meno di dire che accanto a Milena tutto il mondo scompariva, e si riduceva a nulla. Lei formulò l'ultima domanda: «Non posso andar via, ma se mi mandi tu me ne vado. Mi mandi via?». Kafka rispose: «Sì». E lei: «Ma non posso andarmene». Pretese di scrivere a Milena e Kafka lo concesse, pur sapendo che non avrebbe dormito per due notti. La storia della lettera finì in modo tragicomico. Kafka aveva promesso a Julie di fare una gita col vaporetto il martedì, alle tre e mezza di pomeriggio. Ma passò la notte quasi senza dormire; e la mattina presto le scrisse una lettera per posta pneumatica, rinviando l'appuntamento alle sei. Aggiunse: «Spedisci la lettera a Vienna soltanto dopo che ne avremo parlato». Senonché la mattina presto Julie, quasi fuori di sé, senza sapere cosa dicesse a Milena, aveva già scritto la lettera e, nell'ansia, l'aveva imbucata. Ora, ricevendo quel messaggio pneumatico, completamente succube di Kafka, corse angosciata alla posta centrale, riuscì a trovare la lettera a Milena, l'acciuffò e – tanto era felice – diede all'impiegato postale tutto il denaro che aveva con sé: una somma enorme.

Il giovedì mattina, arrivò la prima lettera di Milena. E subito l'Eden del presente, del puro ricordo, dell'estasiata felicità, in cui Kafka aveva vissuto per quattro giorni, si frantumò. Milena gli parlava del marito: Kafka avrebbe voluto partire per Vienna e strappare Milena al marito e prenderla con sé a Praga: o, almeno, le proponeva di tornare a Praga con un'amica, Staša. Questo lo avrebbe confermato nella sua esistenza: proprio lui, il paria, pedina di una pedina, avrebbe occupato per la prima volta il posto di un re nel gioco degli scacchi. Poi comprese che Milena non sarebbe venuta. La tosse lo riprese il giorno e la notte. Tutto diventò buio – anche Vienna, la lontana, che pure era stata così chiara per quattro giorni. «Che cosa vi si cucina per me, mentre me ne sto qui seduto e smetto di scrivere e mi prendo il viso tra le mani?» L'effetto, «meravigliosamente tranquillante-inquietante», della vicinanza fisica di Milena svanì col passare dei giorni. Non aveva nessuno, tranne l'angoscia; e stretto e convulso si rotolava con lei attraverso le notti. A tratti aveva una speranza assurda: guardava la pioggia dalla finestra aperta e poi – l'eventualità più naturale e più ovvia – pensava che la porta si sarebbe aperta e Milena sarebbe apparsa. Il venerdì non arrivarono lettere – e neppure sabato 10 luglio, domenica 11 luglio. Era disperato. *Mai* sarebbe arrivato più nulla. Il sabato andò ogni due ore in ufficio, per vedere se c'era posta: la sera alla *Tribuna*, da Laurin, un giornalista che conosceva, il quale gli parlò di una lettera di Milena, e solo il ricordo di una lettera di lei lo rese felice: passò la sera con Laurin, udì più volte il nome di Milena e gliene fu grato. Si annoiava: ma si ripeteva: «ancora una volta, ancora una volta sola voglio udire il *suo* nome». La domenica andò ancora peggio. Passò tutta la mattinata a letto: tornò in ufficio a chiedere se c'era un telegramma; poi bussò alla casa di un'amica di lei, per il solo gusto di dire il nome di questa amica, e infine passò al Caffè Arco, che una volta Milena frequentava, cercando qualcuno che la conoscesse. Non c'era nessuno. Ma il lunedì arrivarono, tutte insieme, quattro lettere – «questa montagna di disperazione, dolore, amore, amore ricambiato».

In una di queste lettere, Milena gli scrisse qualcosa che lo ferì profondamente: «Sì, hai ragione, io gli voglio bene. Ma, Franz, anche a te voglio bene». Lesse la frase molto attentamente, parola per parola: «eppure, per non so quale debolezza, non riesco ad afferrare la frase, la leggo all'infinito e infine la trascrivo qui ancora una volta, affinché anche tu la veda e tutti e due la leggiamo insieme, tempia contro tempia (i tuoi capelli contro la mia tempia)». Lo feriva quell'*anche*, con cui Milena lo posponeva al marito. Aveva compreso che Milena amava profondamente il marito – con un amore fatto di passività, di soggezione erotica, di complicità e di abiezione. Eppure lo accettava: quell'amore, per quanto oscuro fosse, non lo rendeva invidioso; egli non esigeva l'esclusività degli affetti, come la esigeva da Felice. «E se noi ci uniamo,... ciò avviene sopra un altro piano, non nel suo territorio.» Qual era questo piano? Kafka chiedeva l'esclusività delle attenzioni coniugali: di queste era gelosissimo; voleva che le cure, le gentilezze, il denaro con cui mantenerla, venissero soltanto da lui. «Scrivimi subito se è arrivato il denaro. Se dovesse essersi perduto, te ne mando dell'altro, e se questo dovesse andar perduto, dell'altro ancora, e così via, finché non ci rimanga più nulla e soltanto allora tutto sia in ordine.» Quanto a Milena, essa avvertiva o immaginava che il marito aveva bisogno di lei, intimamente bisogno di lei, e che senza di lei non poteva vivere: Kafka non sopportava questo rapporto di dipendenza; non sopportava, sopratutto, le sue cure esteriori per lui, come l'abitudine di pulirgli le scarpe con attenzione scrupolosa e devota. «Continuamente tu versi tutto il mistero della vostra infrangibile unione, questo ricco e inesauribile mistero, nella preoccupazione per i suoi stivali. Vi è qualcosa che mi tormenta! Ma è molto semplice: se tu dovessi andartene, egli o vivrà con un'altra donna, o altrimenti andrà in una pensione e i suoi stivali saranno meglio puliti di adesso.» L'immensa gelosia di Kafka si concentrava sulle cose, sui feticci, – invece che sui sentimenti.

In quei giorni, Kafka scrisse a Milena una strana e accesa rivendicazione di sé stesso – forse l'unica che abbia mai avanzato. Lui – disse – non era nemmeno un suonatore: era uno dei merciai che, nell'anteguerra, percorrevano i sobborghi di Vienna: o era piuttosto, nell'economia della grande casa di Milena, un topo al quale si può permettere al massimo una volta all'anno di attraversare liberamente il tappeto. «Eppure, se tu volessi venire da me, se dunque – giudicando con metro musicale – volessi abbandonare tutto il mondo per scendere da me, così in basso che dalla tua posizione non solo si veda poco, ma non si veda niente affatto, tu per questo – stranamente, stranamente! – non dovresti scendere, bensì passare in modo sovrumano *sopra* te stessa, in alto, *sopra* te stessa, a un punto tale che dovresti forse dilaniarti, precipitare, scomparire.» Egli viveva nelle bassure – ma per giungere in quel grigiore da merciaio o da topo, ci volevano ali. Poi, si accorse che se lei era legata al marito con un matrimonio indissolubile e addirittura sacramentale, anche lui era legato – non sapeva con chi, ma lo sguardo di questa moglie terribile si posava spesso sopra di lui; e questi due legami si rafforzavano a vicenda. Chi era la sconosciuta? La tisi, la letteratura, la morte – o qualcosa di ancora più remoto e misterioso, un legame di cui non si rendeva nemmeno conto? Comprese che non solo Milena non avrebbe lasciato il marito, ma se l'avesse lasciato non l'avrebbe fatto per lui. Lo capì con infinita amarezza e desolazione; e col solito complesso di colpa ne attribuì la causa alla sua natura di ultima pedina degli scacchi.

Continuò per qualche mese a immaginare e a ricevere lettere: non faceva altro che scrivere lettere, leggere lettere, prendere in mano lettere, posarle, riprenderle, posarle e riprenderle ancora; e guardava dalla finestra, come nell'adolescenza. Malgrado tutto, queste lettere – le care, fedeli, allegre lettere portatrici di felicità e di salvezza – gli davano gioia. C'era mai stato, nella storia universale, un imperatore che stesse meglio di lui? Entrava nella stanza, ed ecco lì tre lettere: non aveva che da aprirle – come erano lente le dita – e appoggiarsi a loro, senza osare credere alla propria felicità. Poi arrivava un ritratto di Milena: qualcosa di inesauribile – «una lettera per un anno, una lettera per l'eternità» –; che poteva guardare solo col batticuore. Quando la posta non arrivava, viveva col fantasma di Milena: la metteva a sedere sulla seggiola a sdraio e non sapeva come abbracciare con parole, occhi, mani, la gioia che era lì e gli apparteneva. Oppure la sognava. Qualche volta, erano sogni tristi. Lei parlava: ma, nelle sue parole, c'era qualcosa di inafferrabile, quasi un rifiuto. Nulla tradiva i suoi modi allontananti, ma la distanza esisteva. Milenà aveva un viso incipriato fin troppo visibilmente: forse era accaldata; e sulle guance si erano formati dei disegni di cipria. Lui stava di continuo per domandarle perché si fosse incipriata: appena si accorgeva che stava per aprire bocca, lei chiedeva affabilmente: «Che cosa vuoi?». Lui non osava domandare: intuiva in qualche modo che quella cipria doveva essere una prova, una prova decisiva, capiva che avrebbe dovuto domandare, e voleva farlo, – ma non osava. Durante il giorno, malgrado la proibizione di Milena, leggeva di nascosto i suoi articoli sulla *Tribuna*. Ne trovò uno che distingueva gli stili dei nuotatori tra loro: c'è chi nuota con eleganza col corpo a filo d'acqua e chi, pesantemente, col corpo affondato nell'acqua. Come naturale, lui nuotava col peso ai piedi. Poi trovò un articolo sulla moda – e cercava con gli occhi attorno a sé, per le vie di Praga, le ragazze boeme che ubbidivano ai preziosi suggerimenti di Milena.

Sognava ancora di vivere insieme a Milena. Come sarebbe stato bello: – domanda e risposta, occhiata contro occhiata. Qualunque cosa potessero dire di lei gli altri e qualunque cosa facesse, sia che restasse a Vienna assieme al marito, sia che venisse a Praga, sia che rimanesse sospesa tra Vienna e Praga, – lei aveva ragione. Per amor suo, sia pure a denti stretti, era disposto a sopportare tutto: lontananza, ansietà, preoccupazione, mancanza di lettere; e i giorni privi di lettere non erano orribili, erano soltanto pesanti, la barca era sovraccarica, pescava troppo, eppure galleggiava sulle sue onde. Spesso, come a Merano, voleva sciogliersi in lei: posarle il viso nel grembo, sentire la sua mano sul proprio capo, e rimanere così per sempre. Avrebbe voluto smarrire il nome e la figura, ed essere soltanto uno dei suoi oggetti, come il felice armadio della sua camera, che poteva guardarla in faccia quando stava sulla sedia a sdraio o alla scrivania o si metteva a letto a dormire. Da principio, scrivendole, aveva firmato Franz Kafka, poi solo Franz, e poi solo «tuo»: voleva perdere il nome, gettarlo nella sua ombra, dimenticare la propria identità. Infine scrisse: «Franz sbagliato, F sbagliato, tuo sbagliato, non più, silenzio, bosco profondo». Lui, il possesso, l'amore si erano perduti nella tenebra del bosco di Vienna, nella tenebra di tutti i silenzi e le cancellazioni e le dissoluzioni e i boschi e le morti dell'universo.

Come erano lontani, a distanza di un mese, i quattro giorni passati insieme a Vienna – le passeggiate nei boschi, l'acquisto dal cartolaio, la sosta nel giardino pubblico, l'armadio –, sebbene fossero stati soltanto brandelli di felicità. Ora c'era solo buio: sopra tutte le cose. E la tortura. Le spade si avvicinavano lentamente al corpo: quando cominciavano a scalfirlo, era talmente spaventoso che subito, col primo grido, tradiva lei, sé, tutto. Milena cercava di consolarlo, proponendogli una futura vita insieme. Non c'era nessuna possibilità: non c'era in nessun caso la possibilità che credevano di avere a Vienna; non l'avevano neanche allora, lui aveva guardato «oltre la sua siepe», si era aggrappato in alto, – poi era ricaduto all'indietro, con le mani straziate. «Il mondo è pieno di possibilità, ma io non le conosco ancora.» Non sarebbero mai vissuti insieme: in una casa comune, corpo accanto a corpo; e prima di «mai» c'era ancora «mai». Se lei fosse venuta a Praga, lui avrebbe vinto una prova, forse l'unica: avrebbe dimostrato a sé stesso di meritare l'amore di una donna – ma l'aveva fallita. Così, ora, non voleva vederla, per pochi giorni, a Praga. «Questa mattina per esempio, ho cominciato all'improvviso a temere, a temere amorosamente, a temere col cuore stretto che, sviata da qualche inezia fortuita, tu potessi arrivare a Praga all'improvviso.» Né lui sarebbe andato a Vienna: non voleva dividerla col marito; e ogni menzione di questo viaggio era un fuoco che lei gli accostava alla pelle nuda.

Alla fine di luglio, Milena seppe da Max Brod che Kafka era gravemente malato e decise di vederlo subito. Non lo amava: era troppo angelico e irreale, mentre lei posava i suoi fermi e coraggiosi e fantastici piedi sul terreno colorato della realtà. Ma lo capiva – con quale intelligenza, esattezza, e forza femminile. Da principio, Kafka rifiutò: come uno scrupoloso scolaro, non voleva dire menzogne in ufficio; l'ufficio – e prima la scuola elementare, il ginnasio, l'università, la famiglia – era per lui una cosa estranea fino all'assurdo, ma con la quale era unito in un modo che esigeva riguardo. Sentiva in lei un'angoscia segreta, non sapeva se per lui o contro di lui, un'inquietudine, una fretta improvvisa. Il convegno fu fissato: si sarebbero incontrati a Gmünd, alla frontiera fra Austria e Cecoslovacchia. Poi il progetto fallì: Milena non poteva venire. Come una talpa, Kafka aveva scavato un passaggio dalla sua buia abitazione fino a Gmünd, e a poco a poco aveva buttato tutto quanto era in questo passaggio che portava fino a lei. Ora urtò d'improvviso contro la pietra impenetrabile del «prego – non partire», e fu costretto a ripercorrere all'indietro il cunicolo scavato con tanta fretta, e a riempirlo con ciò che era.

A Gmünd si incontrarono il 14 e il 15 agosto. La talpa ripercorse ancora una volta con gioia il suo buio cunicolo, scavando la terra, per arrivare alla luce. Vi giunse con una strana sicurezza, come un «proprietario di case». Ma non vi trovò alcuna gioia: si parlarono come due estranei, divisi da troppi pensieri. Lui ebbe l'impressione di affondare: dei pesi di piombo lo trascinavano nel mare profondo; oppure era *strappato* via, senza appigli di nessun genere, sul muro liscio, a cui potesse aggrapparsi.

Tornato a Praga, non faceva che stare seduto, a leggiucchiare: non voleva vedere nessuno; e ascoltava un dolore leggero leggero che gli rodeva la tempia. Riprese a tossire: tutte le sere tossiva ininterrottamente dalle nove e un quarto alle undici, poi si addormentava, ma a mezzanotte nel girarsi da sinistra a destra riprendeva a tossire, fino all'una. Non amava più le lettere di Milena: una volta le leggeva fino in fondo e acquistava dieci volte più fame e dieci volte più sete, ora si mordeva le labbra e niente era più sicuro di quel leggero dolore alla tempia. Cominciò ad aver paura delle lettere. Quando non arrivavano, era più tranquillo: se ne vedeva una sulla tavola doveva fare appello a tutta la propria forza. Non resisteva al dolore: esse venivano dal tormento, inguaribile, e procuravano soltanto tormento, inguaribile; e se lui scriveva, non era il caso di parlare di sonno. L'inquietudine e l'angoscia lo straziavano. «Amore è per me il fatto che tu sei per me il coltello col quale frugo dentro me stesso». Amaramente ribadiva: «Sì, la tortura è per me importantissima, non mi occupo d'altro che di essere torturato e di torturare». La sognò ancora una volta. Milena prendeva fuoco, e lui cercava di soffocare il fuoco battendola con vecchi abiti. Poi cominciarono le metamorfosi. Lei scompariva, egli ardeva e batteva sé stesso con l'abito, senza che servisse a nulla. Ora lui era Milena, ora Milena era lui. Poi arrivarono i pompieri, e Milena venne salvata. Ma era completamente diversa: spettrale, inanimata, disegnata col gesso nel buio, – e gli cadde tra le braccia. O forse era lui che cadeva nelle braccia di un altro? Viveva così, tra l'ombra e il fuoco, passando di trasformazione in trasformazione, di dolore in dolore, senza certezza. Una sola cosa era certa. Qualcuno l'aveva mandato fuori dall'Arca, come la colomba della salvezza: non aveva trovato nessuna traccia di verde; e ora si era infilato di nuovo – per sempre – nell'Arca buia.

A Milena aveva scritto che l'angoscia era la sua parte migliore, forse la sua sola cosa amabile, e la sola di cui lei fosse innamorata. Non era soltanto la *sua* angoscia: ma l'angoscia assoluta, l'angoscia di ogni fede da sempre, e lo costringeva a tacere per sempre. Lo obbligava a ritirarsi dal mondo: egli pensava che, allora, la pressione del mondo sarebbe diminuita: invece, via via che si ritirava e si chiudeva nel suo castello, la pressione del mondo aumentava, e si accresceva l'angoscia; e lui le dava retta, l'alimentava, con una specie di sinistro entusiasmo, con un'estasi mortale. Sentiva la sua mano contro la strozza – «la cosa più orrenda che abbia mai sperimentato o possa mai sperimentare». Poi, richiamandolo nella vita col suo slancio, Milena l'aveva aiutato a sopportare l'angoscia: c'erano stati giorni in cui essa era stata soltanto una lieve, sorridente pressione contro la tempia, una lieve carezza contro la gola. Ma ora, mentre tutto crollava intorno a Kafka, la passione amorosa infuocava, scavava, centuplicava l'angoscia. Proprio l'eros asessuato e incestuoso, che l'aveva attratto verso Milena, era una fonte che non poteva placarsi mai. L'angoscia, non il desiderio, era il suo stimolo erotico. In apparenza, fuori da essa, c'era soltanto la «nostalgia di qualche cosa», del «nutrimento sconosciuto» che divorava l'anima di Gregor Samsa: la nostalgia sembrava compiere un balzo al di là di ogni sentimento, – eppure no, era proprio la nostalgia a suscitare angoscia più di ogni altra cosa.

Scrisse a Milena: «Sporco sono, Milena, infinitamente sporco, perciò faccio tanto chiasso per la purezza. Nessuno canta così puro come coloro che sono nel più profondo inferno: quello che crediamo il canto degli angeli è il loro canto». Non era sporco: lo era infinitamente meno di noi: ma viveva nell'oscurità, nel sottosuolo, nel mondo animale, tra i topi e le talpe, scriveva di notte; e sognava il cibo celeste. Aveva conosciuto Milena: la Bella della favola, la sorella di Gregor Samsa. «Le cose stanno all'incirca così: io, bestia silvestre, non ero, si può dire, nella selva, giacevo non so dove, in un fosso lurido (lurido, naturalmente, soltanto per la mia presenza) e allora vidi, fuori all'aperto, la cosa più meravigliosa che avessi mai visto, dimenticai tutto, mi dimenticai interamente, mi alzai, mi avvicinai, timoroso in quella nuova eppure nativa libertà, mi avvicinai dunque, arrivai fino a te, tu fosti tanto buona, mi accovacciai presso di te come se fosse lecito, posai il viso sulla tua mano, ero tanto felice, tanto orgoglioso, tanto libero, tanto potente, tanto a casa mia, sempre così: tanto a casa mia...» Era vissuto per qualche tempo alla luce e nella coscienza, come Gregor Samsa aveva vissuto giocando nella sua stanza oscura, mentre la sorella gli portava il cibo, in una comunione silenziosa. Ora comprese che *La metamorfosi* aveva prefigurato il destino del suo amore per Milena. Come Gregor, aveva provato il desiderio del «nutrimento sconosciuto» e la brama di rintanarsi di nuovo nella selva, trascinando con sé Milena. «Se potessi portarla con me!» pensava, col contropensiero: «Esiste il buio dov'è lei?». Ma comprese che non era possibile: buio e luce sono incompatibili; lui doveva scrivere nel buio e nell'angoscia della selva, Milena camminare radiosamente nella luce. Così, quasi senza volerlo, decise di ritornare nell'oscurità e nel silenzio dal quale era uscito: doveva obbedire, non poteva fare altrimenti. Interruppe la corrispondenza: l'unico mezzo per vivere era tacere; e per l'ultima volta, non in sogno, ebbe una visione. Il volto di Milena era nascosto dai capelli, lui riusciva a dividerli a destra e a sinistra, gli appariva il suo viso, le accarezzava la fronte e le tempie e le teneva fra le mani.

La lettera del novembre non fu l'ultima: altre, che si sono perdute, seguirono fino al gennaio, mentre Kafka era in clinica in montagna, a Matliary. Milena non voleva lasciarlo: durante quasi due anni, andò all'ufficio postale di Vienna per vedere se, al fermo posta, c'erano lettere per lei; mentre egli cercava di evitare ad ogni costo la sofferenza: «la disperazione che si graffia e lacera il cranio e il cervello». Al principio del gennaio 1921, raccogliendo tutte le forze, chiese l'ultima grazia: non scrivere più, impedire che ci si possa mai più rivedere. Indomabile, insaziabile, Milena gli scrisse un'altra lettera, che doveva essere «l'ultima»; e un'altra nell'aprile. Kafka pregò Brod di avvertirlo se Milena fosse a Praga, per evitare di scendervi, e di informarlo se Milena salisse a Matliary, per fuggire in tempo. Ma, al principio di gennaio, verso il mattino, ebbe un sogno, che lo riempì di felicità. Alla sua sinistra stava seduto un bambino in camiciola: non era certo che fosse figlio suo, ma non gli importava: a destra, Milena; entrambi si stringevano a lui, ed egli raccontava loro la storia del suo portafoglio, che aveva perduto e ritrovato. Non amava altro che avere accanto a sé quei due, nel primo radioso mattino che si trasformava nella triste giornata.

Alla fine del settembre 1921, tornato a Praga, seppe che anche Milena era in città, e temette che ricominciassero le notti di insonnia. Pochi giorni dopo, all'inizio di ottobre, le consegnò i suoi *Diari*: nel doppio desiderio di essere completamente capito da lei e di liberarsi dal proprio passato. Tra ottobre e novembre, si rividero quattro volte: forse, tornarono a discorrere col «lei», che avevano usato ai tempi di Merano. Cosa si dissero? Si parlarono con l'antica passione, l'antica tensione, l'antica sincerità? Erano l'uno il coltello dell'altro? Soffrivano e amavano soffrire? Riapparve l'angoscia? Le spade si riavvicinarono ai corpi? O invece era già disceso, sopra di loro, il velo della passione mitigata e sconfitta? Quando Milena tornò a Vienna, Kafka annotò nei *Diari* di essere «infinitamente triste» per la partenza di lei; e che Milena era «un principio, una luce nella tenebra». L'anno dopo, si rividero ancora: nel gennaio, forse Kafka le parlò dell'idea del *Castello*. Nell'aprile, la sognò ancora una volta. Compresero che esisteva un'ultima possibilità tra di loro: che qualcosa o molto era ancora vivo; ma entrambi custodirono con cura la porta chiusa, «perché non si aprisse o piuttosto perché noi non la aprissimo, dato che da sola non si apriva».

Due mesi prima, alla fine di marzo, Kafka le aveva scritto una lettera singolare, impiegando un Lei pieno di gentilezza, di distanza e di affetto. Gli uomini – diceva – conoscono solo due mezzi per comunicare: se sono distanti, si pensano a vicenda; se sono vicini, si afferrano. «Tutto il resto sorpassa le forze umane... Come sarà mai nata l'idea che gli uomini possano mettersi in contatto tra loro per mezzo di lettere?» In primo luogo, scrivere moltiplica i malintesi. Poi, non è altro che entrare in contatto con i fantasmi: col proprio fantasma, che sta apparentemente seduto alla scrivania, col fantasma del destinatario che attende da noi chissà quali parole, – e con tutti gli altri spettri che popolano il mondo, davanti ai quali ci denudiamo, e che aspettano al varco le lettere portate dai postini. «Baci scritti non arrivano a destinazione, ma vengono bevuti dai fantasmi durante il tragitto.» Nutrendosi di questo abbondante alimento, i fantasmi si moltiplicano, e il mondo non diventa altro che una grigia, infida spettralità. Tutta la sventura della sua esistenza proveniva dalla perversa abitudine di scrivere lettere. Con la sua grazia squisita – grazia di saltimbanco e di spettro –, Kafka giocava e invitava Milena a giocare, scrivendo uno dei suoi articoli sopra le lettere e i fantasmi, per mostrare «loro» che erano stati riconosciuti. Ma era uno scherzo grave. Tutta la sua vita amorosa era esistita attraverso le lettere: qualche incontro a Berlino, a Marienbad, a Vienna e poi nient'altro che lettere e lettere: aveva creduto di evitare così il terrore della vicinanza – e, invece, si era perduto per sempre nella trasparente, inquietante, onniavvolgente spettralità.

Malgrado i fantasmi, l'amorosa, implacabile Milena continuò a scrivere. Kafka qualche volta rispose; e le raccontò dei suoi fantastici piani di emigrazione in Palestina, del viaggio sul Baltico, dell'emigrazione a Berlino, dove viveva quasi in campagna. Il 23 dicembre 1923, le scrisse l'ultima lettera. Stava male. Anche lì, a Berlino, i vecchi dolori l'avevano scoperto, assalito e abbattuto: ogni cosa gli causava fatica; ogni tratto di penna gli appariva troppo grandioso, sproporzionato alle sue forze. Se scriveva «Cordiali saluti», avevano poi davvero, questi saluti, la forza di arrivare a Vienna, nella rumorosa, movimentata, grigia Lerchenfeldstrasse cittadina, dove lui e le sue cose non avrebbero potuto nemmeno respirare? Ecco, li mandava comunque, i suoi cordiali saluti. Cosa importava se cadessero a terra già al cancello del giardino, senza avere la forza di arrivare alla Postdamerplatz e tanto meno a Vienna, come l'ultimo messaggio dell'imperatore non arriverà mai nella casa dell'ultimo suddito, che l'attende seduto alla finestra, e lo sogna quando scende la sera?

X

L'ANNO DEL *CASTELLO*

Al principio dell'ottobre 1921, Kafka cominciò un nuovo quaderno; e osservò che d'ora in poi il suo diario, che gli teneva compagnia da quasi dodici anni, avrebbe cambiato completamente natura. Ormai lui era quasi un morto. Come i morti, aveva ricevuto in dono una terribile memoria: era tutto memoria, la sua vita, i suoi amori, i suoi errori gli stavano sempre fissi nella mente; era incapace di liberarsi da ogni frammento di passato, e perciò aveva perso la capacità di dormire. Così il suo diario non aveva più bisogno di aiutare la memoria, ricordando gli avvenimenti della vita esterna: come lui si rintanava nella tana della pre-morte, esso si sarebbe rintanato nel profondo. A partire da quel giorno, il diario di Kafka si concentrò ancora: aguzzo, disperato, sempre più lucido, si raccolse attorno ai grandi temi della sua vita e li espresse con una tensione intellettuale che forse non aveva ancora raggiunto.

Se Tolstoj cercò per tutta la vita di scoprire cosa racchiudesse il tesoro invisibile e segreto della felicità, Kafka non sopportava la felicità: temeva che la gioia di vivere lo rendesse disattento alla voce del destino. Il suo obbligo era di ascoltare l'angoscia e la disperazione, e di andare fin dove esse lo consigliavano. Nessuno era sventurato come lui: intorno alla testa di nessuno il nero corvo volava continuamente come attorno al suo capo: nessuno si era assunto un compito così difficile – «non è un compito, nemmeno un compito impossibile, nemmeno l'impossibilità stessa, non è nulla, nemmeno quel figlio che può sognare la speranza di una donna sterile». Era l'aria nella quale respirava, fino a quando doveva respirare. Sapeva che lo sconfitto dalla vita, il morto nella vita, il sopravvissuto – come lui era – ha uno sguardo più chiaro, lucido e penetrante, e scorge tutto quello che sta nascosto sotto le macerie. La disperazione è l'arma più potente dell'arte della visione. Ma, d'altra parte, egli non era nemmeno un teologo dell'angoscia. Anche la disperazione, se era troppo grande, poteva distrarre o attutire o offuscare lo sguardo: anche il tormento poteva racchiuderlo interamente in sé stesso, paralizzarlo, e impedirgli di scrivere. Così, se voleva tenere aperto lo sguardo e trasformarlo in parole, doveva trovare una specie di quiete dentro l'angoscia.

Tornò a leggere l'*Esodo*. La sua vita era nel deserto: ripercorreva incessantemente tutti i granelli di sabbia, tutte le piste, tutte le fate morgane, tutte le rare oasi: si sarebbe attendato qua e là, avrebbe atteso, avrebbe sperato; ma non sarebbe mai arrivato a Canaan, come Mosè, «non perché la sua vita fosse troppo breve, ma perché era una vita umana». Eppure, altre volte pensava che qualcuno aveva raggiunto Canaan, anzi aveva vissuto sempre a Canaan: il mondo del padre non era forse Canaan, la patria desiderata, che l'aveva sempre escluso? Quanto a lui, aveva fatto il viaggio opposto a quello di Mosè. Quarant'anni prima, nascendo, aveva lasciato Canaan, e da quarant'anni viveva stabilmente nel deserto. Tutto era stato deserto nella sua vita: la letteratura; e i suoi fidanzamenti, i suoi amori, le sue «puerili speranze» riguardo alle donne (perché le donne appartengono a Canaan) non erano state che «visioni della disperazione». Se ci pensava, portava in sé le stimmate del deserto. Era estraneo agli uomini come un animale o una pietra. Non sopportava i corpi umani – così fissi e limitati. «Che cosa ti lega a questi corpi delimitati, parlanti, lampeggianti dagli occhi, più strettamente che a qualunque altra cosa, diciamo al portapenne che hai in mano? Forse il fatto che sei della loro specie? Ma non sei della loro specie, perciò appunto hai formulato questa domanda.» Non sapeva entrare in relazione con qualcuno, o sopportare un conoscente, ed era pieno di infinito stupore davanti a una compagnia allegra o addirittura davanti a genitori con figli. Non aveva mai amato nessuna donna. «È errato dire che ho fatto esperienza della parola "Ti amo", ho sperimentato soltanto l'attesa silenziosa che avrebbe dovuto essere interrotta dal mio "Ti amo": di ciò soltanto ho fatto esperienza, di nient'altro.»

L'unicità delle pagine, che nel gennaio e nel febbraio 1922, a Spindlermühle, scrisse sul diario, – sta nel fatto che, per la prima volta, con una fiducia che ci sorprende, accettò di essere cittadino del deserto. Si proclamò addirittura fortunato di essere arrivato nel deserto: la strada da Canaan era complicatissima, eppure lui l'aveva trovata: avrebbe potuto essere schiacciato dall'esilio decretatogli dal Padre; avrebbe potuto incontrare un deciso rifiuto alla frontiera e non passarla, restando nel luogo più terribile, – nel luogo atono, vuoto, né Canaan né deserto. Invece era arrivato – e vi trovava, a volte, persino una strana, esausta, fredda e cristallina felicità: la libertà di movimento; e il dono di attrarre alcuni, che lo amavano appunto perché egli era fatto solo di sabbia. Ora viveva lì: era il più piccolo e più pauroso abitante del deserto – e poteva essere elevato in modo fulmineo, ma anche schiacciato «sotto pressioni marine millenarie». Il dono supremo che possedeva era «il fiuto di Canaan»: il senso che lo splendore della vita è pronto intorno a ognuno di noi e in tutta la sua pienezza, – ma «*velato*, nel profondo, invisibile, molto lontano» e giunge fino a noi se lo chiamiamo con la parola giusta. Anche se era impossibile e irraggiungibile, Canaan restava il paese della speranza, perché per gli uomini non esiste un terzo paese.

Nei primi giorni del 1922, subì uno spaventoso crollo psichico, che analizzò con la solita chiaroveggenza. Non poteva dormire, non poteva vegliare, non poteva sopportare la vita e il tempo della vita. I suoi orologi non andavano d'accordo: l'orologio dell'io si era totalmente dissociato dall'orologio della realtà: mentre il primo correva a precipizio in modo diabolico o demoniaco e comunque disumano, con una velocità che non rappresentò mai nei suoi scritti, – il secondo seguiva faticosamente un ritmo monotono. Ma perché – si chiese Kafka – l'orologio dell'io aveva talmente accelerato i propri battiti? Non poteva dare una risposta sicura. C'era solo un fatto evidente. Kafka si osservava: l'osservazione analitica non lasciava calmare le idee, le portava a galla nella mente, le frugava, le rovistava, le studiava; e poi questo sguardo riflessivo diventava oggetto di un nuovo sguardo che osservava, e questo a sua volta di un altro, e così via, all'infinito. L'elemento diabolico consisteva nella furia dell'intelligenza, che aveva condannato a Zürau, come espressione del Male. Così i due mondi opposti – quello della realtà e quello dell'io – si dividevano: Kafka si sentiva attraversato e straziato da questa tensione; la furia introspettiva mirava all'estremo, lo strappava all'umanità, lo riduceva spaventosamente solo e rischiava di gettarlo nella dissociazione della follia.

C'era, forse, una possibilità di salvezza. Invece che opporsi ai demoni, Kafka poteva lasciarsi trascinare dalla furia: trovare un momento di quiete nell'orrore, tenersi ritto, e così dominarla. Allora la furia autoanalitica si sarebbe trasformata in letteratura. In lui, divenuto puro luogo della grande battaglia, sarebbe avvenuto un doppio assalto: assalto dal basso, da parte dell'umano, «contro le ultime frontiere terrene»; assalto dall'alto, da parte di Dio, giù, verso di lui, contro di lui, contro l'umano che era in lui e in tutti gli uomini. Così la folle furia autoanalitica avrebbe trovato la pace, la distruzione avrebbe trovato una creatività, trasformandosi in una «nuova dottrina esoterica, in una cabala». Kafka parlava al futuro, come di un compito che gli restava aperto davanti. In realtà, avrebbe dovuto parlare al passato: quella «nuova dottrina esoterica», quella «cabala», nata dal doppio assalto dell'uomo contro Dio e di Dio contro l'uomo, – stava già scritta nei suoi quaderni di Zürau.

Il 29 gennaio partì per Spindlermühle, una località montana del Riesengebirge. Gli sembrò un posto alla fine del mondo, sepolto nella neve; e la strada abbandonata che oltrepassava il paese, oltre il ponte, pareva non avere una meta terrena, come la strada che nel *Castello* conduce al villaggio. I primi giorni l'aria di montagna gli fece bene, e dormì, come non dormiva da tre settimane. Correva con la slitta, si arrampicava sulla montagna, sebbene l'esercizio fisico l'affaticasse. Meditava di provare perfino gli sci. In albergo, gli accadde una curiosa avventura. Aveva scritto il suo nome nell'elenco degli ospiti: gli impiegati lo ricopiarono giusto due volte; eppure sulla lavagna dell'albergo figurava sempre il nome di Josef Kafka, l'eroe del *Processo*. La cosa lo divertì, e poi lo preoccupò: la letteratura gli ricordava ironicamente che era lei a possederlo, che lui credeva di essere Franz Kafka mentre era soltanto un personaggio, un uomo votato alla condanna e alla morte più vergognosa. Il suo incognito era stato svelato. «Devo chiarire l'equivoco o aspettare che loro lo chiariscano a me?» Dopo qualche giorno, lo riprese l'insonnia – fino alla disperazione. Ebbe l'impressione che si risvegliassero i fantasmi del luogo, e l'assalissero sulla strada abbandonata, alla fine del mondo. Lui cercava di sfuggire, con qualche salto. Si rifugiava in casa sotto la lampada silenziosa. Eppure quella luce sembrava chiamarli dalle finestre, come se l'avesse accesa per aiutarli a trovare la strada. Una volta, forse, ebbe l'impressione che ad aggredirlo fosse Dio. Cosa poteva fare davanti a nemici così strapotenti, che lo assalivano a destra e a sinistra? Doveva evitare la battaglia: fuggire attraverso i passi della montagna, che solo l'uomo dallo sguardo chiaro sa trovare; cercando l'aria respirabile, la vita libera, – «dietro la vita», nella morte.

Il 22 gennaio aveva scritto nei *Diari* una frase enigmatica: «Decisione notturna»; e nei giorni successivi raccontò di averne parlato a Milena, sia pure in modo insufficiente, e si lamentava perché la «decisione notturna» rimaneva solo una decisione. L'eccellente editore del *Castello*, Malcolm Pasley, suppone che questa «decisione notturna» fosse il primo lampo, la prima vaga idea del *Castello*, – del pellegrino alla ricerca di Dio. È possibile, sebbene non sia affatto sicuro. Appena arrivato a Spindlermühle, l'incapacità di scrivere si sbloccò: con la matita, la stessa con cui scrisse i fogli dei *Diari* nei medesimi giorni, abbozzò le prime pagine dell'inizio del *Castello*, e dopo di allora l'impetuosa marea dell'ispirazione non ebbe più fine, fino a quando si arrestò, non si sa come, a Planá. Se questa ricostruzione è esatta, avremmo un altro esempio della straordinaria rapidità con cui, in Kafka, l'ispirazione cristallizzava. Era arrivato in montagna con un'idea confusa del suo libro. A Spindlermühle passeggiò nella neve sulla strada che conduceva verso il ponte: registrò nei *Diari* dei pensieri sul deserto e la terra di Canaan, – e tutto ciò si trasformò, di colpo, nella scena d'apertura del *Castello*, con K. che supera il ponte e chiede alloggio nell'osteria.

In meno di un mese, la condizione di Kafka si era capovolta. Aveva subìto il «crollo», l'assalto dell'orologio interiore, la furia della passione autoanalitica, che lo incalzava e lo portava alla follia; e ora, mentre scriveva le prime righe del *Castello*, conosceva «la strana, misteriosa, forse pericolosa, forse redentrice consolazione» della letteratura, che segue le pure leggi del proprio movimento, indipendente dalla realtà, e trova la propria via «incalcolabile, gioiosa, ascendente». Con questa consolazione in cuore, scrisse a Max Brod, invitandolo a venire in montagna insieme a lui. «A me pare di essere al ginnasio, l'insegnante passeggia in su e giù, tutti gli alunni hanno terminato il compito in classe e sono già andati a casa; soltanto io mi affatico a sviluppare l'errore fondamentale del mio compito di matematica e faccio aspettare il buon maestro.» Ma che importava? Se Max fosse venuto per qualche giorno, sarebbero andati continuamente per i monti, avrebbero corso in slittino, avrebbero sciato; e la sera, sfuggiti agli assalti degli spiriti, avrebbero scritto i loro libri, per chiamare la fine, per affrettare la morte che attende, – «una fine pacifica».

Il 17 febbraio tornò a Praga, aggrappato al libro come alla sua ancora di salvezza. Protestava che non combinava nulla, sebbene stesse a tavolino a partire dalle sette di sera: il suo libro era «una trincea scavata graffiando con le unghie

224

nella guerra mondiale»; ma, in realtà, scriveva con il suo passo prodigioso, con il suo passo «di grande, lungo condottiero» che guida «i disperati per i passi delle montagne», se in due mesi compose centosettanta pagine a stampa. Sembrava dominato dal furore, da una specie di rabbia nevrastenica, attaccato al suo libro-ostrica: teneva lontano da sé qualsiasi disturbo, qualsiasi amico, qualsiasi inquietudine: cercava di allontanare i rumori; e gli bastava sapere che qualcuno desiderava vederlo – sia pure l'amato Klopstock o l'amatissima Milena – per precipitare nell'insonnia. Ma i nemici più gravi erano interiori. Temeva un assalto rinnovato della sua furia autoanalitica: «E se uno soffocasse in sé stesso? Se, a furia di insistere nell'osservare sé stessi, l'apertura dalla quale ci si riversa nel mondo diventasse troppo piccola o si chiudesse del tutto?». Temeva, sopratutto, gli assalti del «nemico» – la terribile angoscia divoratrice, che prendeva una forma esteriore. «Gli attacchi, l'angoscia. Ratti che mi strappano e io li moltiplico con lo sguardo... Già da due giorni presentito, ieri uno scoppio, poi l'inseguimento, grande forza del nemico... I gravi "attacchi" nella passeggiata serale... a momenti rovina, abbandono, inanità, incommensurabile abisso.»[1] A volte, sperava di utilizzare la forza dei nemici esterni e interni, degli assalitori terreni e celesti, e di trasformarla in forza di difesa o in slancio. Il primo luglio venne collocato in pensione. Qualche giorno prima andò all'*Istituto di Assicurazioni* per prendere le sue cose: nel guardaroba c'era soltanto la sua seconda giacca grigia consunta, che teneva lì per i giorni di pioggia. La portò via, e prese con sé qualche carta. L'ufficio, dove aveva lavorato per quattordici anni, rimase per il momento vuoto. Sul suo tavolo restò un vasetto di vetro con due matite e una cannuccia per scrivere e una tazza da tè blu e oro. Un impiegato ordinò alla donna delle pulizie, Frau Svétkova, di gettare via le «porcherie» di Kafka.

[1] Il primo e terzo frammento non sono nell'edizione tedesca, ma solo nelle edizioni inglese, francese e italiana (pp. 627 e 632) dei *Diari*.

Alla fine di giugno partì per Planá, in campagna, dove avrebbe abitato insieme a Ottla e la sua famiglia. Come a Zürau, Ottla lo protesse con la sua dolcezza materna. Quando sedeva al tavolo nella grande stanza calda del soggiorno, lei lo lasciava tranquillo, portando la bambina in una stanza più piccola e fresca. Poi gli cedette la stanza da letto matrimoniale con due finestre, dalle quali poteva vedere i boschi. Ma anche nell'Eden si insinuarono i rumori: i bambini venivano a giocare sul prato dinanzi alla casa e Ottla non riusciva sempre ad allontanarli; i batuffoli di Ohropax nell'orecchio gli davano un lieve stordimento. Una volta fu cacciato: dal letto, dalla casa, con le tempie doloranti per campi e boschi, senza alcuna speranza, come una civetta notturna.

Al principio di luglio, il suo vecchio amico Oskar Baum lo invitò a Georgental. Da principio, decise di andare: poi rinunciò. Non voleva abbandonare la scrivania, il foglio di carta, *Il castello* che stava muovendosi verso la propria fine: «l'esistenza dello scrittore dipende realmente dalla scrivania, e se vuole evitare la pazzia, non deve, a rigore, allontanarsi mai dalla scrivania, vi si deve attaccare coi denti...». Non voleva richiamare su di sé l'attenzione degli dei. Aveva l'impressione che, se continuava a vivere lì nella sua tana, come un povero pensionato, mentre i giorni passavano regolari l'uno dopo l'altro, – gli dei non lo notavano, e continuavano a tirare le redini macchinalmente. Ma se andava liberamente alla stazione col bagaglio sotto l'alto cielo, mettendo il mondo e soprattutto il proprio cuore a subbuglio, – allora gli dei si sarebbero risvegliati e l'avrebbero perseguitato. Era un gesto troppo grande per le sue condizioni; e subito gli venne l'insonnia e rimase una notte senza dormire. Non s'illudeva. Capiva benissimo che si comportava come un folle. Continuando così sarebbe giunto all'immobilità assoluta, alla morte vivente, come certi schizofrenici che passano la vita a fissare un punto su una coperta o una macchia sul muro. «Con ciò è deciso che non devo più uscire dalla Boemia, successivamente sarò ristretto a Praga, poi alla mia camera, poi al mio letto, poi a una posizione determinata delle mie membra, poi a nulla più.»

Meditando in quella notte insonne, Kafka comprese ancora una volta che, se così poco bastava a sconvolgerlo, egli non viveva come gli altri uomini coi piedi fermi sopra un terreno stabile. Abitava in una tana, che smottava e si sbriciolava da tutte le parti, sottoposta all'assalto di una belva sconosciuta: o in un abisso senza pareti e senza fondo, un cunicolo vertiginoso e senza difesa, nel quale infuriavano le potenze della notte, distruggendo completamente la sua vita. Non poteva far altro che trascrivere la voce interminabile e balbettante della notte, la voce insinuante e perversa dei demoni. «Questa discesa alle potenze oscure, questo scatenamento di spiriti legati per natura, i problematici amplessi e tutto quanto può avvenire laggiù, di cui qua sopra non si sa mai nulla quando si scrivono racconti alla luce del sole. Forse esiste anche qualche altro modo di scrivere, ma io conosco soltanto questo.» Egli era, dunque, un peccatore, uno che rende «servizio al diavolo». Ma era anche «il capro espiatorio dell'umanità»: si immolava per gli altri uomini; non per vincere il demoniaco e cacciarlo dal mondo, ma per portarlo alla luce lasciandolo nel suo orrore e nel suo fascino di tenebra, permettendo così agli uomini di conoscere – «senza colpa o quasi senza colpa» – quel peccato tremendo che egli aveva commesso.

La sera passeggiava nel bosco vicino alla casa. Il chiasso degli uccelli si quietava, e qua e là si sentiva soltanto qualche timido gorgheggio: gli uccelli non avevano paura di lui, ma della sera. Sedeva su una panca – sempre la stessa – al margine del bosco, davanti a un ampio panorama: ma qui, invece degli uccelli, si ascoltavano già le orribili voci dei bambini di Praga. Tutto era bello, tranquillo, trasparente, pieno di una quieta felicità, – ma se una notte o una giornata era inquieta, se gli assalti degli «spiriti» lo avevano torturato, anche il bosco degli uccelli diventava il cuore dell'inquietudine. Stava bene solo con Ottla, quando non c'era il cognato e non c'erano ospiti. La sua nevrastenia, l'angoscia, l'insonnia e il terrore dell'insonnia, la paura innominata, l'incapacità di decidere crescevano di giorno in giorno, fino agli orli della follia. Ebbe quattro «crolli» psichici: il primo un giorno in cui i bambini facevano chiasso davanti alle sue finestre: il secondo quando Oskar Baum lo invitò a Georgental, il terzo al principio di settembre, quando Ottla voleva tornare a Praga e lasciarlo solo a Planá; il quarto qualche giorno dopo.

Parlando con la padrona di casa, le disse che avrebbe passato volentieri l'inverno a Planá: solo l'idea di mangiare al ristorante lo tratteneva. La padrona si offerse di ospitarlo e di nutrirlo. Lui la ringraziò, lieto dell'offerta. Tutto era deciso: avrebbe passato l'inverno a Planá. In fondo era contento: desiderava moltissimo passare l'inverno solo, tranquillo, senza spendere molto, in questa regione che gli era immensamente gradita. Ma, mentre stava salendo in camera sua, avvenne il quarto «crollo». Anzitutto si rese conto che non avrebbe potuto dormire: alla potenza futura del sonno veniva strappato il cuore con un morso; anzi era già insonne, anticipava l'insonnia, soffriva come se fosse stato insonne la scorsa notte. Uscì di casa, pieno di ansia. Non poteva pensare ad altro: era preso da un'enorme paura e, nei momenti più lucidi, dalla paura di questa paura. A un crocicchio incontrò per caso Ottla. Se lei avesse approvato il progetto, sia pure con una sola parola, era perduto per alcuni giorni: doveva lottare con sé stesso, una lotta di sterminio che non sarebbe certo finita col farlo rimanere. Per fortuna, Ottla disse che lui non poteva restare: l'aria era troppo rigida, c'era la nebbia. Ma Kafka era ancora inquieto: doveva ancora respingere l'offerta che aveva appena accettato. Aveva evocato troppe cose che vivevano già di vita propria e non era possibile calmarle con una sola parola. Come tutte le sere, andò nel bosco che gli era caro: era già buio; e non conobbe che spavento. La notte non poté dormire. La mattina nell'orto, alla luce del sole, la tensione si sciolse: Ottla parlò con la padrona e, con grande stupore di Kafka, questa piccola faccenda, che stava per sconvolgere l'universo, venne chiarita con lo scambio di poche parole. «Io rimango ancora tutta la giornata con gli occhi incavati.»

Il 18 settembre lasciò Planá insieme ad Ottla. Anche *Il castello* era rimasto incompiuto.

XI

IL CASTELLO

Il libro comincia: «Era sera tarda quando K. arrivò. Il paese giaceva nella neve profonda. La collina non si vedeva, nebbia e tenebra la avvolgevano, e nemmeno il più debole raggio di luce indicava il grande Castello. K. si fermò a lungo sul ponte di legno, che dalla strada maestra conduceva al villaggio, e guardò su nel vuoto apparente». Tutto l'anno che ho raccontato – la ricerca della disperazione, i crolli psichici, il folle passo dell'orologio interiore, l'ansia, i terrori, gli «assalti», la nevrastenia, la dissociazione, quasi la follia – si è dissolto nell'aria, come se Kafka non l'avesse mai conosciuto. Il grande libro sembra nato nel grembo amoroso della Quiete. Kafka aveva conosciuto la discontinuità del tempo: la lotta fra due tempi nemici – uno diabolicamente veloce, l'altro più lento, – che si combattevano fino a straziarlo e quasi a ucciderlo. Appena si mise a tavolino, raggiunse subito la meravigliosa eguaglianza del tono, la continuità del respiro, la fluidità della voce parlante, che soltanto l'interminabile notte poteva dargli. Non c'è uno scarto, un cambiamento di passo, un abbassamento o un'elevazione di tono. La voce prosegue alla stessa altezza – per sempre, sino alla fine del mondo.

Come nella *Metamorfosi* e nel *Processo*, l'inizio è un principio assoluto: abbiamo l'impressione che, *prima*, non sia mai accaduto nulla, e che l'universo, la vita di Kafka, la storia della letteratura, comincino quella sera, quando K. arriva davanti alla collina avvolta dalla nebbia e si ferma sul ponte di legno. Tutto è semplice, lineare, leggero: non c'è nessuna intensificazione drammatico-espressionistica del racconto. Mentre *Il processo* era una suite di frammenti simbolici, *Il castello* è un romanzo nella grande tradizione classica, con un'unità di spazio e di tempo, una incessante fluidità temporale, un sapiente intreccio sinfonico di motivi, il ritorno dei personaggi, un'attenzione alle figure minori e persino qualche momento di distensione e di ozio, come se Kafka ci volesse ricordare che non tutto, nel suo libro, è egualmente significativo. Dopo la metà del libro, accade qualcosa di incalcolabile. L'azione rallenta. Il romanzo classico, con la sua equilibrata alternanza di azione e di dialogo, ha fine. Immensi e immobili monologhi, ora riferiti direttamente ora indirettamente, sostituiscono la narrazione, senza concedere nulla alla teatralità e alla vivacità della parola parlata. Forse questo grave piedestallo monologico doveva preparare una soluzione inattesa nella parte finale.

Otto anni dopo *Il processo*, la situazione fondamentale sembra mutata. Là, gli dei occupavano tutto l'universo e il suo centro, di cui l'anonima città era una metafora. Qui si sono ritirati nell'ultima periferia: in un luogo separato, dimenticato, fuori dal mondo. Altrove essi sono morti. Il Castello, il villaggio ai suoi piedi, i due alberghi dove scendono i funzionari e i servi, sono gli unici luoghi dove gli dei vivono ancora. Si sono rifugiati qui dai loro antichi dominii? O abitano da sempre la vecchia torre? Mentre nel *Processo* gli dei erano mescolati al non-divino (la banca, lo stato), il Castello è il luogo utopico, il luogo impossibile, dove il divino è chimicamente puro. Qui non ci sono altro che dei; e il respiro delle creature devote agli dei. Questo è l'ultimo lembo della terra di Canaan, dove il popolo vive con loro. Nessuno, in tutto il libro, ricorda il volto o la figura o la storia di qualche predecessore di K., che è dunque l'unico, l'ultimo a muoversi alla ricerca di Dio. La grande avventura religiosa, o metafisica, o mistica, non interessa più gli uomini nel mondo moderno, tranne uno straccione dal passato dubbio e pericolosamente portato alla menzogna. Seppure qualcuno arriva, il maestro ci informa che il Castello «non piace a nessun forestiero».

Da due rapide allusioni possiamo desumere che il resto del mondo esiste ancora: ci sono la Francia meridionale e la Spagna, verso cui Frieda è trascinata dalla nostalgia; e dei «paesi vicini», «un prato fuori del villaggio, lungo il torrente», dove avvengono delle feste pubbliche. Di questi luoghi non sappiamo nulla: nessun viaggiatore ha parlato a Frieda dei colori, dei villaggi, dei mari, delle spiagge della Francia meridionale o della Spagna. L'unico spazio è questo: il Castello, il villaggio. Il resto del mondo sembra inghiottito da uno degli enormi bianchi di Kafka. Appena qualcuno fa il passo oltre il ponte, compie un balzo oltre le frontiere della realtà, entra in un altro spazio e in un altro tempo, come Ulisse a capo Malea, quando i venti lo trascinano oltre le rotte del reale, nel puro elemento mitico. Il Castello è segregato dal resto della terra: come Canaan è divisa e protetta dal deserto di sabbia, esso è diviso e protetto da un deserto di neve, che si può attraversare soltanto a piedi.

Il Dio del *Processo* era luce: «lo splendore inestinguibile» che esce dalle porte della Legge, il bagliore «accecante» che irrompe dal palazzo di giustizia; sebbene, poi, questa luce diventasse ombra e tenebra nei luoghi del libro. Qui, non c'è più traccia di luce. Regnano lunghissimi, oscuri e monotoni inverni, giornate cortissime, notte che si interrompe per un'ora o due e ritorna subito notte: le strade sono ricoperte di neve che arriva fino alle finestre delle capanne e pesa sui tetti bassi; e gli interni delle case sono bui o semibui. Esistono anche la primavera e l'estate: ma sono attimi che, nel ricordo, non sembrano più lunghi di due giorni: sogni da favola; e anche allora, seppure con un tempo splendido, nevica. Il nome del dio supremo che regna sopra il Castello, non è forse West-West, tramonto-tramonto? Senza dire parola, K. esperimenta una sorpresa terribile. Come gli antichi pellegrini, ha attraversato il deserto di neve per venire accolto dalle braccia amorose di Canaan; e scopre che lo spazio degli dei è il paese della tenebra, del freddo mortale, dell'eterno tramonto. Gli dei vivono qui, dove la luce è finita, perché stanno morendo.

La mattina dopo il suo arrivo al villaggio, K. vede per la prima volta il Castello, che l'oscurità della sera aveva occultato. Da lontano, esso corrisponde perfettamente all'immagine del divino, che lo abita. Mentre in basso, nel villaggio, la neve, simbolo del peso, grava sui tetti bassi delle capanne, sulla collina c'è poca neve; e tutto sembra innalzarsi liberamente nel cielo, dominato dallo slancio della leggerezza. L'aria invernale è limpida, e definisce chiaramente e nettamente i contorni dell'edificio. Leggerezza, libertà, limpidezza, – quali parole potrebbero definire meglio il divino? Quando K. si avvicina, ogni cosa muta. Il Castello non è un grande edificio ordinato e unitario, ma «una misera cittadina, un'accozzaglia di case di villaggio»: molto tempo prima, esse erano state costruite in pietra, e ora l'intonaco è caduto e la stessa pietra sembra sgretolarsi. Gli dei hanno case avvilite, scrostate, sconnesse, come, nel *Processo*, abitavano le soffitte soffocanti di case infami. Quello slancio di leggerezza, che da lontano aveva colpito K., era stata un'illusione. Mentre guarda il Castello, K. ricorda il campanile del paese della sua infanzia. Come saliva deciso, senza esitazione, restringendosi in alto, fino al tetto coperto di tegole rosse! Era, certo, un edificio terrestre – non possiamo costruire altro che cose terrestri – ma come mirava verso l'alto, come era chiaro e luminoso, come era impregnato di desideri celesti! L'«accozzaglia di case di villaggio» che forma il Castello, e la stessa torre in cui culmina, non hanno invece alcuna spinta verso l'alto: dominio del *qui*, del peso, della limitazione, della gravità degradata.

La torre del Castello è una costruzione rotonda e uniforme, in parte rivestita di edera, con piccole finestre che scintillano al sole; e termina in una specie di terrazzo, le cui merlature incerte, irregolari e diroccate frastagliano il cielo azzurro. K. ha una curiosa impressione. Gli sembra che la torre sia un triste abitatore – forse un malato, un infelice, forse, più probabilmente, il colpevole di un oscuro delitto –

che, secondo giustizia, sarebbe dovuto restare chiuso nella stanza più remota della casa, ma invece abbia sfondato il tetto, levandosi in alto per mostrarsi agli occhi del mondo. Il divino è triste, cupo, segregato, minaccioso: privo di qualsiasi grazia. Altri due particolari colpiscono K. e sopratutto noi che per la prima volta contempliamo attraverso i suoi occhi il Castello. La luce del sole invernale, che batte sulle piccole finestre, ha qualcosa di *Irrsinniges*, di insensato: la luce non splende, non abbaglia, non acceca, come nel *Processo*, – ma sembra indurre alla follia. Quanto alle merlature incerte, che frastagliano il cielo azzurro, paiono disegnate da una timorosa o negligente mano infantile.

Una sola cosa sembra, nel Castello, degna del divino: la quiete, il silenzio, la calma sovrumana o disumana. Quando K. lo guarda dopo qualche giorno, non vi scorge il minimo segno di vita: «gli pareva a volte di contemplare una persona tranquillamente seduta, con lo sguardo rivolto davanti a sé, non perduta nei suoi pensieri e quindi isolata da tutto, ma libera e incurante; come se fosse sola, e nessuno la osservasse; e tuttavia doveva avvedersi di essere osservata, ma questo non turbava minimamente la sua calma». L'uomo non riesce a tollerare la quiete del divino: gli occhi vorrebbero che lassù qualcosa di muovesse, si agitasse, desse segno di sé; proprio per questo non possono soffermarsi sull'edificio, e scivolano via, come se fosse invisibile.

La visione ci delude. Questo edificio misero e informe, scrostato e sgretolato, tozzo e triste, cupo e minaccioso, ctonio, infantile, disumanamente quieto, con la luce che sembra folle: dov'è il divino in tutto questo? Avanzando nella lettura del *Castello*, ci renderemo conto che, tra molte altre cose, il divino è *anche* questo. Eppure è possibile che sia tutto qui? Che l'alto Castello sognato da K. non abbia nient'altro da rivelargli? Forse il divino si nasconde, si occulta allo sguardo, come i funzionari che non amano farsi vedere: quello non è il vero Castello; e noi non dobbiamo cercare di *vedere* il divino.

Se vogliamo accostarci al divino, c'è un'altra strada:

quella uditiva, – consigliata da molti mistici, che la preferirono a quella visiva. La sera dopo il suo arrivo, K. telefona al Castello. Quando prende in mano il ricevitore, ne esce un ronzio, un sussurro, un fruscio, che K. non aveva mai sentito telefonando. Il Castello non articola parole distinte e separate: non organizza un discorso; il suo «è l'indifferenziato mormorio del linguaggio» che sta prima della parola. «Era come se dal ronzio di innumerevoli voci infantili – ma non era un ronzio, era un canto di lontane, lontanissime voci –: era come se da questo ronzio si formasse in modo inesplicabile una voce sola, acuta ma forte, che colpiva l'orecchio, quasi chiedesse di penetrare più profondamente che nel misero udito.» Il divino è infinitamente lontano, irraggiungibile, al di là di ogni nostro sguardo, e delle percezioni del nostro udito: il divino è molteplice, il luogo stesso dove abita l'innumerevole, eppure forma una voce sola, perché la sua sede è l'Uno; e ha un'apparenza infantile, come verremo a conoscere durante l'alba passata da K. all'Albergo dei Signori.

Avevamo appena scoperto la quiete inaccessibile del Castello, che allontanava e faceva scivolare via gli sguardi umani. Ora sappiamo che il divino *chiede* qualcosa da noi: si avvicina e si rivolge a noi; non si accontenta di giungere fino al cavo del nostro orecchio, ma pretende di risalire «più profondamente» – fino al cuore, o fino all'ultima radice del nostro essere. Non potrebbe avvenire un capovolgimento più radicale; e ricordiamo l'altra richiesta, che il divino fa a Josef K., nel *Processo*, per mezzo del sacerdote, e l'episodio di Bürgel. Poco prima, K. aveva ascoltato la campana del Castello: un tocco alato e gioioso, che scendeva dall'oscurità, e «faceva tremare il cuore almeno per un istante, come se lo minacciasse – perché il suono era anche doloroso – di adempiere quello che il cuore desiderava oscuramente». Il divino non solo chiede, non solo vuole penetrare dentro il nostro essere: adempie quello che noi desideriamo senza saperlo, quello che noi aneliamo oscuramente, – anche se il compimento, come tutto quello che scende da lui, ha il suono doloroso di una minaccia.

La via acustica sembra averci avvicinato molto di più al divino: alla sua lontananza, molteplicità, unità, – e al suo rapporto inesausto e doloroso con noi. Qualche capitolo dopo, Kafka ci offre la spiegazione razionale dello strano rumore telefonico: al Castello i funzionari usano continuamente il telefono; e queste comunicazioni ininterrotte gli abitanti del villaggio le avvertono nell'apparecchio come quel canto infantile che ha affascinato K. Apprendiamo qualcosa di più grave. Quando un abitante del villaggio chiama qualcuno del Castello, lassù suonano gli apparecchi delle sezioni inferiori: o, per meglio dire, suonerebbero se in quasi tutti la suoneria non fosse interrotta. Ogni tanto, però, un impiegato spossato dalla stanchezza sente il bisogno di distrarsi un poco, specialmente di sera e di notte, e ristabilisce il contatto della suoneria. Così gli abitanti del villaggio ottengono risposta. Ma questa è soltanto uno scherzo – come la risposta che quella sera K. ha ottenuto. Dobbiamo dunque rinunciare alla contemplazione uditiva del divino – l'unica che sembra averci condotto fino ai suoi limiti? Tutto non è che un'illusione dei sensi? O l'inganno di un funzionario stanco per il troppo lavoro? È la spiegazione più ovvia. Come sappiamo dal *Processo*, il divino inganna: è uno dei suoi giochi prediletti. Eppure quel brusio, quel fruscio, quel canto di innumerevoli voci infantili lontanissime, che formano una voce sola, – sono la voce del divino. Non ne ha un'altra.

Nel *Castello*, Kafka è politeista assai più che nel *Processo*. Foggia una moltitudine di creature divine, ce le fa incontrare, altre ne evoca sullo sfondo, ne descrive i gradi e le gerarchie, con l'abbondanza fantastica e meticolosa di uno gnostico o di un cinese. In alto alla grande scala divina, sta l'Essere assoluto, l'Essere invisibile, inaccessibile, incomprensibile, ineffabile, irrapresentabile, che qui ha preso il nome lievemente frivolo di Conte West-West, il Signore del nostro e del suo tramonto. Quando K. incontra il maestro gli chiede: «Lei conosce il Conte, naturalmente?». «No» dice il maestro, e fa l'atto di andarsene. Ma K. ripete la domanda: «Come? Lei non conosce il Conte?». «Come potrei conoscerlo?» dice piano il maestro e aggiunge forte, in francese: «Abbia riguardo alla presenza di bambini innocenti». Con questi piccoli giochi, Kafka ci rivela non solo che l'Altissimo è inconoscibile, ma che il suo nome è tabù, e ripeterlo in pubblico, e tanto più davanti ai bambini, è offendere la totale alterità del divino.

Poco prima, K. aveva visto all'Osteria del Ponte un ritratto oscuro appeso alla parete, che raffigurava un uomo di cinquant'anni, con la fronte pesante, un gran naso adunco, il capo chino sul petto e una mano cacciata tra i folti capelli. Nella sua ingenuità, che sette giorni di vita intorno al Castello non riusciranno a dissipare del tutto, domanda: «Chi è quello? Il Conte?». «No,» dice l'oste «è il portinaio.» Come nel mondo islamico o tra gli iconoclasti bizantini, un divieto impone di non ritrarre l'effige di Dio. Dopo il primo capitolo, nessuno parla più del Conte: incontriamo funzionari, segretari, servi, abitanti del villaggio: decisioni vengono prese; ma tutto accade come se egli non esistesse. Il Conte West-West, il quale trascorrerà la sua vita chiuso per una malattia nervosa in una stanza del Castello o giocando su una spiaggia francese alla moda, è un vero e proprio *deus otiosus*, come dicono gli storici delle religioni.

Sotto questo Dio segreto e inaccessibile, stanno gli altri dei: gli alti funzionari, tra cui Klamm, Sortini, Sordini, Friedrich: i segretari, tra cui Erlanger e Bürgel: i primi silenziosi, i secondi deliziosamente ciarlieri: i servi di grado superiore, forti e grandi come angeli, scelti per la loro statura e ancora più riservati dei funzionari; e infine la turba selvaggia e frenetica dei servi di grado inferiore. Gli alti funzionari sono simili ad aquile, osserva K. a proposito di Klamm. «L'ostessa una volta l'aveva paragonato a un'aquila e questo era sembrato a K. molto ridicolo, ma ora non più. Egli pensava alla sua lontananza, alla sua dimora inespugnabile, al suo mutismo, interrotto forse soltanto da grida come K. non ne aveva mai udite, al suo sguardo penetrante che cadeva dall'alto e non si poteva mai segnalare né confutare, e ai cerchi, che non si potevano distruggere dalla profondità dell'abisso in cui K. si trovava, ai cerchi che descriveva secondo leggi incomprensibili, e che solo per qualche attimo si potevano intravedere, – tutto questo era comune a Klamm e all'aquila.» Lontananza, inaccessibilità, incomprensibilità, silenzio, penetrazione dello sguardo: ciò è comune al *deus otiosus* e agli alti funzionari.

Questi dei inferiori, o almeno Klamm, hanno una qualità particolare: il trascendente, ciò che *è*, che sussiste, che è uguale a sé stesso, si rivela in loro attraverso i giochi dell'apparenza e dell'illusione. Klamm muta continuamente, come Proteo; e la sua perenne metamorfosi è il segno dell'inafferrabilità del divino. Egli è un altro nel villaggio e un altro nel Castello: un altro prima di bere la sua birra, un altro dopo: un altro nella veglia, nel sonno, da solo, in conversazione: è diverso di statura, di portamento, di corpulenza, di barba; cambia secondo l'umore, la commozione, le innumerevoli sfumature di speranza o di disperazione in cui si trova lo spettatore. Una sola cosa resta identica in lui: l'abito – la giacca nera a lunghe falde. L'unico aspetto stabile e fisso del trascendente, l'unica forma che lo definisce è, dice Kafka con meravigliosa ironia, l'apparenza, ciò che tutti noi cambiamo la mattina e la sera, la primavera e l'inverno.

Eppure questo Proteo multiforme rimane sempre identico a sé stesso, come il dio eguale nelle sue metamorfosi. Quando Barnaba, che aveva confrontato tutte le testimonianze sull'aspetto di Klamm, lo incontra in un ufficio del Castello, non lo riconosce, e per molto tempo non riesce ad abituarsi all'idea che quello sia Klamm. Ma se la sorella gli chiede in che cosa quel Klamm differisca dall'idea corrente che ci si fa di lui, non sa rispondere: oppure risponde facendo una descrizione del funzionario incontrato al Castello che coincide alla perfezione con l'idea che tutti hanno di Klamm. Nel suo inesauribile desiderio di vedere, K. riesce a scorgere Klamm: Frieda viola il tabù, apre un piccolo foro in una porta, e gli mostra Klamm che dorme. È lì, sotto i suoi occhi: un uomo grasso, pesante, di media statura, con la faccia ancora liscia ma già afflosciata sotto il peso degli anni, dei lunghissimi baffi neri, le lenti a molla che coprono gli occhi; e dorme seduto in una comoda poltrona rotonda, davanti a una scrivania, illuminato dalla luce vivissima di una lampada appesa al soffitto. Crediamo che K. abbia soddisfatto la propria curiosità, accedendo, seppure per una volta sola, alla *visione* del divino. Ma la lampada abbagliante non rivela nulla: quel volto greve, pesante e triviale può appartenere a Klamm come a qualunque altra persona. L'abbiamo già sperimentato, nel mattino invernale davanti al Castello; e ce lo conferma l'ostessa, che è stata a letto con Klamm. Il divino è invisibile: lo sguardo non ci dice nulla di lui e dei suoi segreti.

La civiltà del *Castello*, come quella del *Processo*, è una civiltà del Libro e del documento scritto. Lassù, sulla collina, nelle stanze interne, vi sono dei grandi libri aperti, che i funzionari compulsano stando in piedi: non sappiamo cosa contengano, se la Legge o l'interpretazione della Legge. Ogni questione o problema o difficoltà diventa scrittura: gli uffici si scambiano corrispondenze, compilano verbali, preparano documenti, scrivono lettere agli estranei; e l'immensa massa delle scritture riempie gli uffici del Castello e persino gli armadi e il granaio del sovraintendente, che non riescono a contenerli. Non potremmo allora meravigliarci che il Castello sia onnisciente: «Chi potrebbe nascondere qualcosa a Klamm?» dice l'ostessa. Eppure qui incontriamo un nuovo paradosso del divino, che *Il processo* non conosceva. Proprio Klamm, che sembra riposare sopra una montagna inarrestabile di pagine scritte, non legge mai i documenti e i verbali: «Lasciatemi in pace coi vostri verbali!» dice sempre. Gli dei stanno al di sopra della Legge scritta che hanno fondato: lasciano che il mondo sia guidato da carte ricopiate da diligenti segretari; lasciano che le carte salvino o condannino – e non vi gettano nemmeno uno sguardo, chiusi nella loro sapienza ineffabile. Di cosa è fatta, allora, la sapienza di

Klamm? Il suo sguardo penetrante, il suo alto volo? È fatta forse di memoria? Nemmeno di questa. Klamm dimentica tutto, e subito: le donne amate come i documenti. Gli dei vivono nella tenebra, senza scrittura, senza memoria, senza parola, simili a quel ronzio altissimo, lontanissimo e infantile, che risuona dentro i microfoni.

Con un completo capovolgimento, gli dei ruotano ora su sé stessi e, come nel *Processo*, ci mostrano il volto opposto. Proprio loro, incarnazione del trascendente e della inaccessibile distanza, sono gli dei della vitalità indifferenziata: sovraintendono alla più corposa, violenta e sanguigna realtà umana; sono essi stessi questa realtà – una massa di carne che desidera e concupisce. Nelle imprese divine non si stancano mai: o se si stancano, la loro è la stanchezza nel mezzo di un lavoro felice: qualcosa che sembra stanchezza e invece è indistruttibile pace; oppure dormono a lungo, beati, come bambini, riacquistando nel sonno calma, forza, distanza. Il loro regno privilegiato è l'eros; e forse uno di essi, Klamm, è il dio dell'amore. Non conoscono nostalgia, desiderio, fantasticheria, lunga attesa, ricordo, sogno, ritorno, catene: ma solo l'immediato e brutale possesso fisico. Amano le oscenità, dicono volgarità «da far fremere», sia per il loro amore della turpitudine sia perché l'oscenità serve a colmare la distanza che li divide dagli uomini. Come in un romanzo nero settecentesco, esercitano lo *ius primae noctis* sulle ragazze del villaggio: prendono e abbandonano, posseggono e subito dimenticano; e le ragazze sono grate agli dei di essere possedute e lasciate, perché il dono erotico, non l'amore, è l'unico che gli dei fanno alla terra. La loro forza sessuale è così esorbitante e prorompente che la comunicano ad altre creature, come fa Klamm che irradia gli Aiutanti col suo seme. Così, quando i servi del Castello scendono nel villaggio, si abbandonano a danze e a orge sfrenate, come una turba di animali selvaggi. Nulla li distingue dai loro padroni. La passione del sesso si unisce, in loro, al profondo desiderio dello sporco.

In basso, sull'ultimo gradino della gerarchia divina, stanno gli Aiutanti, Arthur e Jeremias, che gli dei hanno inviato a K. per aiutarlo e dileggiarlo. Chi sono, lo sapremo alla fine del libro: – soltanto delle persone come noi, con un corpo vecchio, pesante, soggetto ad ammalarsi e a zoppicare, degli individui separati, che si esprimono con strumenti mediocri come le parole umane, s'innamorano e fanno dei discorsi di comune buonsenso. Nulla ci interessa, in loro, quando appaiono come uomini. Ma, con la sua straordinaria magia, col suo dono della metamorfosi e dell'incantesimo, il Castello li trasforma al principio del libro in burattini, in coboldi, che sanno di Shakespeare, di commedia dell'arte, di dramma yiddish, di *féerie* romantica e di Laforgue. Non ne conosciamo di più deliziosi. A partire da quel momento, se erano due diventano una coppia: se si esprimevano con le parole, si esprimono coi gesti; se avevano un corpo di carne, ne hanno uno di legno. Eccoli per le strade del villaggio: snelli, simili in volto, di colorito bruno scuro, con la barba a punta, le gambe sottili, abiti aderenti, mentre camminano con rapidità sorprendente, – e sembrano avere le membra snodabili e disarticolate. Mangiano a crepapelle, dormono nudi, concupiscono le fantesche e Frieda, lubrichi ed erotomani, puerili, ingordi, idioti, angelici, lievissimi, come tutti i loro colleghi della commedia dell'arte. Ora si tengono abbracciati guancia a guancia e sorridono umilmente-ironicamente: ora guardano K. facendo cannocchiale con le mani, fingendo di curarsi la barba, o tentando il saluto militare: ora si rannicchiano a terra, tra risate e bisbigli, incrociano braccia e gambe, in un gomitolo di sé stessi: giocano con le sciarpe e i venti della notte: riempiono l'armadio di carte: guardano K. mentre fa l'amore: entrano dalla finestra; saltellano in mezzo alla neve su un piede solo, e battono ai vetri. Qualsiasi cosa facciano, trasformano le vicende che accadono intorno a loro, e persino le esperienze più tragiche, in una buffonesca vicenda d'aria e di vento.

Non sono opposti al Castello, come non lo sono le turbe selvagge dei servi. Anch'essi sono Castello: l'ultima emanazione divina, l'ultima rivelazione dall'alto. Mentre mangiano, concupiscono e snodano le eleganti membra di legno, il sacro si libera dal proprio peso. Il grande edificio apparso nel mattino d'inverno era così greve, cupo e torvo: spesso gli dei sono intrattabili; e ora, ecco, il divino si prende gioco di sé stesso, rivela di possedere la leggerezza dei coboldi, la grazia metafisica dei clowns, una specie di innocenza attorno all'enigma. Tutto ciò è nuovo rispetto al *Processo*, dove le guardie non avevano questa grazia di burattini. Kafka ha recuperato le delicate e angosciose *clowneries* dei suoi libri giovanili, le tristi *clowneries* filiformi di *Un artista digiunatore* e le ha insinuate con arte deliziosa nella sua costruzione teologica. Ma gli Aiutanti non giocano sempre con grazia infantile. Essi sono dei lemuri, delle invenzioni spettrali: i loro vecchi corpi non hanno gioia; e spesso abbiamo l'impressione che, nei loro giochi, l'inquietante e il sinistro accompagnino il comico.

Gli dei amministrano il mondo, o almeno quell'infima parte di mondo – il villaggio – che è rimasta loro; e Kafka ci fa assistere alla più spiritosa e tremenda discussione sul reggimento del mondo e sulla Teodicea dai tempi di Leibniz e di Voltaire. Quando arriva nel villaggio, K. è fiducioso: la rapidità con cui nella notte viene prima rifiutato poi accettato, gli sembra il segno di un servizio sistematico, concatenato, coerente. Qualche giorno dopo, va dal sovraintendente del villaggio, malato di gotta, che gli tiene una solenne lezione sulla burocrazia del Castello. La prima cosa che veniamo ad apprendere è che essa è un'immensa macchina umana, che agisce da sola, come una creatura unica, per così dire senza l'aiuto dei funzionari, giungendo a «delle improvvise e fulminee soluzioni», che nessuno sembra avere dettato. A questa grande macchina, che occupa tutte le stanze del Castello come una volta occupava tutti i solai della città innominata, cosa importano i «casi» delle persone reali, il destino di questa o di quella creatura col suo peso di desiderio e di felicità e di dolore? La macchina del Castello non conosce cosa sia la carità o l'amore: è formalista, come la Legge nel *Disperso*. Ciò, da parte di Dio, non ci meraviglia: Dio ha sempre amato il formalismo, per amministrare il suo regno pieno di contraddizioni. Ci meraviglia piuttosto – ma con Dio non dobbiamo mai stupirci – che questo trionfo della forma sia illegale: nel villaggio il maestro stende il verbale di un colloquio a cui non ha mai assistito.

Quello stesso giorno, il sovraintendente ci spiega in che modo funziona la grande macchina. «Uno dei princìpi che regolano il lavoro dell'amministrazione è che non si deve mai contemplare la possibilità di uno sbaglio. Questo principio è giustificato dalla perfetta organizzazione dell'insieme ed è necessario se si vuole mantenere la massima rapidità nel disbrigo delle pratiche.» Il sovraintendente afferma due cose: da un lato, un principio teorico che ha la stessa assolutezza di un principio teologico: vale a dire, l'Amministrazione, in teoria, non commette sbagli; dall'altro, un fatto sperimentale – non si è mai visto che l'Amministrazione commetta sbagli. La Teodicea, dunque, è doppiamente dimostrata: sia sul piano teologico sia su quello sperimentale. Ma vediamo un caso: nella questione della chiamata dell'agrimensore, il Castello ha commesso uno sbaglio. Come risponde il sovraintendente? «Il servizio di controllo... non è fatto per scoprire errori nel senso grossolano della parola, perché errori non se ne commettono.» E se K. insiste: «Anche se per eccezione un errore accade, come nel caso suo, chi può dire alla fine che sia davvero un errore?... Chi può sostenere che il secondo ufficio giudicherà allo stesso modo, e anche il terzo e i successivi?». Il Castello vanifica qualsiasi prova sperimentale dell'errore: errori non ce ne sono, perché non possono esserci.

Il romanzo di Kafka, che le autorità del Castello non possono confutare, ci informa di cosa sia in realtà accaduto: una catastrofe; la perfezione teorica della Teodicea copre il più assurdo guazzabuglio umano. Molto tempo prima, il comune del villaggio aveva ricevuto un decreto della sezione A del Castello (diciamo A per semplificare, perché il sovraintendente non ricorda affatto di quale sezione si tratti), che comunicava in modo categorico che bisognava assumere un agrimensore, e che il comune doveva preparare i progetti e i disegni necessari. Il sovraintendente rispose, ringraziando, che di agrimensori non avevano bisogno. La risposta non arrivò alla sezione cui era destinata – ma, per errore, all'ufficio B: per di più arrivò soltanto una busta vuota, perché il contenuto del plico si era smarrito in comune o per strada; c'era appena l'annotazione che la lettera riguardava la nomina di un agrimensore. La sezione A dimenticò completamente la cosa. Ma, nell'ufficio B, la cartella vuota giunse nelle mani di un impiegato scrupolosissimo, l'italiano Sordini, che rimandò indietro il plico al comune perché lo completasse. Ormai dal primo scritto della sezione A erano trascorsi mesi e anni, e nessuno al comune (dove, d'altra parte, non si conservava un archivio) ricordava di che si trattasse. Il sovraintendente rispose, in modo molto vago, che non sapevano nulla di quella nomina e che non avevano bisogno di un agrimensore. Sordini, che vedeva dappertutto canaglie, si insospettì, e intavolò una fitta corrispondenza, chiedendo perché gli fosse venuto in mente così all'improvviso di assumere un agrimensore. Il sovraintendente rispose: nuova risposta di Sordini; e così via, all'infinito...

Se vogliamo conoscere da vicino l'inimmaginabile confusione della storia umana, amministrata da Dio, non abbiamo che da contemplare l'archivio del sovraintendente, che sta in parte in un armadio nella sua stanza da letto – pacchi di carte raccolte in rotoli, legate come fascine –, in parte nel granaio, in parte in casa del maestro, in parte è andato perduto, mentre in un altro armadio stanno mucchi di pratiche non sbrigate, che forse non verranno sbrigate mai. La moglie del sovraintendente cerca, con la candela, il documento perduto, mentre gli Aiutanti di K. si strappano le carte di mano: il documento non viene trovato; e alla fine gli Aiutanti adagiano l'armadio sul pavimento, cacciano dentro alla rinfusa gli incartamenti, e si siedono sul battente cercando di chiuderlo. Questa è dunque la storia, amministrata da Dio? Avremmo torto ad affermarlo. La serie di casi, di qui-pro-quo, di confusioni, di corrispondenze insensate, di documenti smarriti finisce per disegnare un destino coerente, come è appunto quello di K.

Tra il mondo indecifrabile del Castello e gli estranei come K. e perfino il piccolo cosmo del villaggio, che giace ai suoi piedi e gli appartiene indissolubilmente, non ci sono dei veri e propri contatti. Per i funzionari, apparire in pubblico è una tortura: non sognano che sparire: pensano di essere incapaci, almeno senza una lunga preparazione, di sopportare la vista di un estraneo: evitano perfino la vista delle cameriere, producendo complicazioni inenarrabili nel funzionamento dell'albergo: interrogano gli imputati di notte, per potersi nascondere meglio; non vogliono conoscere nessuna notizia che salga dal basso, dal mondo oscuro dove i contadini vivono insieme allo straniero. Abbiamo l'impressione che temano il mondo umano: che una specie di nevrastenia, di ansia o di intima fragilità, impedisca agli dei – loro che dovrebbero essere così potenti – di guardare in viso gli uomini. A volte, vincendo l'impaccio o l'esitazione, come se il passaggio dalla sfera divina a quella umana fosse pericoloso, scendono tra gli uomini, simili agli dei greci, attratti da un corpo femminile. Ma restano così poco nei nostri letti! Qualche visita fugace, qualche amplesso: non portano alle amate nessun dono, solo lasciano che esse prendano un ricordo; e poi fuggono via senza ritornare mai più, senza un motivo, dimenticando completamente coloro che hanno posseduto. Quanto agli uomini, quei pochissimi, anzi quell'unico – K. – che pretende di vederli e di parlare con loro, violando l'alterità divina, compie un peccato gravissimo: un peccato di *hybris*. Molto meglio conservare con loro i rapporti indiretti, elusivi e ingannevoli, che K. rifiuta, perché incontrarli e forse amarli può provocare soltanto una tragedia, come quella che sconvolge la famiglia di Barnaba.

Nel tetro Castello che qualche volta deve annoiarli e riempirli di *spleen*, gli dei scrivono agli uomini. Sebbene disprezzino la scrittura, scrivere (o meglio dettare) è il loro mestiere. Al Castello, c'è un vasto ufficio, diviso in due parti da un leggio, che va da una parete all'altra. Sul leggio vi sono grandi libri aperti, l'uno vicino all'altro, più misteriosi di quelli della Legge nel *Processo*. Davanti ad essi stanno i funzionari e li compulsano: mentre, addossati al leggio, ci sono tavolini bassi a cui siedono degli impiegati che scrivono sotto dettatura. Il funzionario sta davanti al suo libro: lo legge e, all'improvviso, senza un cenno, si mette a bisbigliare. Lo scrivano lo ode e comincia a scrivere: ma sovente il funzionario detta a voce così bassa, che lo scrivano non può udirlo restando seduto, deve alzarsi per afferrare quello che viene dettato, sedersi in fretta e scrivere, balzare di nuovo in piedi, e così via. Poi la lettera non viene consegnata a veloci messaggeri, che la portino agli uomini desiderosi. Passa del tempo. Il messaggero è di nuovo nell'ufficio di Klamm, uno degli innumerevoli Klamm che portano il suo viso: a un tratto questi pulisce gli occhiali quando il messaggero si avvicina, e lo guarda (ammesso che lo veda quando è senza occhiali: in quei momenti, con gli occhi semichiusi, ha tutta l'aria di dormire e di pulire gli occhiali in sogno). Intanto lo scrivano fruga in un mucchio di documenti che tiene sotto il tavolo, e tira fuori una lettera: non una lettera recente, ma vecchissima, che è lì da molto tempo. Come credere, allora, che possa esistere un rapporto tra gli dei e la nostra terra? Queste lettere ispirate da un libro, bisbigliate, mal capite, consegnate in ritardo, scritte forse a chissà chi, non possono contenere che una serie di inganni e di illusioni, come quelle che Klamm manda a K.

Simile a una fonte di luce, il Castello irradia intorno a sé dei «riflessi»: riflessi non divini – esseri umani o cose, che pure raccolgono l'essenza più delicata del divino. Il primo è la «ragazza del Castello». K. la conosce durante i suoi vagabondaggi, in una capanna di contadini. Sta semisdraiata su un'alta poltrona in un angolo della stanza: un fazzoletto di seta le copre il capo sino a metà della fronte: ha un lattante al seno: giace inerte nella poltrona: non guarda il bambino, ma i suoi occhi azzurri e stanchi, segnati da una malattia incomprensibile, si perdono vagamente in aria; e un chiarore di neve, che entra dalla finestra, e sa di altri mondi, getta un riflesso di seta sulle sue vesti. K. guarda a lungo questa bella, triste e immutabile scena: questa Madonna italiana perduta nel paese del freddo. Sappiamo soltanto che la donna, moglie di un calzolaio, è «una ragazza del Castello». Il sovraintendente non vuol parlarne, come se fosse tabù. Ha abitato qualche tempo sopra le nevi, come domestica o amante di un funzionario; e ora è caduta, per una ragione ignota, nel paese delle nevi. È malata: non sopporta l'aria del villaggio; il minimo avvenimento, come l'incontro casuale con K., basta a gettarla a letto per parecchi giorni. Come un'eroina romantica, soffre di *Heimweh*, di nostalgia del Castello: la malinconia della separazione e della cacciata le consuma l'anima; e con i suoi occhi malinconici, stanchi e azzurri noi cominciamo a guardare verso l'alto.

Il secondo «riflesso», Barnaba, ricorda a K. la grazia raffaellesca e il chiarore di neve, che avvolge la «ragazza del Castello». Barnaba ha un viso luminoso e aperto, occhi grandissimi, un sorriso riconfortante, che splende mite come le stelle del cielo: porta abiti attillati come gli Aiutanti, è snello e sciolto di movimenti. Indossa un vestito quasi bianco: la stoffa non è di seta, eppure ha i riflessi, la morbidezza e la solennità della seta, come le vesti della ragazza. Appena lo incontriamo nell'osteria del villaggio, rimaniamo incantati. Quale delicatezza ultraterrena hanno i suoi gesti: sia che si passi la mano sul volto, quasi voglia cancellare l'impronta di un sorriso: sia che si appoggi alla parete dell'osteria e abbracci con uno sguardo la sala: o che chini gli occhi a terra: o che accarezzi lievemente la spalla di K.; o che corra, «voli» nella notte nevosa. L'essenza della sua natura non sta mai in quello che fa, ma nell'aura che lo circonda; e un'invisibile linea lo tiene lontano dalle persone e dalle cose, come se non potesse mai mescolarsi a nessuna persona o oggetto creato.

Se ogni personaggio del Castello ha uno o più archetipi, l'archetipo di Barnaba è il dio dei messaggeri: Ermete. Tutto in lui ricorda il dio greco: la snellezza, la velocità, la grazia, l'elusività, il dono di imparare a memoria i messaggi. Come sapremo più tardi, egli è un reietto, un escluso: non è un vero messaggero; e, quando viene slacciata, la sua tunica dai riflessi di seta lascia vedere, sul petto vigoroso e quadrato da servo, una camicia grossolana color grigio sporco, molto rammendata. Eppure il Castello ha affidato proprio a lui, a quella tunica che apparentemente ricorda la veste degli angeli, a quel sorriso stellare, a quel passo veloce nella notte, – l'eleganza e la luce che altrimenti non sa rivelare.

Il terzo «riflesso» è un sorso di cognac. K. penetra nel cortile dell'Albergo dei Signori – che bellezza, che quiete laggiù, appena usciti dal paese coperto di neve! –; e vede la slitta chiusa di Klamm. Egli lo attende invano, mentre la penombra del crepuscolo si trasforma in una tenebra fitta. Violando un primo tabù, entra nella slitta degli dei, dove fa un caldo piacevole: tutto è «lusso, calma, voluttà»; la panca di legno è imbottita di coperte, cuscini e pellicce, e da qualunque parte si volti, sprofonda nel molle e nel caldo. Accanto a lui, in uno sportello chiuso, stanno delle bottiglie di cognac: K. viola un secondo tabù, ne tira fuori una, svita il tappo e sorride: «Il profumo era così dolce, così carezzevole, come quando ascoltiamo lodi e buone parole da una persona molto cara, e non sappiamo esattamente di che cosa si tratta, né desideriamo saperlo, e siamo solo felici che sia lei a parlarci così». Dunque la freddezza e l'impassibilità degli dei sono soltanto un luogo comune? Noi li amiamo ed essi ci amano, e ci inviano profumi soavi, estasi, lodi e buone parole? Quando K. beve l'ambrosia divina, quel profumo dolce e carezzevole si trasforma in una bevanda da cocchiere. Come nelle favole, la violazione del tabù e della distanza divina viene punita.

Abbiamo ripercorso quattro volte lo stesso motivo, che costituisce uno dei temi principali del *Castello*. Visto da lontano, il Castello è limpido, chiaro, leggero, ascendente; e, visto da vicino, rivela di essere un edificio degradato, torvo, senza grazia né slancio. Il lontanissimo ronzio di voci infantili, ascoltato al telefono, quel canto di una voce unica che cerca di risalire fino al nostro cuore, non è altro che un effetto meccanico. La bianca tunica di Barnaba dai riflessi di seta copre una camicia grossolana di color grigio sporco: Ermete è un messaggero che nessuno ha nominato. Il soave profumo del cognac, simile al respiro della persona amata che ci rivolge lodi e buone parole, non è che una disgustosa bevanda da cocchieri. Non dobbiamo trarre da questi motivi ripetuti la mediocre conclusione che il divino sia soltanto un inganno, smascherato dalla realtà; o una fantasticheria di K. Il divino esiste come apparenza, sguardo remoto, illusione, riflesso di seta, profumo; e noi dobbiamo afferrarlo quando ci si rivela, conoscerlo, amarlo, senza sottoporlo all'esame della realtà o chiedere la sua visione diretta – come Plutarco e Goethe afferravano il mito e il divino nei loro splendidi «riflessi colorati».

Contro la labirintica costruzione del Castello, i suoi inganni e i suoi doni, – sta un uomo solo, K. È arrivato al villaggio in una tarda sera d'inverno, povero, cencioso, con un piccolo sacco da montagna e un bastone: come il viandante della favola, come Ulisse che ritorna a casa e si traveste da mendico. Non sappiamo quando ha lasciato la patria: ha percorso una lunga e faticosa strada passo dopo passo, varcando il deserto di neve che cinge Canaan, fermandosi chissà dove, nei poveri alberghi del deserto, o presso popolazioni di cui ignoriamo il nome, o dormendo all'addiaccio. Se si guarda alle spalle, scorge un passato radioso soltanto nella sua infanzia: un giorno – la piazza vuota e silenziosa era inondata di luce – saltò sul muro del cimitero, vide le croci confitte nel terreno, e si sentì più grande di tutti, vittorioso sulla morte e sugli uomini. In quel giorno affonda la sua impresa temeraria di oggi. Ma, per il resto, il suo passato ci è ignoto. Ha una moglie e un bambino, come pretende? Ha delle conoscenze in medicina? Oppure mente? Egli è l'assoluto straniero: straniero nel mondo, straniero a sé stesso: emana un freddo brivido di indifferenza e di solitudine;

non possiede nulla – nemmeno il proprio nome, quello che anche i più poveri posseggono. Indugia a lungo sul ponte, circondato dal «vuoto apparente» della nebbia: la sua scelta è irrevocabile, e non sa che si appresta a diventare doppiamente straniero, straniero e reietto anche a Canaan. Compie il passo opposto a quello del suo autore. Nei mesi in cui incominciò il libro, Kafka si era stabilito nel deserto: mentre K., fedele ai vecchi sogni di Kafka, varca la soglia che dal deserto introduce nel regno di Canaan.

Sebbene non ostenti aloni letterari, abbiamo già incontrato K. molte volte: ha ispirato scrittori, ha dato il proprio nome a libri, ha suggerito discussioni interminabili, come se in lui si concentrasse l'essenza dell'Occidente. Egli è la combinazione di Faust e di Ulisse nel cuore del nostro secolo. Nessuno è più aggressivo, testardo, tenace, costante, accanito, concentrato di lui: fin dal principio sente il rapporto col Castello, nel quale altri avrebbero visto una ricerca o un'attesa o un dono, come una battaglia, dove egli è l'aggressore e dalla quale dovrà uscire vincitore. «Sa,» dice in una variante «posso essere spietato fino alla follia... Sono qui per lottare.» Non accetta doni o grazie dal Castello o da chicchessia. Vuole entrare di forza nell'edificio sulla collina – e usa qualsiasi strada per raggiungere il proprio scopo: l'amore delle donne, la dedizione dei ragazzi, la simpatia naturale. Non conosce cosa sia l'esperienza: le esperienze sono, per lui, soltanto dei mezzi; egli non sosta ad afferrarle, a amarle, a goderle, e le brucia una dopo l'altra, senza avere mai la gioia del *qui*. La lentezza del passo, l'attesa, il rinvio, l'indugio gli sono ignoti. Come Faust, è divorato dallo *Streben*: dall'angoscia, dall'ansia, dal desiderio nevrotico, dall'impazienza di andare sempre più avanti; e nell'impazienza si abbandona a sogni, a fantasie e speranze inverosimili, e non riesce a capire la realtà e gli altri esseri umani.

K. è anche l'incarnazione moderna di Ulisse. La sua mente è sinuosa, pieghevole, mobile, artificiosa, disposta ad adattarsi e a cedere come l'acqua: conosce l'arte dei raggiri, delle astuzie e delle macchinazioni, che la gente del villaggio ignora. Siccome il cielo ci inganna, Kafka non si indigna affatto se il suo eroe tenta di ingannare il cielo. Ma né l'aggressivo desiderio di potere né l'arte del raggiro servono molto, in una battaglia col divino; e K. si trova ogni volta battuto dalla *nonchalance* pigra e sovrana con cui il Castello conduce il suo gioco di scacchi. Così egli prova la sconfitta, che conoscono sempre i troppo violenti o troppo ingegnosi, e tanto più i Faust mascherati da Ulisse. Dopo aver bevuto il cognac di Klamm, K. resta solo nel cortile, indisturbato, nel gelo della notte nevosa. Lui, l'uomo che conta solo sulla propria energia e sul proprio ingegno, ha raggiunto quello che, in apparenza, voleva: l'indipendenza, la libertà, la solitudine, l'invulnerabilità. Niente è più disperato e assurdo di questa libertà, di questa solitudine, di questa attesa nel gelo, che nessuna persona, gesto o dono dall'alto verranno a colmare.

Insieme al protagonista delle *Indagini di un cane*, K. è l'unico personaggio a cui Kafka abbia affidato almeno un'eco, sia pure distorta, della propria ricerca di Dio. K. non accetta quello che il Castello e il villaggio insegnano in mille modi e con mille immagini: che Dio è *altro*, lontano, irraggiungibile, invisibile, incomprensibile. Con la forza del proprio desiderio, con lo slancio del proprio *Streben*, con le astuzie della sua natura ulissiaca, vuole affrontare faccia a faccia gli dei, vederli, parlare con loro, come fece Mosè sul Sinai. Se Kafka aveva detto: «In teoria esiste una possibilità terrena di perfetta felicità: quella di credere in ciò che è decisamente divino e di non aspirare a raggiungerlo», – K. non sa che farsi di questa felicità. Egli cerca di abolire tutte le mediazioni che tengono lontana la divinità: sia quelle umane (l'ostessa, la burocrazia del Castello) sia quelle date dalla tradizione e dalla scrittura. Vuole *parlare* con Klamm (con lui come persona privata, come se Dio non fosse sempre uno, nella molteplicità delle sue funzioni); e l'attende nella notte e nel gelo, senza che nessuno gli venga incontro. Desidera oltrepassare Klamm, incontrare il Dio supremo, il Conte West-West, il Signore del nostro tramonto, il cui ritratto è invisibile e il cui nome è tabù. Cosa pretenda K. dagli dei non è chiaro: forse non è chiaro nemmeno alla sua mente tortuosa. Da un lato, egli è «l'agrimensore»; e dunque vuole «misurare», conoscere razionalmente il divino, come fanno i teologi. A quanto si intuisce, egli desidera un divino purificato e razionalizzato: senza nulla di tremendo e di moralmente ambiguo, senza mistero e erotismo, come è invece quello del Castello; e che non imputi peccati agli esseri umani. D'altra parte, come la scena del cognac ci rivela, egli sogna di abbracciare il divino: forse di fondersi e di perdersi estaticamente nel divino senza difese, come Ḥallāj si perdeva nell'unità indistinta di Dio. Sebbene le allusioni siano vaghissime e Kafka proceda con mano più delicata del solito, è probabile che K. voglia ancora di più. Quel Dio, che egli agogna, è una preda da conquistare: forse vorrebbe salire al Castello, prendere il posto degli dei, strappare i loro segreti, diventare uno di loro.

Quando K. arriva all'Osteria del Ponte, sa benissimo dove sia il Castello e quale ne sia il proprietario. Qualcuno lo ha informato. Non è venuto per passare una notte all'osteria, come un mendicante vagabondo: ma per essere ammesso nel villaggio, per entrare nel Castello e vivere nell'ultima patria che sia rimasta agli dei. Appena arrivato, mente: «L'oste e questi signori qui sono testimoni, se poi testimoni occorrono. Frattanto lasciatemi dire che io sono l'agrimensore fatto venire dal Signor Conte. I miei aiutanti arriveranno domani in carrozza, con gli strumenti». Che egli menta, è sicuro: gli Aiutanti non arriveranno mai, e un suo monologo interiore rivela che egli sa di mentire. Qualcosa resta dubbio. Come poteva sapere, K., che effettivamente anni prima il Castello aveva bisogno, o credeva di avere bisogno, di un agrimensore? Si potrebbe avanzare l'ipotesi che, come Josef K., nel *Processo*, intuisce le intuizioni segrete del Tribunale, così K. abbia intuito medianicamente gli antichi desideri del Castello. Ma mi sembra eccessivo: K. non possiede, in nessun altro passo, i doni magici di Josef K. Non è invece arbitrario supporre che la notizia della ricerca dell'agrimensore si sia diffusa oltre la cerchia del Castello: K. ha raccolto la voce e si è presentato, con una menzogna, come l'agrimensore richiesto tempo prima.

Ogni lettore immagina che la burocrazia celeste smentisca questa menzogna: non le sarebbe difficile, malgrado il disordine in cui tiene le sue carte. Invece accade il contrario: prima una telefonata notturna, del capo ufficio in persona, poi una prima lettera di Klamm, il capo della decima sezione, poi una seconda lettera assumono K. al servizio del Signor Conte. K. aveva falsamente asserito di essere stato chiamato dal Castello, e il Castello lo accoglie: aveva detto, non meno falsamente, di essere un agrimensore, e il Castello lo ammette; aveva sostenuto con una terza menzogna di attendere i suoi Aiutanti, e la sera dopo arrivano due Aiutanti, che egli non aveva mai visto e che pretendono di essere al suo servizio. La tecnica del Castello è chiara: non smentisce le menzogne, non intraprende una qualsiasi lotta, non fa pesare i rapporti di forza; ma accoglie con un'ironica e indifferente benevolenza tutte le pretese di K., sanziona le sue richieste, cede passivamente ai suoi desideri. Una sola cosa, ma essenziale, il Castello non accetta: lasciare entrare K. nel Castello e, semplicemente, «vederlo». Mentre telefona e manda lettere squisite ed elusive, rifiuta qualsiasi rapporto e contatto reale: la sua resistenza è passiva, indefinita, amorfa, come la tecnica militare di Kutuzov in *Guerra e Pace*. Abbiamo completamente abbandonato l'atmosfera del *Processo*, dove Dio inseguiva l'uomo con l'accusa, la ricerca, la condanna, l'atroce esecuzione. Questo nuovo Dio, che non impone nulla, che accoglie e accetta, questo Dio passivo, atono, ironico, indifferente, che non ci chiama, – ha smarrito qualsiasi rapporto con noi.

Tra false telefonate e false lettere, il Castello invia a K. i due falsi Aiutanti, i lievi e filiformi clowns di legno che, con un colpo di magia, aveva estratto dalla loro vecchia e flaccida carne umana. Essi non sanno nulla di agrimensura: non hanno carte né strumenti; e con quelle membra puntute e snodabili, che urtano in tutte le porte, combinano soltanto pasticci. La loro presenza parodizza l'arroganza di K.: le sue alte mete religiose, i sogni celesti, l'elevata coscienza di sé, la ricerca di un potere erotico, il nascosto infantilismo; e getta nel nulla la vanità dei suoi scopi. Alla fine del libro, quando hanno compiuto la loro missione, la spiegano a K. meravigliato. Il Castello ha imposto loro di togliere a K. la sua gravità di eroe tragico, alleggerendo la serietà dei suoi gesti, portando letizia nella sua vita, educandolo alla vita limitata, senza mete eroiche, che dovrà condurre nel villaggio. Mi chiedo se con queste parole gli Aiutanti non inducano K. e noi in inganno. Mi sembra difficile che l'indifferente Castello si curi di una creatura umana, di uno «straniero», fino al punto di volerlo educare. Quanto a K., odia i suoi Aiutanti: li maltratta, li percuote, li caccia nella neve: non soltanto per la luce derisoria che gettano sulla sua vita; ma perché non sopporta il volto umoristico e buffonesco che, in loro, assumono gli dei. Al contrario di Ulisse, sempre disposto a cogliere il divino nel clownesco, K. non vuole inseguire il divino nelle risa sciocche e nelle membra disarticolate dei due burattini.

Quando K. comincia la sua avventura nel villaggio, ode una frase simile a quella che Josef K. aveva udito da Titorelli: «tra i contadini e il Castello non c'è differenza». Nel paese di Canaan, dominato dagli dei, il divino continua senza stacco né interruzione nell'umano: il Castello si riflette nel villaggio; e le locande sono i sordidi luoghi dove avviene la rivelazione del sacro. Non è una scoperta consolante. Quando K. attraversa questo paese senz'anima, desolato anche di mattina, con le strade deserte, tutte le porte chiuse: quando scorge quei visi tormentati, quelle labbra tumefatte, quei cranii che sembrano appiattiti a mazzate, quei lineamenti formati nel dolore dei colpi, quelle espressioni atone: quando conosce quella società chiusa, oppressa, avida e arida, dove le donne sono soggette al potere sessuale degli dei, – deve pensare con orrore all'agognata terra di Canaan, nella quale a ogni costo vuole insediarsi. Nel paese degli dei, sotto l'ombra di quella torre senza slancio, sembra non esistere nessuna traccia di divino. I contadini cacciano via K. dalle loro case, sebbene siano curiosi di lui e, forse, vogliano chiedergli qualcosa. Le donne capiscono che egli è di un'altra razza: non è uno della loro patria, che coltiva le virtù dell'obbedienza, della fedeltà, della costanza e della reverenza, – ma un eroe venuto dal basso, che può librarsi in chissà quali altezze, un avventuriero che agogna l'imprevedibile, un fuggiasco, un astuto macchinatore. Lo amano al primo sguardo; e vorrebbero essere liberate come la principessa della fiaba, trascinate via in Spagna o in Francia, chissà dove. Qualcuna, tra le infime serve del Castello, sogna che egli appicchi il fuoco all'Albergo dei Signori, o forse al Castello, e a tutto – tali sono le tensioni distruttive che si agitano a Canaan.

Mentre percorre le vie nevose, K. rinnova l'esperienza che il protagonista del *Processo* aveva conosciuto nei solai del Tribunale, dove l'aria irrespirabile lo faceva venir meno. Quella prima mattina, K. si sente subito stanco, come non gli era mai accaduto durante il viaggio nel deserto di neve: si affatica a camminare per le strade, si addormenta per la stanchezza nella prima casa dove entra, si attacca al braccio di Barnaba come un masso; e, alla fine del libro, morirà di spossatezza. Avremmo torto ad attribuire questa condizione alla tensione nervosa di K. Come l'atmosfera dei solai non era fatta per i polmoni di Josef, le strade della patria divina non sono fatte per uno straniero, e lo condannano a morte.

Meditando sulla prima lettera di Klamm, K. immagina che il Castello gli offra due possibilità: o lavorare come operaio al villaggio, unito al Castello da relazioni apparenti, o serbare soltanto l'apparenza dell'operaio e orientare la propria vita secondo le istruzioni dall'alto. Sceglie la prima strada, quella del radicamento, come se il desiderio di appartenenza fosse più forte in lui del desiderio del divino. Ma, in tutto il libro, non fa che seguire la seconda strada; e cerca disperatamente di entrare in rapporto con Klamm, il suo dio. Forse non si conosce ancora: ignora che la brama della trascendenza, l'ansia di vederla e di possederla – questa brama che può ardere solo nel cuore di uno straniero – è immensamente più forte, in lui, di quella di appartenere a una patria terrena, sia pure la patria di Canaan.

Una delle prime conoscenze che fa nel villaggio è Gardena, la padrona dell'Osteria del Ponte: una donna così gigantesca, che Frieda, ritta in piedi, arriva appena alle spalle di lei seduta su una seggiola a far la calza. Le enormi ginocchia sporgono sotto la veste sottile: la voce urla, delira, vaneggia, offende; ma il viso largo, solcato da molte rughe minute, e ancora liscio, ricorda qualcosa dell'antica bellezza che l'aveva fatta ricercare dai signori del Castello. In apparenza, è soltanto una grande figura materna: una dea del focolare, una grottesca Demetra. Nessun personaggio è più imbevuto dell'emanazione del sacro: nessuno adora come lei la volontà capricciosa e imperscrutabile del mondo divino. Klamm l'ha amata tre volte; e poi l'ha lasciata, senza un cenno di spiegazione. Ora, abbandonata da più di vent'anni, essa è divenuta la figura opposta a quella di K.: la mistica della distanza e della separazione dal mondo celeste. Gli dei stanno lassù, invisibili, irraggiungibili, muti, irrappresentabili, ineffabili: noi non possiamo far altro che adorarli, e venerare i pochi segni che ci lasciano, – quei verbali, quelle scritture, che K. mistico della presenza divina, rifiuta.

Quale figura grottesca, puerile e straziante è Gardena! Proprio lei che afferma la fatale separazione degli dei, non ha fatto altro che chiedersi perché mai Klamm l'ha lasciata: tutto il giorno, seduta nel giardinetto di casa, tutte le notti, insieme al marito che cercava invano di addormentarsi, ha ricordato quell'abbandono, che pure dovrebbe esserle così chiaro. Sul certificato di matrimonio dello stato civile, c'era la firma di Klamm: il giorno del matrimonio, senza badare al marito, corse a casa, non si tolse nemmeno la veste nuziale, si sedette al tavolino, vi spiegò il documento, lesse e rilesse il caro nome e con l'ardore fanciullesco dei suoi diciassette anni cercò di imitare la firma, riempiendo quaderni. Klamm le lasciò tre ricordi: uno scialle, una cuffietta da notte, e la foto del messaggero che le aveva portato il suo primo invito.

256

In tutti gli anni di separazione, Gardena non ha vissuto che di questi logori oggetti numinosi, cercando di tenere vicino al cuore quel divino di cui afferma la lontananza irrimediabile. Una sera, all'Albergo dei Signori, ode il passo di Klamm che si allontana e ritorna al Castello. Corre in punta di piedi verso la porta che dà sul cortile, guarda dal buco della serratura, si volta verso gli altri con gli occhi sgranati e il viso in fiamme, li chiama con un cenno del dito, li invita a guardare la figura divina che si allontana: poi rimane sola, piegata in due, quasi in ginocchio, come se scongiurasse il buco della serratura di lasciarla passare.

La seconda sera del suo soggiorno al villaggio, K. giunge nella sala di mescita dell'Albergo dei Signori. La birra viene spillata da una ragazza, Frieda, una biondina dai tratti malinconici e dalle gote scarne: una camicetta scollata color crema è posata come un oggetto estraneo sul suo corpo gramo; ma la mano gracile è straordinariamente morbida. Appena la vede, K. è colpito dalla sua aria di superiorità: dallo sguardo vittorioso e trionfante, che sembra possedere il segreto di tutti i misteri. Presto ne sa la ragione: Frieda è l'amante di Klamm e in poco tempo è ascesa dalla infima condizione di serva di stalla all'Osteria del Ponte alla mescita dell'Albergo dei Signori. Appena irrompe l'orda disgustosa dei servi di Klamm, Frieda afferra uno scudiscio e, con un balzo alto, ma un poco incerto, simile al balzo di un agnellino, piomba sui ballerini. «In nome di Klamm,» grida «nella stalla, tutti nella stalla!» Con un terrore incomprensibile, i servi si pigiano in fondo alla sala, escono all'aria aperta ed entrano nella stalla. Di colpo, la gracile e malinconica ragazza della mescita è diventata la dea Circe, la regina-strega degli animali, che domina gli impulsi bestiali dei servi divini. K. osserva la scena, subito attratto da quegli sguardi trionfali. La fissa negli occhi; e comprende che Frieda porta negli occhi il segreto del suo destino, che egli presente nel modo più confuso.

La scena d'amore che avviene subito dopo, dietro il banco di mescita dell'Albergo, e la nuova scena all'Osteria del

Ponte, sono l'unica esperienza erotica, che Kafka abbia mai rappresentato. Klamm dorme nella sua camera: i servi sono chiusi nella stalla; i discorsi indifferenti e oziosi tra K. e Frieda hanno fine. La regina-strega degli animali diventa all'improvviso Venere scatenata: posa il piccolo piede sul petto di K. nascosto sotto il banco, lo bacia di sfuggita, spegne la luce elettrica, si stende sotto il banco bisbigliando senza toccarlo: «Mein Liebling! Mein süsser Liebling!»: giace a terra con le braccia aperte spossata dall'amore, il suo corpo gracile brucia nelle mani di K.: cadono in un deliquio a cui K. cerca invano di strapparsi, passando ore di palpito comune e di comune respiro; e, alla mattina, contro ogni passata cautela, Frieda batte col pugno alla porta di Klamm gridando: «Sono con l'agrimensore! sono con l'agrimensore!».

Come nel *Processo*, il coito segna l'invasione dell'immondo e del bestiale: il coito tra K. e Frieda avviene a terra, tra piccole pozze di birra e i rifiuti di cui il pavimento è coperto; come i cani raspano disperatamente il terreno, essi scavano l'uno il corpo dell'altro, e si lambiscono a vicenda il viso. L'amore è il paese straniero, dove nessuno è mai penetrato: una terra ignota dove perfino l'aria non ha nulla dell'aria nativa, dove ci si smarrisce e pare di soffocare: un paese simile a quello divino, giacché il divino è il luogo sommamente straniero; eppure i due vanno ancora avanti, si smarriscono ancora, procedono, entrambi cercano qualcosa, entrambi, furenti e col viso contratto, cercano conficcando il capo nel petto dell'altro; né i loro abbracci né i loro corpi, che si gettano l'uno sull'altro, li fanno dimenticare, anzi li richiamano al dovere di cercare ancora, delusi, smarriti, frugando un'ultima felicità, – nella loro insaziabile, delusa, spossata brama d'infinito. Alla fine, sotto la mezza luce grigiastra che precede l'alba, K. si sente perduto. «Che era accaduto? Dove erano le sue speranze? Cosa poteva ora aspettarsi da Frieda, adesso che tutto era svelato? "Che hai fatto?" disse parlando tra sé. "Siamo entrambi perduti."

"No," dice Frieda "io sola sono perduta, ma ti ho conquistato."»

Frieda è veramente perduta? Mentre era l'amante di Klamm, viveva immersa nella pienezza dell'amore divino, come in un'acqua quieta e possente. Il rapporto con lui colmava la sua anima. Le irritazioni, le contentezze, le gioie, gli usuali sentimenti della vita, non penetravano in lei: le sembrava che tutte queste cose fossero avvenute molti anni prima; o che non fossero toccate a lei, o che se ne fosse dimenticata. Era la quiete mistica: una felicità che, vista dal basso, sembrava assomigliare all'atonia e all'indifferenza. Ma Frieda non si adattava completamente, come l'ostessa, all'ineffabile lontananza di Klamm. Quando incontra K., lo stringe tra le braccia, lo possiede e ne è posseduta, e si inoltra con lui nel paese straniero, dove non c'è più né stabilità né quiete ma l'eterna ricerca e l'eterno smarrimento, – è felice di essere sfuggita all'indifferenza. Desidera la passione, la gioia, la tenerezza: l'amore assoluto fatto di presente e vissuto nel presente. Vuole divorare il corpo di K., restargli accanto per sempre, in un desiderio di chiusura e di claustrazione, che si conchiude con un desiderio di morte: «Immagino una fossa, profonda e stretta, dove noi due ce ne stiamo abbracciati come in una morsa, io nascondo il mio viso in te, tu il tuo viso in me, e nessuno ci potrà vedere mai più». Così sogna di fuggire la quieta pienezza di Klamm: lasciare il villaggio, il paese degli dei, e andarsene lontana, nella Francia meridionale e in Spagna, dove vivere in un altro spazio insieme a K. Ma, al tempo stesso, è terrorizzata dal nuovo amore che le si è rivelato quella notte: «Perché io? Perché proprio io dovevo essere prescelta?». Con lo sguardo vagante nella lontananza, la gota contro il petto di K., le sembra che anche questo amore sia sotto la protezione di Klamm. Non può liberarsi da lui e lasciarlo con la mente. Negli Aiutanti, che K. detesta, ama scoprire sorridendo i giochi degli dei: le sembra che i loro occhi sfavillanti la guardino con gli sguardi di Klamm e che il loro desiderio per lei sia soltanto un'irradiazione del desiderio di Klamm, – quieto, feroce, onnipossente, senza parola.

Come Frieda, K. si è smarrito nel paese straniero dell'eros, conoscendo per la prima volta la forza d'amore. Ma egli vorrebbe essere vicino agli dei: guardarli negli occhi, parlare con loro; e non può concedere a Frieda la vicinanza che essa desidera. La lascia a casa: è sempre via, nelle sue macchinazioni con il maestro, il sovraintendente, Momo, Barnaba, Olga, il piccolo Hans. Il suo amore per lei è solo un mezzo per stabilire un rapporto quasi fisico, stretto fino all'intesa segreta, con gli dei del Castello. Così Frieda è doppiamente sola: ha lasciato la vuota pienezza dell'amore divino e non ha ottenuto la presenza dell'amore terreno; non ha Klamm né K., ma solo i due lubrici Aiutanti. In pochi giorni la freschezza, la sicurezza, lo sguardo vittorioso e trionfale, che avevano abbellito quel corpo gracile, l'abbandonano: sfiorisce; e piange senza coprirsi il viso, tendendo verso K. il volto inondato di lacrime, come se egli meritasse il triste spettacolo del suo dolore. Verso la fine del libro, lo abbandona. Quando K. la rivede, è passato solo un giorno: ma Frieda lo guarda già con gli occhi inteneriti e stupiti del ricordo, e gli passa dolcemente la mano sulla fronte e la guancia, quasi avesse dimenticato i suoi lineamenti e volesse richiamarseli alla memoria. Gli poggia il capo sulla spalla; e lentamente, tranquillamente, quasi con benessere, sapendo che le è concessa solo una breve pausa di riposo, gli ripete il suo sogno sentimentale: «Se fossimo subito andati via, già quella notte, potremmo essere al sicuro da qualche parte, sempre insieme, la tua mano sempre abbastanza vicina per poterla afferrare. Come ho bisogno di averti vicino! Come mi sento abbandonata, da quando ti conosco, senza la tua vicinanza! La tua vicinanza, credimi, è l'unico sogno che io sogni e nessun altro».

Intrecciato alla storia di Frieda, come un romanzo più concentrato e drammatico nel fluire quieto del grande romanzo, si insinua verso la metà del libro la storia della famiglia di Barnaba: il padre, istruttore-capo dei pompieri del villaggio, la madre, le figlie Amalia e Olga, il figlio, giovane radioso messaggero che porta a K. gli annunci veritieri e illusori. Il racconto comincia tre anni prima, il 3 luglio, a una delle feste in cui il Castello e il villaggio consacrano la loro vicinanza e la loro separazione. Quella mattina, Amalia è vestita con una grazia particolare: porta una camicetta bianca arricciata con file di merletti e una collana di granati di Boemia; ma lo sguardo fosco, freddo, diritto, impassibile, che passa sopra gli altri, l'attitudine altera, l'amore della solitudine la segnano come una creatura a parte. Un funzionario del Castello, Sortini, ignaro del mondo, osserva Amalia: sussulta appena la vede e si allontana. La notte le scrive una lettera: nella quale l'amore, l'alterigia, la solitudine, l'impaccio degli dei nel parlare con gli uomini si capovolgono nel linguaggio osceno che il Castello predilige. Il mondo della ragazza crolla: forse anche lei era innamorata di Sortini: un'altra donna del villaggio avrebbe accettato l'invito; ma, davanti all'offesa, Amalia solleva il braccio e lacera la lettera in faccia al messaggero che l'aveva portata.

Al villaggio, dove le donne accolgono e ricercano le offerte degli dei, non era mai accaduto nulla di simile. Il Castello tace, senza imputare ad Amalia e alla famiglia una colpa qualsiasi. Nel *Processo* e nella *Colonia penale* la Legge ci accusava, voleva che noi riconoscessimo nell'accusa il suo invito, incideva i peccati sul nostro corpo con il più sottile e fantastico dei ricami calligrafici: mentre qui Dio non imputa nulla, chiuso nella sua assenza e indifferenza, nella sua grazia elusiva. Questo è il fatto più tremendo della nuova religione: la fine della condanna, dove Dio e l'uomo si incontravano e si abbracciavano. La famiglia di Barnaba si vergogna: abbandonata da tutti, timorosa del Castello, passa in casa, a finestre sprangate, le torride giornate di luglio e di agosto. Il paese li osserva. Se fossero usciti di casa, dimentichi del passato, e avessero dimostrato col loro contegno di aver superato l'incidente, nessuno avrebbe discorso mai più di quella storia, e la famiglia avrebbe ritrovato le antiche amicizie. Ma la famiglia di Barnaba non sa dimenticare. Se il cielo ha abbandonato l'arma della condanna, nei loro cuori non è scomparso il complesso di colpa, l'atroce divoratore, che li tortura per aver violato il decreto non scritto, per essersi sottratti all'abbraccio divino, per aver offeso il messaggero celeste.

Allora il paese li caccia: non li accusa per la ribellione agli dei: se avessero saputo vincere la sventura, avrebbero tributato loro grandissimi onori; ma, vedendoli ottenebrati dall'angoscia, incapaci di liberarsi dal pensiero del peccato, li esclude, li disprezza, rompe ogni legame con loro, e li chiama i «Barnaba» dal nome del più giovane e del più innocente. Ora tutta la famiglia è diventata intoccabile: il peccato non vinto col cuore ha impregnato gli animi, i pensieri, i corpi, gli abiti, la casa, – e perfino K., un reietto come loro, li trova repulsivi. La famiglia non può vivere così, senza luce e senza speranza: ciascuno a suo modo chiede grazia e perdono, sperando di essere liberato dalla soffocazione. Davanti alle preghiere del padre, il Castello ha buon gioco: «Che mai voleva? Che gli era successo? Di che cosa voleva essere perdonato? Quando e come, al Castello, avevano mosso persino un dito contro di lui?... Ma che cosa deve essergli perdonato? gli rispondevano: non ci sono denunce a suo carico, almeno non stanno ancora nei verbali...». Il padre tenta di corrompere qualche impiegato; e cerca di parlare con un funzionario privatamente, come se gli dei avessero una vita privata. Tutto è ugualmente vano. Col suo vestito più bello e un piccolo distintivo dei pompieri, aspetta nelle strade il passaggio delle carrozze dei funzionari per chiedere perdono: siede sul basamento della cancellata di un podere – insieme alla moglie siede tutto il giorno e in tutte le stagioni, sotto la pioggia e sotto la neve. Nessuno si ferma mai: ogni tanto un cocchiere lo riconosce e lo sfiora per celia con la frusta. «Quante volte» racconta la figlia «li abbiamo trovati lì, sprofondati insieme e rannicchiati l'uno contro l'altro sul loro stretto sedile, accovacciati in una coperta leggera, che li avvolgeva appena, e tutt'intorno nient'altro che il grigio della neve e della nebbia, e a perdita d'occhio per giorni interi non un uomo o una carrozza.»

Nemmeno Amalia, la fosca creatura verginale, si libera dal senso di colpa: nessuno soffre come lei per aver offeso il divino; i suoi gesti contratti e rattenuti, rigidi e fissi, non hanno mai la naturalezza ispirata dall'armonia e dalla quiete, che talvolta il cielo ci regala. Quella lettera le ha insegnato che Dio è male: impurità, oscenità, violenza, sopraffazione, tenebra virile. Questa è l'unica realtà e verità, che si è fissata per sempre nella sua mente: non può accettare, come Olga (e forse come Kafka), il divino nella sua complessità infinita: essa ama un Dio di purezza; e mentre molti mentono parlando degli dei e lusingando il divino con la loro povera teologia, la sua chiara intelligenza non si adatta a chiamare il male con altre parole. La figura di Amalia assume un alone tragico: i suoi gesti sembrano quelli di una grande attrice che si cela, di un'Antigone caduta nel mondo di Kafka. Non vuole conciliarsi con il Castello: non accetta rapporti con lui – preghiere, perdoni, implorazioni di grazia, servizi di messaggero. Vive chiusa nella disperazione, nutrendosi di disperazione, conoscendo e amando soltanto la disperazione: ma della sua esperienza tragica, che forse supera la possibilità espressiva di ogni lingua, non dice nemmeno una parola, mentre gli occhi foschi continuano a fissare il Male. Dopo aver rifiutato l'immonda vitalità degli dei, osserva la purezza, l'ascetismo, la verginità solitaria. Vive così nella casa, chiusa nel suo sogno negativo, senza vedere, senza ascoltare, e quando ascolta sembra che non capisca, e quando capisce sembra che non le importi nulla. Il suo sguardo, freddo, chiaro e immoto, non è mai portato sull'oggetto che osserva: gli passa a lato, in modo lieve e impercettibile; e questo strano sguardo laterale rivela un bisogno di solitudine più forte di qualunque altro sentimento. Nel gelo della sua anima, solo un affetto è rimasto: l'affetto da Antigone per il padre e la madre, che ha trascinato innocenti nella colpa; l'affetto da Vestale per il focolare. Quasi insonne, veglia, non teme nulla, non è mai impaziente: accudisce i genitori malati con erbe che calmano i dolori, mentre i fratelli girano inquietamente per la misera casa.[1]

L'altra vergine della famiglia, Olga, è bionda e mite, grave e quieta, quanto Amalia è fosca e altera; e accetta la radicale ambiguità del sacro. Di fronte agli dei, che ignorano l'amore, e al villaggio, che ha dimenticato il dono della *caritas*, – essa ripete il gesto di Cristo. Come lui, salito sulla croce per addossarsi i peccati degli uomini, Olga è una vittima sostitutiva. Se Amalia aveva rifiutato il suo corpo a Sortini, essa offre il proprio corpo alla banda di servi che, due volte la settimana, scendono all'Albergo dei Signori a scatenare nella stalla i propri istinti: se Amalia aveva offeso il messaggero di Sortini, Barnaba ne prende il posto comunicando tra il Castello e il villaggio. Così Olga, questa prostituta sacra, questa Sonja dostoevskijana, si immola per la famiglia, sperando di cancellare la colpa che grava su di essa, e ottenere la conciliazione col cielo. Ma è meno fortunata di Gregor Samsa, che ha salvato la famiglia e la continuità del ciclo naturale. Il suo sacrificio non serve a nulla. Nessuno degli dei la osserva: o se la osserva, rimane indifferente a questa vicenda di peccato e di pentimento, di colpa e di espiazione, per il quale Dio non prova ormai interesse.

Anche Barnaba è un messaggero sostitutivo; e ripete i gesti del lontano e irraggiungibile messaggero, che Amalia aveva offeso. Va al Castello: attende per due anni di essere chiamato: diventa l'uomo dell'attesa, dell'inutile sosta, della disperata procrastinazione, che ricomincia sempre di nuovo senza possibilità di mutamento, – ciò che appunto gli dei desiderano da noi, uomini votati a un'attesa che non si compirà mai. Come fa con K., il Castello, ironicamente benevolo, lo lascia fare: tollera che penetri nella sua cinta; e, alla fine, come per caso, gli affida due messaggi per K. A Barna-

---

[1] C'è un solo particolare, che non capisco. A p. 194, si dice che Amalia è stata al Castello e ha riportato una lettera per Barnaba. La cosa sembra inverosimile. Amalia non sale al Castello. Non resta che pensare a una svista di Kafka. Se invece non si tratta di svista, bisogna pensare che Amalia coltivi ancora un rapporto col Castello, sebbene si ostini a negarlo.

ba pare che un mondo nuovo si dischiuda ai suoi occhi, non può sopportare la gioia e il timore della novità, e nasconde la lettera sulla pelle nuda, portando continuamente la mano al cuore, per convincersi di non averla perduta. Ma egli è un messaggero completamente gratuito: non ha l'uniforme regolamentare, non sa se gli uffici a cui ha accesso siano veramente quelli del Castello, non sa se parla con Klamm, non sa se i suoi messaggi siano veri messaggi o delle mistificazioni del cielo. Nulla è più problematico del suo compito. E poi, anche se fosse un vero messaggero, cosa è un messaggero? La preghiera di venire assunto come messaggero, viene accolta come quella di un bambino sfaccendato, che insiste coi grandi per essere mandato a eseguire qualche commissione, soltanto per avere qualcosa da fare.

Eppure il cielo è sia respinto che attratto dai reietti, da coloro che vivono senza Legge, che abitano nel sottosuolo del mondo. Ama la colpa, sebbene abbia rinunciato a imputarla. Ai piedi del Castello sembra che solo il dolore e la sventura possano far fiorire la grazia di un messaggio, il dono di una parola che consola. Barnaba è l'ultimo degli ultimi, – ma le sue vesti radiose e dai riflessi di seta, il suo sorriso, il suo passo veloce, la sua eleganza da Ermete sono uno dei rarissimi, preziosi «riflessi» che il cielo invia sulla terra. Così, forse, tutto il dolore della famiglia è stato purificato.

Verso la fine del romanzo, sfinito dall'insonnia e spossato dalla stanchezza, K. entra per sbaglio nella stanza di uno dei segretari del Castello, all'Albergo dei Signori. Sono le quattro di mattina. La piccola stanza è occupata per più di metà da un gran letto: sul tavolino da notte la lampada elettrica è accesa, e lì accanto sta una valigetta. Nel letto, nascosto sotto le coperte, qualcuno si muove irrequieto, e da uno spiraglio fra la coperta e il lenzuolo bisbiglia: «Chi è?». K. guarda malcontento il letto occupato, e dice il proprio nome. Allora l'uomo coricato libera un poco il viso, pronto a ricoprirsi di nuovo se qualcosa non gli piacesse. Ma poi spinge risolutamente via la coperta e si mette a sedere. È un uomo piccolo, di bell'aspetto, con le gote infantilmente paffute e gli occhi infantilmente giocondi: la fronte alta e la bocca sottile tradiscono un pensiero maturo; più tardi, nel sogno, K. lo vedrà nelle forme di un giovane dio greco, completamente nudo, che squittisce come una ragazza a cui fanno il solletico. Sorridendo, si presenta. È Bürgel, il segretario di Friedrich, che assicura il collegamento tra Friedrich e il villaggio, tra i suoi segretari del Castello e i suoi segretari del villaggio; e ad ogni istante deve tenersi pronto a salire sulla collina con la valigetta. Ormai è tardi: Bürgel non ha più sonno e lo invita a sedersi sulla sponda del letto, con una confidenza e una famigliarità che K. non ha ancora conosciuto nel villaggio. K. ha voglia di dormire: accetta l'invito, si siede sul letto, appoggiandosi alla testiera, e così mentre passa lentamente dalla veglia al sonno ascolta il delizioso *bavardage*, l'effervescente e gioconda buffoneria del piccolo segretario-dio greco. Spesso succede così: l'ultima verità delle cose, quanto abbiamo sempre desiderato conoscere e nessuno ci ha mai rivelato, ce la offre un chiacchierone buffonesco, senza che noi ce ne accorgiamo.

Per passare il tempo, o perché incaricato di consegnare a K. la rivelazione, verso la fine della notte Bürgel comincia un lungo discorso. «Stia bene attento,» egli dice «a volte si danno occasioni che non concordano quasi con la situazione generale, occasioni nelle quali una parola, uno sguardo, un cenno confidenziale possono ottenere di più che non certi sforzi estenuanti prolungati per tutta la vita.» Queste occasioni avvengono di notte: quando i funzionari debbono ascoltare le parti subito dopo che un'inchiesta è compiuta; e quando, alla luce artificiale e prima del sonno, è più facile per gli dei tollerare e dimenticare ogni bruttura. Ma, sebbene il Castello e il villaggio affondino nelle tenebre, nell'inverno e nell'eterno tramonto, il mondo divino è uno spazio diurno. La notte, esso subisce dei terribili rischi: nel buio si annida la piccola lacuna, l'invisibile crepa, che può far crollare la tozza muraglia del Castello. Allora la barriera tra dei e esseri umani, sebbene esternamente appaia intatta, s'incrina: la Legge s'indebolisce; gli dei cominciano a considerare le cose da un punto di vista privato, si perdono nei dolori e nei crucci degli uomini, smarriscono ogni distanza e ogni impassibilità, dimenticano l'indifferenza, cedono alla pietà, – proprio come noi, mediocri, sentimentali, lacrimosi esseri umani.

Così può accadere l'impensabile, l'impossibile, il mai visto, – se strani esseri umani, strani granellini, agili e sottili come pesci cercano di sgusciare tra le maglie della fittissima rete del Castello. Mentre il dio e l'uomo sono di fronte, avviene il totale capovolgimento. Sapevamo che l'uomo riteneva il Castello irraggiungibile, e ora è il dio a considerare irraggiungibile l'ardito essere umano, l'astutissimo Ulisse. Sapevamo che il Castello è «il mai veduto, il sempre atteso, l'atteso con vera bramosia», ed ora è l'uomo ad essere atteso con bramosia infinita. Sapevamo che il dio amava esclusivamente la Legge, ignorando gli animi e i cuori, e ora sembra nutrirsi soltanto della tortuosa e oscura psicologia umana. Sapevamo che il dio non ascoltava le preghiere, e ora ascolta soltanto preghiere. Sapevamo che non badava, non aiutava, non veniva incontro, e ora viene incontro all'uomo come la più compassionevole delle madri. In questo momento, cadono le distanze, le separazioni, le opposizioni che, nei secoli, si erano formate tra dei e uomini; e una vera *unio mystica* stringe i corpi e gli animi divisi. Il vecchio dio muore, ed è felice e disperato ed ebbro per la propria morte. Travolto dal trionfo straziante dell'amore universale, dalla passione per i dolori e le sofferenze finora ignorate, annuncia la propria fine: una fine che avverrà di notte, in segreto, ma poi verrà proclamata in tutti i giorni dell'universo. Il suo evangelista è Bürgel, il piccolo, lieto segretario, che l'annuncia con estasi, con desiderio di dissoluzione, con disperazione e, sopratutto, con una sfavillante e ammiccante buffoneria.

Dobbiamo dunque credere che i tempi stiano per mutare, a partire da questa notte? Che il Dio della *caritas* prenda il posto del Conte West-West, del dio vuoto, indifferente e osceno? E che, nel luogo del tozzo Castello degradato e dalla torva torre inquietante, sorga un campanile leggero, slanciato, puro come il cielo, nutrito di voci infantili e di suoni di campane? E che Barnaba, colla sua grazia e la veste dai riflessi di seta, diventi il vero messaggero degli dei? E che il cognac sveli sempre il suo profumo carezzevole? Non possiamo illuderci: Kafka non è un utopista. Con un improvviso rivolgimento, Bürgel tiene a farci sapere che, secondo la sua esperienza, la sorpresa notturna «è una cosa insolita, nota solamente per sentito dire, e mai confermata dai fatti»: Dio, finora, non si è mai impietosito, non ha mai concesso la grazia a nessuno, come sappiamo dal *Processo*. Lo stesso vale per il futuro, e sopratutto per il presente, questo momento decisivo per la storia dell'umanità, che stiamo attraversando mentre K. ha cominciato a dormire. «E anche» Bürgel insiste enigmaticamente «se quell'impossibilità estrema prendesse forma all'improvviso, forse che tutto è perduto? Al contrario. Che tutto sia perduto, è ancora più improbabile di quell'estrema improbabilità.» La possibilità resta mera possibilità. Non c'è salvezza. Così ora Bürgel ci mostra un nuovo volto: proprio lui che aveva teorizzato la grazia eccezionale, l'estasi della *caritas*, la fine del vecchio mondo, diventa il teorico dell'armonia provvidenziale di *questo* mondo. «È un ordinamento eccellente: non potremmo immaginarne uno più eccellente.» Forse – aggiunge con la migliore buona grazia e la più deliziosa ironia – «sotto un altro aspetto è sconfortante.» Ma non c'è altro che questo mondo: come Kafka sapeva.

Quanto abbiamo raccontato non è un discorso teorico, che il metafisico-buffone tesse intorno ai diversi volti di Dio, alla *caritas* e alla Teodicea. Il piccolo, paffuto segretario sta parlando con K.: la «scoperta notturna» di cui discorre è la scoperta notturna a cui abbiamo appena assistito. Egli dice: «Con la loquacità di chi è felice, bisogna spiegargli tutto. Bisogna descrivergli con minuzia e senza nulla tralasciare tutto quel che è avvenuto e per quali ragioni è avvenuto, come l'occasione offerta sia straordinariamente rara e grandissima, come la parte [K.] si sia imbattuta in essa con quella spensieratezza che le è propria, ma come ormai, se vuole, possa dominare gli eventi, signor agrimensore, e perciò non abbia nient'altro da fare che manifestare i suoi voti, dei quali è già pronto, anzi le vola intorno, l'adempimento». Ci sono dunque speranze per K.: la porta è aperta; potrà salire al Castello e vedere gli dei. Siamo nella stessa condizione del *Processo*, quando il Tribunale manda il sacerdote a rivelare a Josef K. che lo splendore della Legge lo attende.

Anche la soluzione è identica. Come Josef K. non capisce il senso della leggenda, K. – lo strano granellino, agile e sottile, penetrato per caso nella rete del Castello – non sa approfittare dell'occasione che gli si offre. Per sorprendere gli dei, bisogna stare svegli di notte, come Kafka, che scriveva *La metamorfosi* e *Il disperso* e *Il processo* e *Il castello*, invece di dormire. Ma K. è spossato dalla fatica di addentrarsi nello spazio divino. Proprio lui, che sembrava sfidare con la ragione le esigenze del corpo, è vittima del corpo: proprio lui, presunto uomo notturno (ma, in realtà troppo diurno, razionale, occidentale), lui che voleva introdursi di notte nel Castello, è vinto dalla notte, che questa volta, con la consueta ironia, protegge gli dei. Mentre gli si annuncia la salvezza, dorme – accecato dal cielo, che lo fa cadere quando potrebbe vincere. Mentre Bürgel gli rivela il «prossimo adempimento» dei suoi voti, K. non ode, chiuso a tutto quello che accade. Il suo capo, dapprima reclinato sul braccio sinistro steso sulla testiera del letto, scivola giù nel sonno e pencola libero, abbassandosi a poco a poco: egli punta la mano destra e s'afferra per caso al piede di Bürgel che spunta fuori dalla coperta. Sogna: nel sogno trionfa su Bürgel, travestito da dio greco; e mai trionfo è stato più beffardo, mentre si consuma la sua sconfitta definitiva. Chiacchierando volubilmente, confidandosi e disperandosi, entusiasmandosi e annullandosi, il segretario – turbolento e spavaldo come un ragazzino – si prende gioco di lui. Così la vecchia storia si ripete ancora una volta. Dio ha lasciato aperta la porta all'uomo; e se l'uomo non l'ha varcata, è sua colpa, perché non capisce gli enigmi o dorme. Il cielo è sempre innocente.

Alle cinque, ancora assonnato, K. lascia la stanza di Bürgel e, dopo una breve visita da Erlanger, si trova nel corridoio deserto dell'albergo. È quasi l'alba. A un tratto, i due lati del corridoio si animano di un brusio estremamente gaio: ora sembra l'esultanza di bambini che si preparano a una gita, ora il risveglio in un pollaio, la gioia dei galli e delle galline di essere in piena armonia col giorno che spunta; uno dei funzionari imita persino il canto del gallo. Il corridoio è ancora deserto, ma qua e là una porta si socchiude e poi si richiude in fretta: tutto l'andito ronza di quell'aprire e chiudere di porte; al di sopra dei tramezzi che non arrivano al soffitto, compaiono e spariscono teste mattutinamente arruffate.

Da lontano arriva un inserviente, che spinge un carrettino pieno di documenti. Un secondo inserviente lo accompagna: tiene in mano una lista, confrontando i numeri delle porte con quelli dei documenti. Il carrettino si ferma davanti a quasi tutte le porte: l'uscio si apre e le carte, a volte un semplice foglietto, vengono introdotte nella stanza. Se la porta resta chiusa, gli incartamenti sono ammucchiati con cura sulla soglia. Ma ecco cominciare le difficoltà. O l'elenco non concorda, o i documenti sono difficili da trovare, o per altre ragioni i signori protestano: qualche distribuzione deve venire annullata; allora il carrettino ritorna indietro, e attraverso lo spiraglio dell'uscio si tratta la restituzione. Chi crede di aver diritto ai documenti è impazientissimo: fa un gran fracasso in camera sua, batte le mani e i piedi, e grida il numero dei documenti, sempre lo stesso. Uno degli inservienti calma l'impaziente, l'altro davanti alla porta chiusa cerca di ottenere la restituzione. Spesso le blandizie irritano ancora di più l'impaziente, che non vuole ascoltare le parole del servo, ma esige i suoi incartamenti: attraverso la fessura della porta, uno di essi vuota sul servo un intero catino d'acqua. I negoziati durano a lungo. Qualche volta si viene a un accordo: il signore cede parte dei documenti e richiede in compenso altre carte; ma succede anche che qualcuno debba rinunciare a tutte le sue carte – e con improvvisa risoluzione, con rabbia, le scaglia lontano nel corridoio, così che lo spago si scioglie e i fogli volano via. Qualche volta, invece, il servo non ottiene risposta, e rimane davanti alla porta chiusa, prega, scongiura, cita il suo elenco, si appella ai regolamenti: tutto è vano, dalla camera non esce un suono, e il servo non ha diritto di entrare senza permesso.

Intorno l'interesse è enorme: dovunque si parlotta, tutte le porte sono in movimento; affacciati sull'alto dei tramezzi, i visi stranamente avviluppati di panno dei funzionari seguono gli avvenimenti. Uno dei due inservienti non si arrende mai: si stanca, ma subito si riprende, salta giù dal carrettino, e stringendo i denti va dritto alla porta da conquistare. Anche se viene respinto per mezzo di quel silenzio diabolico, non si dà per vinto, e ricorre all'astuzia. Finge di non occuparsi più di quella porta, le lascia esaurire il suo silenzio, e si volge verso altre porte: ma dopo poco ritorna, chiama l'altro servo con ostinazione e ad alta voce, incomincia ad accumulare incartamenti sul limitare chiuso come se avesse mutato parere, e dovesse consegnare, non portare via, documenti. Poi va oltre, ma non perde d'occhio la porta. Quando il signore apre cautamente l'uscio, in due salti è lì e ficca il piede nella soglia, obbligando il funzionario a trattare con lui faccia a faccia. Soltanto un signore non si vuole calmare: tace e poi si scatena di nuovo, non meno violentemente di prima. Non si capisce bene perché strilli e protesti così: forse non è per la distribuzione degli incartamenti: la sua voce echeggia ancora stridula nel corridoio; e gli altri signori sembrano d'accordo con lui, lo incoraggiano a continuare, con gridi e approvazioni e cenni del capo.

Solo alla fine della scena, K. capisce che la causa di questo scompiglio, che turba una normale *Alba dei funzionari*, è proprio lui, col suo pesante corpo umano. I funzionari non amano farsi vedere dagli estranei: appena desti, sono troppo pudibondi per esporsi allo sguardo di uno straniero, e anche se perfettamente vestiti si sentono nudi. Avrebbero potuto cacciar via K.: ma sono così gentili che non hanno alzato la voce. Intanto il signore turbolento ha scoperto nella stanza il bottone di un campanello elettrico: felice per questo sollievo, comincia a suonare ininterrottamente. Nelle altre stanze si alza un mormorio di approvazione. Già accorre da lontano il padrone dell'Albergo dei Signori, vestito di nero e abbottonato fino al mento, e a ogni piccolo balzo dello scampanellio fa un breve salto e si affretta ancora di più. L'oste trascina via K.: il campanello riprende a suonare, e altri campanelli cominciano a squillare, ora non più per necessità, ma per gioco ed eccesso di gioia. Dopo il passaggio di K., le porte si spalancano, i signori escono, il corridoio si anima, vi si sviluppa un traffico come in una viuzza stretta e movimentata: mentre i campanelli continuano a suonare senza posa come per festeggiare una vittoria. Questa deliziosa *Alba dei funzionari*, forse l'unico brano di puro divertimento del *Castello*, è orchestrata come un'opera buffa, con cento cantanti che non si mostrano e cento voci mute e il primo inserviente come direttore d'orchestra. L'esecuzione musicale non potrebbe essere più squisita. Come è infantile il divino! Come può essere a volte, nelle chiare mattine, scintillante e allegro e leggero e irresistibilmente comico!

Forse questo finto canto di galli annuncia già l'ultima ora di K. Egli è spossato dalla tensione, dall'insonnia e dalla fatica: Frieda l'ha abbandonato: Olga gli ha tolto ogni speranza riguardo all'accesso al Castello: la strada che lo porta alla moglie di Brunswick non potrà che rivelarsi fallimentare; ed egli ha compreso che non riuscirà mai a incontrarsi con Klamm e a contemplare gli dei. Kafka non ci dice quasi niente intorno alla sua desolazione: nel libro resta un grande vuoto, come quelli che segnavano le delusioni di Karl Rossmann; l'orgoglio ottimistico e l'*hybris* euforica del primo giorno hanno lasciato luogo a un senso atroce di fallimento. K. è sconfitto sia nel corpo che nell'anima. Nei lunghi dialoghi con Pepi, sconfessa la propria natura. Comprende che, nella sua vita, c'è sempre stata troppa tensione, troppo sforzo, troppo *Streben*: non ha mai conosciuto la calma, la quiete spirituale, il dono di vivere nel quotidiano; e ora, spossato, sogna «una disoccupazione sempre più assoluta». Ma egli non è mutato, come alcuni interpreti credono. Con il suo folle eroismo faustiano, non rinuncia alla propria ricerca.

Non sappiamo come K. trascorra gli ultimi giorni. Forse da Gerstäcker, come guardiano di cavalli? O forse ancora più in basso, nell'ultimo sottosuolo del divino? Le cameriere passano la loro vita chiuse nel caldo e nel buio: in certe tane-armadi-sepolcri, dove si stringono le une alle altre, senza vedere mai la luce. Lo invitano laggiù, a dividere i loro letti e i loro corpi, per tutta la durata dell'interminabile inverno. K. non era mai giunto così in basso: non aveva mai conosciuto così profondamente l'orrore della tenebra, dell'abiezione e della claustrazione. Se fosse sceso laggiù, sarebbe divenuto come Karl Rossmann, servitore del bordello, rinunciando a tutti i suoi sogni celestiali. Ma il destino, o il Castello, o la vita, o come si voglia chiamare quel qualcosa che chiude i romanzi, gli risparmia questa degradazione. Secondo il racconto di Max Brod, K. muore di sfinimento: gli uomini non sono nati per respirare l'atmosfera del divino. Intorno al suo letto di morte, si raccoglie la gente del paese. In quel preciso momento giunge il messaggio del Castello, secondo il quale a K. viene permesso di vivere e di lavorare nel paese, sebbene senza il diritto di cittadinanza. Non è facile capire un testo dal racconto di un amico, sia pure scrupoloso e fedele. Ma sembra impossibile interpretare questa conclusione in modo «positivo», come molti fanno. La grazia giunge, ironicamente, in punto di morte, quando il corpo di K. sta per essere trasportato in una fossa. E poi, che importava a K. di vivere e di lavorare nel villaggio, nel *qui*, nel limitato, tra gli uomini, – insieme a Gerstäcker, a Pepi, a Brunswick, persino ad Hans? K. voleva soltanto vivere tra gli dei.

XII

LA TANA, INDAGINI DI UN CANE

Sebbene Kafka non avesse mai amato i racconti in prima persona, negli ultimi anni di vita ne scrisse due, forse i suoi più straordinari, in cui l'unico personaggio dice *io*. Quest'*io* può essere una convenzione letteraria: uno schermo fittizio, gettato tra il mondo e chi scrive. Eppure abbiamo l'impressione che, questa volta, Kafka si avvicini a sé stesso come non si era mai avvicinato: che sia lì, sotto i nostri occhi, stranamente desideroso di farsi conoscere; non ci aveva mai condotto così dentro i misteri della sua arte della tenebra, né ci aveva mai comunicato i suoi pensieri più segreti. Come a trovare un fondamento, Kafka fa un balzo indietro fino ai *Ricordi dal sottosuolo*. Tutti gli avvenimenti esterni sono aboliti: le astuzie tradizionali del racconto sono cancellate: la concentrazione, la fuga, il ritorno, la ricerca, la rivelazione avvengono soltanto nella mente del Narratore: nulla ci permette di affermare che, al di fuori, esiste un mondo reale, col quale dobbiamo stabilire dei rapporti; avvertiamo ad ogni passo di muoverci nello spazio chiuso, astratto ed echeggiante di una mente, che ci avvolge da ogni parte come un carcere. Siamo carcerati anche noi, vittime di una parola monologante e solitaria, che racconta, commenta, si rivela, si maschera, avanza ipotesi, demolisce ipotesi, tenta possibilità, fa calcoli laboriosi, in un delirio fantastico e intellettuale che si sostituisce all'universo creato.

La tana è il più grandioso tentativo di claustrazione, che sia mai stato compiuto in letteratura. Il protagonista – per gli interpreti un tasso, o una talpa, o un criceto, tutte le ipotesi sono giuste e inutili perché il termine esatto viene deliberatamente omesso – è una specie di perfida autocaricatura di Kafka: un celibatario egoista, astuto, vorace, crudele, misantropo, narcisista, che molti anni prima, forse nella prima giovinezza, si è costruito la tana. Quale opera meravigliosa è sorta dalla sua fatica! Al centro una piazzaforte, piena di provviste di carne ammucchiata, che mandano dovunque i propri odori: di lì si dipartono, ciascuna secondo il piano generale in salita o in discesa, diritta o curva, allargandosi o restringendosi, dieci gallerie silenziose e deserte; ogni cento metri le gallerie si allargano in piazzette rotonde, dove l'animale può acciambellarsi comodamente, scaldarsi al proprio calore e riposare. Nessun animale aveva mai sofferto tanto: la terra della piazzaforte franava: l'animale l'ha martellata con la fronte sanguinante fino a renderla compatta, come Kafka ha tratto i propri libri dalla fatica dolorosa della sua fronte e del suo corpo. Il grande monologo non ci parla di nessun'altra tana, di nessun'altra bestia al lavoro. Nell'universo di Kafka, esiste soltanto *questa* tana: l'edificio creato dal cervello e dalle zampe dell'animale è esclusivo; ogni altro progetto avrebbe minacciato l'unicità e l'esistenza del suo progetto.

Sebbene il racconto parli di piazzaforte e di gallerie, ostentando un vago linguaggio militaresco, la tana non è un'opera difensiva; e non serve nemmeno a raccogliere le provviste, anche se è penetrata da un acutissimo odore di cacciagione. La tana è l'archetipo dell'animale senza nome. È il regno del silenzio: con quale gioia l'animale striscia per ore nelle gallerie, sentendo solo raramente il fruscio di qualche bestiolina che fa subito tacere stringendola tra i denti: con quale benessere si stende nella piazzaforte, si scalda al proprio calore e dorme; con quale estasi si sveglia dal sonno, e sta in ascolto, in ascolto nel silenzio, che regna immutato di giorno e di notte e non è propriamente un silenzio vuoto e passivo, ma attivo e risuonante, che possiede il proprio rumore. Kafka non aveva mai espresso così profondamente e con tale abbandono l'estasi della concentrazione e della segregazione. Ma la tana è sopratutto la casa materna, la casa della regressione all'infanzia, dove l'animale può arrotolarsi come un bambino, addormentarsi beatamente, giacere sognando: la casa dell'essere; la casa della vita e della morte. Quando egli si trova nell'alta rocca, la sente talmente sua, che potrebbe perfino accettarvi dal nemico la ferita mortale, poiché il suo sangue imbeverebbe il suolo e non andrebbe perduto, – tale è la grandezza tragica del suo progetto. Fuori dalla tana, sta il tempo finito: dentro, il tempo infinito. Fuori dalla tana, sta la debolezza: dentro la tana, la forza. Fuori dalla tana, sta la luce: dentro la tana, la tenebra, la sola che l'animale sconosciuto (e Kafka) voglia esplorare.

La tana rappresenta l'opera di Kafka, come egli la contemplò nel 1923, quando era quasi completa, coi tre grandi romanzi, la miriade di racconti, di aforismi, e le lettere come corteo, – poche pagine stampate, e migliaia di pagine coperte dalla sua fitta calligrafia. In quel momento, ebbe una rivelazione: la sua opera non era soltanto il più geloso dei segreti, ma qualcosa di esterno e di visibile, – un luogo, una tana, con una rocca, decine di gallerie e di piccole piazzeforti. Viveva dentro *Il disperso* e *La metamorfosi* e *Il processo* e *Il castello* e *La tana* che stava scrivendo: intorno, tutto era quiete e silenzio: lui ascoltava il silenzio; e s'accorgeva che era un'opera sotterranea, un vero Pozzo di Babele, come il rifugio dell'animale sconosciuto. Malgrado i suoi sogni, non aveva mai avuto a che fare con la luce. La sua opera – la casa materna, la rocca, la regressione infantile, la vita, la morte, la sostanza – gli dava un fortissimo senso di stabilità e di fermezza, come non aveva mai provato. Era un nucleo che nessuna debolezza poteva scalfire, che nessuna aggressione poteva distruggere, che nessuna sconfitta poteva far vacillare. Anche se fosse morto – come sapeva di dover morire tra poco – il suo sangue l'avrebbe consacrata.

La tana dell'animale non è sicura. L'entrata si trova molto distante dalla rocca, coperta soltanto da una lieve parete di muschio, e di lì potrebbe entrare il nemico. «In quel luogo nel muschio oscuro sono mortale e nei sogni c'è sempre là un grugno avido che vi annusa incessante.» Ma perché, allora, l'animale non l'ha chiusa con uno strato sottile di terra battuta? Egli voleva poter fuggire all'aperto, se qualche predone appassionato, frugando la tana alla cieca, si fosse insinuato in una delle strade o se le belve sotterranee della leggenda gli avessero dato la caccia dentro di essa. L'animale sconosciuto ha più terrore della tana (la quale dovrebbe difenderlo) che dello spazio aperto (dal quale dovrebbero venire i pericoli). È il fatto di costruire tane, di difendersi, chiudersi, concentrarsi, isolarsi, proteggersi, che fa nascere i rischi: come la vita di Kafka dimostrava. Se non ci fossero tane, non ci sarebbero nemmeno i pericoli; e l'animale vive in preda all'angoscia, sposta, trascina coi denti provviste dall'una all'altra piazzola. Così Kafka si accorgeva che nella sua opera, cresciuta come un bozzolo intorno a lui, si nascondevano tutti i nemici che potevano insidiarlo.

Qualche volta, l'animale esce dalla tana, e va all'aperto, cacciando. Da principio non si sente libero: la carcerazione gli ha fatto perdere ogni piacere della libertà. Ma poi comincia a guardare la tana: si sdoppia; e si osserva mentre sta dormendo dentro il suo carcere, con una felicità che non aveva mai avuto nel suo abisso. «Mi sembra di non essere davanti a casa mia, ma davanti a me stesso mentre dormo, e di aver la fortuna di poter dormire profondamente e nello stesso tempo sorvegliarmi con attenzione... Arrivavo al punto che talvolta mi veniva il puerile desiderio di non rientrare più nella tana, ma di sistemarmi nelle vicinanze della entrata, di passare la mia vita a sorvegliarla e averla sempre davanti agli occhi, considerando con mia grande gioia quanta sicurezza potesse darmi la tana, se io ci fossi dentro.» Come sempre, l'angoscia gliela dà la tana: la gioia, la felicità, la quiete gliela offre la vita all'aperto, con la mente che fantastica di essere dentro. L'animale rinuncerà dunque alla tana? Kafka abbandonerà la sua arte del sottosuolo, dell'inconscio e della tenebra? Racconterà quello che accade nel mondo della luce? Rifiuterà la claustrazione? Non è possibile. Mentre sta fuori dalla tana, l'animale non osserva veramente sé stesso *dentro*, appunto perché *dentro* non c'è: la situazione non è identica, come egli credeva, ma una pura fantasticheria. In questa condizione, estraneo alla tana, Kafka non riesce a riunire le due condizioni spirituali che deve concentrare nello stesso atteggiamento. Controlla (dal di fuori) la tenebra: ma non può identificarsi (dal di dentro) con la tenebra, come ha disperatamente bisogno.

Così l'animale deve tornare nella tana; e Kafka nel Pozzo di Babele, dentro il quale soltanto sa scrivere. Nulla è più difficile, perché gli altri potrebbero osservarlo. Fa vari tentativi: in una notte di burrasca, getta rapidamente una preda nella tana: l'operazione sembra riuscita: oppure scava, a sufficiente distanza dal vero ingresso, una corta galleria di prova, vi si insinua, la chiude dietro di sé, aspetta con pazienza, calcola tempi ora brevi ora lunghi, esce a registrare le proprie osservazioni. A volte, è tentato di riprendere la vecchia vita di vagabondo, priva di ogni sicurezza. Poi si dice che una simile decisione sarebbe una vera pazzia, «provocata soltanto dalla vita troppo lunga nell'assurda libertà». Vuole rientrare: ma ha paura – una vera angoscia di persecuzione, un'ossessione che si rigenera continuamente – e scorge dovunque animali che lo spiano, che lo guardano alle spalle, come Kafka quando rientrava nel suo carcere. Il pericolo è reale. Può essere qualche animaletto ripugnante che gli venga dietro per curiosità e, senza volere, faccia da guida al mondo ostile: o qualcuno della sua specie, un conoscitore e amatore di tane.

Se almeno venisse subito – se almeno cominciasse a frugare nell'ingresso, a sollevare il muschio, se vi riuscisse, se si insinuasse al suo posto o fosse già entrato –, lui gli balzerebbe addosso furibondo, libero da ogni scrupolo, e lo morderebbe, lo dilanierebbe, lo strazierebbe, lo dissanguerebbe, aggiungendo il cadavere al resto delle prede. Non viene nessuno. Allora non evita più l'ingresso, vi gira intorno, e sembra quasi che lui stesso sia il nemico in attesa della buona occasione. Se ci fosse qualcuno con cui mettersi d'accordo! L'*altro* gli coprirebbe le spalle, mentre lui entra nella tana.

Ma anche questo è impossibile: in primo luogo non vorrebbe far scendere l'altro nella tana, e poi come aver fiducia in qualcuno che ti sta alle spalle e che non vedi? «E che dire della fiducia? Di uno in cui ho fiducia guardandolo negli occhi, potrei fidarmi altrettanto quando non lo vedessi e fossimo separati dalla copertura del muschio? È relativamente facile aver fiducia in qualcuno, se nello stesso tempo lo sorvegli o almeno lo puoi sorvegliare, forse è persino possibile aver fiducia a distanza, ma fidarsi dall'interno della tana, cioè da un altro mondo, di uno che stia completamente fuori, mi sembra impossibile.» Infine si decide: ripensa alla sua tana, alla sua rocca; incapace di riflettere a causa della stanchezza, con la testa ciondoloni, malfermo sulle gambe, quasi dormendo, più a tentoni che camminando, si avvicina, solleva lentamente il muschio, scende adagio, lascia l'entrata scoperta più del necessario, infine abbassa il muschio.

Tornato nella tana, l'animale vi compie un'ispezione: la sua stanchezza si muta in fervore: trasporta le prede attraverso le gallerie strette e fragili del labirinto; o le spinge in una delle gallerie principali, la quale con ripida pendenza discende alla piazzaforte. Tutto è in ordine: solo qualche piccolo guasto, che potrà facilmente riparare: ispeziona la seconda e la terza galleria, e da questa si fa ricondurre alla piazzaforte, dopo di che ritorna di nuovo alla seconda galleria. A un tratto lo prende l'indolenza: si acciambella in uno dei suoi punti preferiti e cede alla lusinga di sistemarsi come se volesse dormire, per vedere se il sonno gli riesce bene come una volta. Dorme profondamente, molto a lungo. Quando si sveglia – il sonno è ormai leggerissimo –, ascolta un sibilo impercettibile, che lo ferisce e lo offende: la bellezza della tana coincide col suo silenzio. Ora è un sibilo ora una specie di fischio ora il soffio di un suono: ora ci sono lunghe interruzioni ora brevi pause; e si accorge con terrore che dovunque tenda l'orecchio, in alto o in basso, alle pareti o al suolo, all'ingresso o all'interno, c'è lo stesso rumore, che aumenta lievemente d'intensità.

In un delirio di ipotesi, in una farneticazione di conget-
ture – l'arte di Kafka aveva ormai scelto questa strada –,
l'animale si interroga sulle cause del rumore. Forse, le be-
stiole della tana, non sorvegliate nella sua assenza, hanno
forato un nuovo passaggio, che si è incontrato con un vecchio passaggio: l'aria vi si ingolfa, producendo il rumore
sibilante. Ma subito l'animale cancella questa ipotesi, perché il rumore risuona dappertutto con la stessa intensità.
Allora avanza una nuova ipotesi. Sarà, forse, una grande
belva sconosciuta. Essa scava nella terra febbrilmente, con
la velocità di uno che passeggia all'aperto: lavora col muso,
a urti successivi, a strappi potenti: il sibilo è l'aspirazione
dell'aria tra un urto e l'altro; la terra trema a quegli scavi
anche quando sono finiti, e questa vibrazione successiva si
fonde col rumore del lavoro in grande lontananza. Convinto
dai propri pensieri, l'animale comincia a fare progetti. Cercando di ritrovare la forza della giovinezza, scaverà un grande cunicolo in direzione del rumore. Poi abbandona il progetto. Immagina che la belva abbia già tracciato alcuni cerchi intorno alla tana; e comprende che il pericolo si è
definitivamente installato nella sua antica oasi di pace.

Chi è dunque il Nemico? Da dove sgorga il rumore? Il
sibilo è quello di un altro animale? O lo stesso animale della
tana si sdoppia in due figure nemiche? Il sibilo è allora una
mera ossessione, che nasce in una mente contagiata dalla
solitudine e dal silenzio? Il testo di Kafka è ambiguo. Possiamo dire soltanto che il sibilo a brevi o lunghi intervalli, il
Nemico immaginario o reale occupano la mente dell'animale appena si abbandona alla voluttà del sonno e dell'abisso,
dimenticando di controllarli. Se non fosse penetrato nella
tana, o avesse continuato a vigilarla e a ispezionarla, non
avrebbe mai incontrato l'Avversario. Kafka sapeva che le
figure minacciose, le immagini dell'incubo, dell'orrore e del
pericolo attraversavano il suo spirito sconvolgendolo quando egli si abbandonava passivamente alla tenebra, dalla quale doveva trarre i suoi tesori di scrittore. L'identità con la

tenebra, che aveva raggiunto dormendo, non era tutto. Egli non poteva rinunciare a conoscerla e a rappresentarla.

Il racconto si interrompe verso la fine. La sorte dell'animale è ormai segnata: per lui, non c'è alcuna possibilità di salvezza; la grande belva sconosciuta sgorgherà dalle sue ossessioni, e lo morderà, lo dilanierà, lo dissanguerà, come egli aveva ucciso con l'immaginazione tanti nemici. Nel momento supremo, ritorna con la mente a un progetto della giovinezza, che aveva abbandonato per incuria. Allora, aveva pensato di isolare la piazzaforte dalla terra circostante: avrebbe lasciato intatte le pareti per una altezza identica alla sua statura, e creato al di sopra, tutto attorno alla piazza, uno spazio vuoto eguale alla parete. Così avrebbe scavato una tana dentro la tana, un vuoto dentro il vuoto, nascondendosi ancora più profondamente nel buio. Da lì, da quel vuoto, avrebbe protetto la rocca, come il più invisibile e fermo dei custodi, tenendola salda fra gli artigli. Come Gregor Samsa, che camminava sul soffitto della sua stanza e si lasciava cadere giocando sul pavimento, avrebbe fatto il clown: tirandosi su nello spazio libero, scivolando giù, disegnando capriole, abbandonandosi ai giochi della sua fantasia. «Allora non ci sarebbero rumori nelle pareti, non si farebbero scavi impudenti fino alla piazza, la pace vi sarebbe garantita, e io ne sarei il custode; non dovrei origliare con disgusto gli scavi dei piccoli animali, ma ascolterei con estasi qualcosa che ora mi manca completamente: il fruscio del silenzio nella piazzaforte.»

Con queste pagine, scritte negli ultimi mesi di vita, Kafka sigillò il proprio commiato dalla letteratura. Il piano giovanile del signore della tana era il progetto letterario al quale egli era stato sempre fedele, dal tempo della *Metamorfosi* sino al *Castello* e alla *Tana*. Quando scriveva romanzi o racconti, egli non controllava la tenebra dal di fuori, seduto all'esterno del proprio abisso, come un osservatore sdoppiato che fingeva di essere dentro. Non si abbandonava passivamente alla tenebra e alle sue fantasie, nel sonno o nell'estasi, come un visionario inebriato. Viveva immerso nell'ultima profondità della tenebra, scavando ancora un abisso dentro l'abisso, una tana dentro la tana: era là *dentro*, come nessuno; eppure serbava un distacco, un controllo ottenuto nel cuore stesso della tenebra, indistinguibile dalla tenebra. Giocava con l'oscurità, saltava, camminava sul filo, come quell'esile, gracile, disperato saltimbanco della notte, che era sempre stato dai tempi della giovinezza.

Nelle *Indagini di un cane*, scritte circa un anno prima, non ritroviamo quest'odore di tana e di caccia: questi letarghi, queste crudeltà, questi sapori fittamente e grevemente animaleschi. Il cane che dice io non odora di mondo canino: è la doppia metafora di un ebreo e di un uomo. Ormai è vecchio, e non vive più tra i cani. Ma tiene a dire che, fin da giovane, si è sempre sentito uno straniero. Già allora avvertiva che «qualcosa non s'accordava», che una piccola, impercettibile frattura lo divideva dagli altri. Sentiva un lieve disagio: bastavano a provocarlo non solo le grandi manifestazioni collettive di folla, ma anche la semplice vista di un altro cane, di un amico; ciò lo rendeva impacciato, impaurito, perplesso, persino disperato. Questa coscienza della propria natura di straniero lo costrinse a rinunciare al tepore della convivenza, e a dedicarsi – da solo – alle sue piccole indagini infruttuose. A volte, si chiese se c'era mai stata, nella storia dei cani, una combinazione simile alla sua – così strana, così eccentrica. A volte, la coscienza della sua diversità era meno acuta, e gli altri gli davano un'infelicità meno sottile. Anche lui, forse, era come tutti i cani: un po' più melanconico, freddo, restio, timido, calcolatore. Come tutti gli altri, la doppia ragione della sua vita era la smania di far domande e quella di tacere.

Col passare degli anni, il suo senso di estraneità si alleggerisce. Non protesta più: un velo sottile di delusione, di amarezza e di ironia (ciò che gli uomini chiamano saggezza) avvolge le sue parole. Vive in perfetto accordo con la pro-.

pria natura. In fondo alla sua delusione, trova la calma. Quando ci torna nella memoria la dolcezza effusiva del vecchio cane (senza nome, come il signore della tana), ci chiediamo chi egli fosse. Alcuni particolari – la disperazione in cui poteva gettarlo la vista di un solo essere umano – rievocano la giovinezza di Kafka, nelle strade di Praga. Ma la calma della vecchiaia, la rinuncia, lo sguardo deluso e ironico gettato sulle cose umane? Kafka scrisse probabilmente *Indagini di un cane* intorno alla metà del 1922, durante la stesura del *Castello* o subito dopo. In quel tempo, non assomigliava al suo cane. Il cane era una proiezione che egli fece di sé stesso: il sogno di una vecchiaia che avrebbe potuto conoscere, dopo il tempo delle grandi domande.

Come Kafka a Zürau, il cane ha una profonda passione teologica, e si interroga intorno al primo problema: la creazione dell'uomo, l'Eden, Adamo e Eva, il peccato. Allora la razza canino-umana era giovane, la memoria era libera: non era ancora nato il nostro totale silenzio; c'erano delle parole, o almeno una possibilità di parola, che oggi si è completamente perduta. Non si era instaurato il ferreo destino per cui i cani non possono essere che cani, gli uomini non possono essere che uomini. Non c'era ancora la morte. «Avrebbe potuto ancora intervenire la parola vera..., e quella parola c'era, era per lo meno vicina, stava sulla punta della lingua, tutti potevano apprenderla.» Era appesa come un frutto all'albero della vita: avrebbe potuto cambiare il destino della razza canino-umana; e gli uomini avrebbero potuto diventare dei o angeli, o al di sopra della distinzione tra uomini, angeli e dei, senza morte e silenzio. I nostri progenitori non dissero questa parola: furono pigri, indolenti, indugiarono al crocicchio che portava verso gli dei e verso gli uomini, esitarono a tornare indietro, verso l'origine, perché volevano godere ancora un poco la vita canino-umana, che sembrava loro bella e inebriante. Non rividero l'Eden e l'albero della vita, e si sviarono per sempre, senza pensare che fosse uno smarrimento definitivo. Così nacquero gli uomini e i cani, e si stabilì il tetro destino dell'umanità, del silenzio e della morte. Quanto a noi, oggi, siamo «più innocenti» di Adamo e di Eva: non abbiamo commesso la colpa, sebbene, forse, nell'incoscienza e nella futilità della razza umana, l'avremmo commessa. «Quasi vorrei dire: beati noi che non eravamo coloro che hanno dovuto addossarsi la colpa, e possiamo invece andare incontro alla morte, in un mondo già ottenebrato da altri, entro un silenzio quasi innocente.» Ora abbiamo dimenticato il sogno di diventare dei: il nostro «è l'oblio di un sogno sognato mille notti or sono e mille volte dimenticato».

A distanza di tante migliaia di anni dalle ricerche incompiute sulla «parola vera», il vecchio cane continua le sue piccole indagini filosofico-religiose. Ha sempre avuto una passione analitica: scinde ogni fatto nelle sue parti, lo confronta cogli altri, tenta analogie, esperimenti, induzioni: indaga sulle origini e le cause del nutrimento dei cani; e pensa che solo queste ricerche gli possano regalare la felicità. Come l'ultimo Kafka, nutre una speranza. Non desidera una ricerca individuale, come quella che i cani avevano condotto sino a lui: il cane-Platone, il cane-Aristotele, il cane-Kierkegaard, il cane-Nietzsche; ma una ricerca condotta da tutti gli uomini-cani, che posseggono insieme il sapere e ne hanno insieme anche le chiavi. «Ossi di ferro, che contengono il più nobile midollo, si possono vincere soltanto col morso comune di tutti i cani» dice una pagina cancellata. Ma questa speranza si realizza? Nella ricerca si compie il sogno della Grande Muraglia: «petto contro petto, una danza di popolo, il sangue non più imprigionato nel meschino circolo delle membra, ma scorrente con dolcezza e con perpetuo ricorso attraverso la Cina infinita»? Il sogno resta utopico. Il midollo, la meta della ricerca, contiene «il veleno»: il tremendo veleno della conoscenza e dell'arte, che aveva infettato le membra di Kafka per tutta la vita. Sebbene il cane in apparenza desideri che l'osso si apra sotto la pressione delle forze comuni, vuole poi succhiare assolutamente da solo il midollo velenoso-beatifico, non sappiamo se per egoismo o per volontà di sacrificio. Nemmeno in queste ultime pagine, dove Kafka sembra sciogliersi e liberarsi da sé stesso, nasce un'arte collettiva e una scienza di popolo. Lo scrittore rimane il «capro espiatorio», che si sacrifica per tutti gli uomini: il cane-Kafka sugge da solo il veleno, che dovrà trasformarsi per gli altri in un racconto quasi innocente.

I cani-uomini non vogliono che il nostro cane ricerchi, perché non vogliono conoscere la verità, – il midollo dell'osso di ferro. Qualcuno, forse, sa più di quanto non confessi e non desideri ammettere: tutti tacciono, difesi da un silenzio che nessuno ha più spezzato dai tempi dell'Eden; e questo mutismo, del quale essi nascondono naturalmente anche la causa e il mistero, avvelena la vita del cane-ricercatore. Non sopporta il silenzio: domanda, e ancora domanda, e poi domanda ancora; interroga i cani e il cielo e la terra – sebbene egli odi chi fa domande e disprezzi coloro che interrogano per diritto e per rovescio, come se volessero cancellare le tracce della domanda giusta. Vuole risposte: o, se non ci sono risposte, nessuna parola. Così anche il cane-ricercatore finisce per appartenere alla razza di coloro che tacciono, sia che non conosca le risposte sia che non voglia comunicarle. In realtà, non ci sono risposte. Non c'è che silenzio, eterno silenzio: tutti i cani tacciono e taceranno per sempre; e anche il cane-narratore morirà tacendo, quasi in pace, certo con rassegnazione, resistendo a tutte le domande, anche alle proprie, da quel baluardo del silenzio che egli è. Qui parla Kafka, mentre scriveva *Il castello*. Non c'era risposta a nessuna domanda di K., per quanto Kafka avesse rappresentato gli dei, per quanto avesse giocato e parodiato e danzato cercando di evocare il cielo e la notte, – l'ultima risposta era soltanto che non c'era risposta.

Negli anni della vecchiaia, il cane-ricercatore si protegge tacendo: diventa simile all'animale della tana, che si beava del silenzio, ne ascoltava il fruscio, il ronzio, il rombo, e muore quando esso viene violato dal sibilo impercettibile, generato dalle profondità del suo sonno. Ma, al tempo della giovinezza e dell'audace maturità, il cane l'aveva violato. Aveva roso da solo l'osso di ferro, cercando «il nobile midollo», spezzando il silenzio con le più audaci indagini metafisiche. Aveva chiesto cos'era l'arte e cos'era Dio. Gli dei, per una volta miti, gli erano scesi incontro e gli avevano risposto.

La prima esperienza era avvenuta nella giovinezza: in quel periodo beato e inesplicabile, quando tutto gli piaceva, e si figurava che attorno a lui accadessero grandi cose, alle quali doveva prestare la sua voce. Era l'alba: era già giorno chiaro, soltanto un po' nebbioso, con un'onda di odori confusi e inebrianti. Il cane alzò gli occhi, e salutò il mattino con trepidi mugolii. All'improvviso, sette cani musicanti uscirono dall'oscurità. Non abituato alla musica, il cane percepì soltanto «un fracasso orrendo quale non aveva mai ancora udito». Ma i cani non suonavano trombe né violini né contrabbassi né flauti o clarini. Alzavano e posavano i piedi, muovevano il capo, correvano o stavano fermi, si raggruppavano: uno posava le zampe anteriori sulla schiena dell'altro, e poi si allineavano in modo che il primo stando ritto reggesse il peso di tutti; o strisciavano col ventre quasi per terra formando figure quasi intrecciate. I cani erano dunque acrobati, danzatori, ginnasti, come tanti acrobati kafkiani della tenebra; e magicamente i loro gesti diventavano suono.

La musica arrivava da tutte le parti, dall'alto, dal basso, da ogni lato, circondando il giovane cane, inondandolo come un mare, schiacciandolo come una pietra, annullandolo e squillando sopra il suo annullamento, così vicina da essere già lontana, simile a una fanfara appena percettibile. Il cane si lasciò sconvolgere: era la musica demoniaca di Kierkegaard, la musica dionisiaca di Nietzsche, la voce della seduzione. Ma dentro l'orchestra dei sette cani avvertì, verso la fine, qualcosa che oltrepassava tutti i suoni e forse perfino la letteratura e le forme di espressione umana: «Un suono limpido, severo, che restava sempre lo stesso, che proveniva immutato da grande distanza, forse la vera melodia in mezzo al fragore» vibrava e gli faceva piegare le ginocchia. Era l'esperienza estrema, condotta oltre i confini, alla quale tutti rischiano di soccombere. Intanto, nel frastuono dell'inudibile, il giovane cane osservò i musicanti. Quella calma apparente, con cui suonavano nel nulla, era in realtà una tensione suprema, un tremore, un terrore davanti alla rivelazione: quell'apparente bisogno di aiuto, quel fare appello al tepore della convivenza era il senso della solitudine; quell'impeccabile gioco di gesti era l'esperienza della colpa e della vergogna. I sette cani musicanti condividevano l'esperienza della letteratura che Kafka aveva conosciuto: tremore, solitudine, colpa.

Molto tempo dopo, il cane ebbe la seconda rivelazione. Aveva cominciato a digiunare nella foresta, a occhi chiusi, per provocare l'intervento degli dei. Stava coricato, dormendo o vegliando, sognando o cantando. Immaginava, fantasticava, piangeva di commozione sopra sé stesso. Poi giunse la fame, che gli bruciava le viscere: la fame, che non era una cosa diversa da lui, una sensazione, un dolore, – ma nient'altro che lui stesso, che parlava dentro di lui e si faceva beffe di lui. «La via va attraverso la fame» commenta da vecchio: «le cose supreme si possono raggiungere, seppur sono raggiungibili, solo attraverso l'estrema fatica, e quest'estrema fatica è tra noi la fame volontaria»; la discesa degli dei va provocata per mezzo della nostra tensione e della nostra volontà di morire. Quasi sconvolto nella mente, si leccava le zampe posteriori, le masticava, le succhiava con disperazione. Cominciò a sognare Adamo ed Eva: li detestava, perché avevano imposto all'uomo la vita da uomo, al cane la vita da cane; e pensò che il digiuno nel quale si era inoltrato era contro la legge canina e rabbinica. Malgrado il divieto e il dolore, continuò il digiuno e lo seguì avidamente. «Mi avvoltolavo nello strame di foglie secche, non potevo più dormire, udivo rumori dappertutto, il mondo che aveva dormito durante la mia vita precedente sembrava svegliato dalla mia fame, avevo l'impressione di non poter mai più mangiare, perché avrei dovuto ridurre di nuovo al silenzio il mondo liberamente rumoroso e non sarei stato capace di farlo: ma il rumore più grande lo sentivo nel ventre, vi posavo spesso l'orecchio e devo aver avuto il terrore negli occhi perché non riuscivo quasi a credere a ciò che sentivo.» Travolto dall'ebbrezza, cominciò a fiutare odori immaginari di cibi, odori della sua infanzia, – il profumo delle mammelle di sua madre. Poi le ultime speranze si dileguarono. A che servivano le sue indagini, puerili tentativi di un tempo puerilmente felice? Il cielo era muto. Aveva l'impressione di essere lontanissimo da tutti e di star morendo – non per fame ma per abbandono. Nessuno si curava di lui: nessuno sotto la terra, nessuno sopra la terra, nessuno nel cielo; periva per la loro indifferenza. Sì, certo, accettava di morire, – non per finire in questo mondo di menzogna, ma per arrivare di là, nel mondo della parola vera.

Mentre era solo nella foresta, sfinito, delirante, immerso in una pozza di sangue, gli apparve un grande cane forestiero: un cane cacciatore, scarno, bruno, qua e là pezzato di bianco, con le gambe lunghe, e uno sguardo bello, energico, indagatore. «Che fai qui?» domandò. «Devi andar via di qui.» «Quale rinuncia ti sarebbe più facile:» rispose il nostro cane «rinunciare alla caccia o rinunciare a mandarmi via?» «Rinunciare alla caccia» rispose senza esitazione il cane straniero. Malgrado l'omissione del nome, per quanto sia doloroso sostituire il vuoto lasciato da Kafka con il pieno di un nome, il grande cane cacciatore pezzato di bianco è una forma o un'ombra di Dio. Come sempre in Kafka, è il Dio della forza: egli non può convivere con l'uomo: deve respingerlo via, lontano, nelle regioni senza di lui, a costo di rinunciare all'amato esercizio della caccia; e l'uomo prova «orrore» davanti alla rivelazione del sacro.

Questa pagina straordinaria, questa pagina di sangue e di brivido, di terrore e di estasi, – non ha luoghi paralleli nell'opera di Kafka. Nei suoi testi, Dio non si era mai rivelato agli uomini: ci aveva mandato, per un attimo, prima della nostra morte, lo «splendore inestinguibile»; o un messaggero che non arriverà mai, prima della Sua morte. Ora egli è qui, e ci parla, rompendo il silenzio che da migliaia di anni tiene chiuse le bocche degli uomini. Mentre scriveva Il castello, dove Dio era assente e invisibile e irraggiungibile, –

Kafka si era gettato dall'altra parte e aveva tentato la strada opposta, incontrando Dio sotto le spoglie di un cane.

Da particolari impercettibili che forse nessun altro avrebbe potuto notare, il nostro cane s'accorse che il grande cane-cacciatore si preparava a cantare; e si sentì pervadere dalla vita nuova suscitata dal suo terrore. Il cane cominciò a cantare dal profondo: ecco cantava già senza saperlo, la melodia si librava nell'aria per legge propria, e passava sopra il suo capo, come se non gli appartenesse; la voce sublime diventò sempre più forte, il crescendo era senza limiti e spaccava i timpani. La melodia mirava soltanto al cane-ricercatore: esisteva soltanto per lui, nella grandiosità della foresta; come il sacerdote del *Processo* e il suono dei telefoni nel *Castello* ci hanno fatto intravedere, il canto di Dio non appartiene a Dio, ma a ciascuno degli uomini ai quali è rivolto. Il nostro cane era completamente ammaliato: non poteva resistere: era fuori di sé, perduto nell'estasi, dove soltanto si conoscono le esperienze supreme; e tuffò il volto nel proprio sangue, nel proprio dolore, per l'angoscia e la vergogna che proviamo davanti al sacro.

Questa comunione tra il divino e l'umano, che in altri scrittori si sarebbe trasformata in una lunga affinità quotidiana, dura appena un istante: Kafka non può conoscere che un vertiginoso momento di rivelazione e di terrore. Il grande cane non dimenticò di essere un Dio della forza. Non trattenne il cane-ricercatore presso di sé: perché la voce di Dio ci caccia; ci rivela il canto composto per noi soltanto per chiarirci che non potremo mai vivere insieme, che il rapporto tra il divino e l'umano è quello della distanza e della separazione. Ma che importava questa distanza? Malgrado tutto, il cane straniero si era manifestato: Dio si era rivelato: la sua voce sublime continuava a cantare; e il nostro cane volò, «spinto dalla melodia, con balzi stupendi», rafforzato e alleggerito dall'incontro che poteva distruggerlo.

Il nostro cane non ci rivela apertamente la conclusione alla quale è giunto nelle sue piccole indagini. Il suono limpido, severo, sempre uguale, proveniente da grande distanza, nascosto nella musica senza suono dei sette cani, e il canto sublime del cane straniero, che cresce senza limiti e si libra nell'aria per legge propria, – sono la stessa musica. Musica e religione, arte e metafisica sono la stessa cosa. Alla fine della sua vita, nascosto sotto le spoglie del cane, Kafka aveva compreso che, attraverso tanti meandri e dissanguamenti e buffonerie e dolori, non aveva fatto che indagare l'Uno.

XIII

1924

Poi vennero gli ultimi mesi. Ci fu il soggiorno nel luglio a Müritz sul Baltico, dove conobbe Dora Dymant: ci fu l'emigrazione, a settembre, a Berlino, insieme a Dora, – pacifiche vie periferiche della città, Miquelstrasse, Grunewaldstrasse, Heidestrasse, – quando nelle sere tiepide usciva di casa, gli veniva incontro dai vecchi orti lussureggianti, dall'orto botanico e dal bosco un profumo così forte che non aveva mai conosciuto nella sua vita –: ci fu l'inflazione, la miseria, senza soldi per i giornali e la luce elettrica, i pacchi di viveri inviati da casa: la mite luce della lampada a petrolio, con la quale rischiarò le sue veglie notturne: lo studio del Talmud alla *Scuola superiore di scienza dell'ebraismo*, questo luogo di pace nella tumultuosa Berlino; ci fu il sogno – sogno ironico, che si sapeva impossibile – di andare in Palestina e di aprirvi un ristorante, lei cuoca, lui cameriere, – mentre gli fu dato soltanto di «passare il dito sulla carta geografica della Palestina».

Non sappiamo quando, ci fu la storia della bambola. Aveva incontrato una bambina che piangeva e singhiozzava disperatamente, perché aveva perduto la bambola. Kafka la confortò: «La tua bambola è in viaggio, lo so, mi ha appena scritto una lettera». La bambina era piena di dubbi: «Ce l'hai con te?». «No, l'ho lasciata a casa, ma te la porterò domani.» Kafka tornò subito a casa per scrivere la lettera. Si mise alla scrivania e cominciò a comporla come se dovesse scrivere un racconto, liberando il grande gioco dickensiano di calore e di fantasia che l'aveva sempre abitato. Il giorno dopo andò al parco, dove la bambina l'aspettava. Le lesse la lettera ad alta voce. In quei fogli – forse interminabili come quelli scritti a Felice – la bambola spiegava con gentilezza che era stanca di vivere sempre nella stessa famiglia: voleva cambiare aria, città e paese, abbandonare un poco la bambina, sebbene le volesse molto bene. Promise di scrivere ogni giorno, con il resoconto minuzioso dei suoi viaggi. Così, per qualche tempo, davanti alla lampada a petrolio, Kafka descrisse paesi che non aveva mai visto, raccontò avventure drammatiche e a lieto fine, e portò la bambola a scuola, dove si fece nuove amiche. Sempre di nuovo la bambola assicurava la bambina del suo amore, alludendo però alle complicazioni della sua vita, ad altri doveri e altri interessi. Dopo pochi giorni, la bambina aveva dimenticato la perdita, e pensava soltanto alla finzione. Il gioco durò almeno tre settimane. Kafka non sapeva come finirlo. Pensò, ripensò, cercò a lungo, discusse con Dora, e finalmente decise di far sposare la bambola. Descrisse il giovane fidanzato, la festa di fidanzamento, i preparativi di matrimonio, la casa della giovane coppia. «Tu capirai» concludeva la bambola «che in futuro dobbiamo rinunciare a vederci.»

Quando arrivò a Berlino, disse che gli spiriti – i vecchi spiriti che avevano ispirato tutti i suoi libri – l'avevano perduto di vista: «questo trasloco a Berlino è stato una cosa meravigliosa, adesso mi cercano, ma non mi trovano, almeno per ora». Ma gli spiriti hanno buoni informatori. Già alla fine di ottobre scriveva a Brod che i «fantasmi notturni» l'avevano scovato: «ma nemmeno questo è un motivo per tornare indietro; se devo essere una loro vittima, meglio qui che là». Temeva gli spiriti, che succhiavano avidamente nelle loro gole insaziabili quello che egli scriveva a Milena o a chiunque altro. Avvertiva abissi ai suoi piedi, nei quali poteva sprofondare. Così, un giorno, fece bruciare a Dora molti suoi manoscritti: diari, racconti, un lavoro teatrale. Spesso ripeté: «Chissà se sono sfuggito ai fantasmi?». Quello che voleva scrivere doveva venire *dopo*, dopo che egli aveva acquistato la sua libertà. L'acquistò mai? Diventò veramente un altro uomo? Sembra lecito dubitarne. Il rogo rituale non servì a niente. Nel gennaio 1924 dedicò a Max Brod questo sinistro autoritratto: «Ora se anche il terreno sotto i suoi piedi fosse solido, l'abisso davanti a lui colmato, gli avvoltoi intorno alla sua testa scacciati, la tempesta sopra di lui sfogata, se accadesse tutto ciò, be', allora andrebbe abbastanza bene». *La tana*, scritta a Berlino (forse in una sola notte), è una grandiosa interpretazione di tutto quanto egli aveva composto, nei lunghi anni in cui i fantasmi lo dominarono. Se ebbe davvero nuove speranze e sogni e rivelazioni e desideri di qualcosa di assolutamente diverso, tenne chiuse le labbra, con un'arte del silenzio più delicata di quella del suo vecchio cane sapiente.

Nel marzo 1924, la febbre raggiunse i 38 gradi stabili: si alzava alle sette per tornare a letto due ore dopo; e la tosse lo torturava la mattina e la sera. Smise di passeggiare presso l'Orto Botanico, di frequentare le lezioni sul Talmud. Il 17 marzo tornò a Praga: vide un vecchio compagno di scuola e gli sorrise con un sorriso identico a quello dell'adolescenza, – ma la voce era ridotta a un bisbiglio. Nell'aprile venne portato in sanatorio: dapprima nel Wiener Wald; poi presso Klosterneuburg, vicino a Vienna, in una bella stanza ornata di fiori, che dava sul verde. La tubercolosi aveva colpito l'epiglottide, e gli impediva di parlare, di inghiottire e di mangiare.

Non aveva mai ricordato volentieri. Ora ricordava l'amicizia giovanile con Brod, il bagno alla scuola di nuoto insieme al padre – quell'uomo enorme che teneva per mano un fascio impaurito di ossicini –, poche ore di gioia, in campagna, coi suoi; e Karlsbad e Merano e le birrerie col giardino. Qualche volta, delirava. Non leggeva: giocava coi libri, apriva e sfogliava, guardava e richiudeva, con la vecchia felicità. Dopo aver finito di leggere le bozze del suo ultimo libro, lacrime gli sgorgarono dagli occhi, come non gli era accaduto mai. Cosa piangeva? La morte? Lo scrittore che era stato? Lo scrittore che avrebbe potuto essere e che forse aveva intravisto nell'ultimo rogo? Elogiava il vino e la birra; e chiedeva agli altri di bere, a piene sorsate, quei liquidi – birra, vino, acqua, tè, succhi di frutta – che non riusciva ad inghiottire. Quando lo poteva, mangiava fragole e ciliege, dopo averne aspirato a lungo il profumo. Non aveva mai rappresentato un fiore nei suoi libri, o quasi mai un albero, o un folto di verde; e ora si preoccupava con tenere cure materne dei fiori di cui Dora e gli amici colmavano la sua stanza. «Bisognerebbe anche provvedere perché i fiori più bassi nei punti dove vengono pigiati nei vasi non abbiano a soffrire. Come si potrebbe fare? Meglio di tutto sarebbe forse usare coppe larghe»: «Vorrei avere cura particolare delle peonie perché sono tanto fragili» scriveva su dei piccoli fogli di carta. «E portare i lillà al sole»: «Ha un minuto di tempo? Allora spruzzi un po' per favore le peonie»: «Badi per favore che le peonie non tocchino il fondo del vaso. Perciò bisogna tenerle in coppe»: «Guardi i lillà, più freschi di un mattino»: «Fiori d'appartamento» raccomandava «vanno trattati in maniera tutta diversa»: «Fammi vedere l'aglaia, è troppo vivace per stare insieme con le altre»: «Il biancospino rosso è troppo nascosto, troppo al buio»: «Non si potrebbe avere del citiso?» Poi con un balzo, che finalmente si concedeva, nell'utopia: «Dov'è l'eterna primavera?».

Molti anni prima aveva detto che «sarebbe stato contento di morire», se non ci fossero stati troppi dolori. Ma i dolori furono tremendi, e forse egli voleva ancora vivere. La mattina del 4 giugno chiese la morfina, e disse a Robert Klopstock: «Lei me l'ha sempre promessa, ormai da quattro anni. Lei mi tortura, mi ha sempre torturato. Non voglio più parlarle. È così che morirò». Gli fecero due iniezioni. Dopo la seconda iniezione, disse: «Non mi prenda in giro. Lei mi dà un antidoto. Mi uccida, altrimenti è un assassino». Quando gli diedero la morfina, ne fu felice: «Così va bene, ma ancora, ancora, non fa effetto». Si addormentò lentamente, si risvegliò confusamente, Klopstock gli reggeva la testa, e lui pensò che fosse la sorella Elli: «Vai via, Elli, non così vicino, non così vicino...». Poi con un cenno brusco e inusuale, ordinò che l'infermiera uscisse: si strappò con forza la sonda e la buttò in mezzo alla stanza. «Basta con questa tortura. Perché prolungare?» Quando Klopstock si allontanò dal letto per pulire la siringa, Kafka gli disse: «Non vada via». «No, non vado via» disse Klopstock. Con voce profonda, Kafka ribatté: «Ma vado via io».

NOTA

Come altri miei libri, nemmeno questo porta note bibliografiche. Qui vorrei soltanto ringraziare coloro ai quali devo idee e notizie: Beda Allemann, Günther Anders, Giuliano Baioni, Evelyn T. Beck, Peter U. Beicken, Friedrich Beissner, Walter Benjamin, Charles Bernheimer, Hartmut Binder, Hartmut Böhme, Jürgen Born, Bianca Maria Bornmann, Max Brod, Massimo Cacciari, Elias Canetti, Claude David, Kasimir Edschmid, Wilhelm Emrich, Karl-Heinz Fingerhut, Ulrich Gaier, Eduard Goldstücker, Ronald Gray, Erich Heller, Ingeborg C. Henel, Clemens Heselhaus, Heinz Hillmann, Werner Hoffmann, Wolfgang Jahn, Gerhard Kaiser, Hellmuth Kaiser, Jörgen Kobs, Winfried Küdszus, Paul L. Landsberg, Eugen Loewenstein, Claudio Magris, Ferruccio Masini, Ladislao Mittner, Robert Musil, Gerhard Neumann, Malcolm Pasley, Ernst Pawel, Heinz Politzer, Franco Rella, Marthe Robert, Laurence Ryan, Jost Schillemeit, Carlo Sgorlon, Richard Sheppard, Jean Starobinski, Johannes Urzidil, Klaus Wagenbach, Martin Walser, Luciano Zagari, Giorgio Zampa, Anna Zanoli. Ma, fra tutti, mi è caro ricordare i nomi di Maurice Blanchot e di Walter H. Sokel.

Le sigle e il numero di pagine, contenute nell'elenco delle citazioni, rinviano ai seguenti volumi:

Be.: *Beschreibung eines Kampfes. Novellen-Skizzen-Aphorismen aus dem Nachlass*, herausgegeben von Max Brod, Fischer 1980.

Be. I-II: *Beschreibung eines Kampfes. Die zwei Fassungen*, Textedition von Ludwig Dietz, Fischer 1969.

Br.: *Briefe 1902-1924*, herausgegeben von Max Brod, Fischer 1975.

Br.F.: *Briefe an Felice*, herausgegeben von Erich Heller und Jürgen Born, Fischer 1976.

Br.M.: *Briefe an Milena*, erweiterte Neuausgabe, herausgegeben von Jürgen Born und Michael Müller, Fischer 1983.

Br.O.: *Briefe an Ottla und die Familie*, herausgegeben von Hartmut Binder und Klaus Wagenbach, Fischer 1974.

E.: *Erzählungen*, herausgegeben von Max Brod, Fischer 1980.

Hoch.: *Hochzeitsvorbereitungen auf dem Lande, und andere Prosa aus dem Nachlass*, herausgegeben von Max Brod, Fischer 1980.

Pr.: *Das Prozess*, herausgegeben von Max Brod, Fischer 1980.

Schl.: *Das Schloss*, kritische Ausgabe, herausgegeben von Malcolm Pasley, Fischer 1983.

Tgb.: *Tagebücher 1910-1923*, herausgegeben von Max Brod, Fischer 1983.

Ver.: *Der Verschollene*, kritische Ausgabe, herausgegeben von Jost Schillemeit, Fischer 1983.

Brod: Max Brod, *Über Franz Kafka*, Fischer Taschenbuch Verlag 1974.

Nelle citazioni da Kafka, ho adottato le traduzioni italiane, quasi tutte buone o eccellenti. Per *Il processo*, quella di Giorgio Zampa (Adelphi): per tutti gli altri libri quelle contenute nelle edizioni Mondadori, a cura di Italo Alighiero Chiusano, Rodolfo Paoli, Ervino Pocar, Anita Rho, Alberto Spaini. Quando era necessario, queste traduzioni sono state corrette.

Tra i molti motivi di gratitudine, che ho con Roberto Calasso e Federico Fellini, vi è anche quello di aver letto il dattiloscritto di questo libro, e di avermi dato consigli. Sono grato a Hartmut Binder, a Bianca Maria Bornmann, a Ida Porena e a Luciano Zagari per i loro pareri intorno a un particolare della vita di Kafka.

luglio 1986

Il numero in tondo indica la pag.; i numeri in *corsivo* indicano le righe.

10, *5-6:* Br.F. 79
12, *15-18:* Br.F. 352
13, *16-18:* Tgb. 100
14, *18:* E. 34
14, *34-37* / 15, *1-7:* Br. 9-10
15, *10-12:* Br. 19
15, *17-19:* Br. 20
16, *17-33:* Br. 14
17, *10-11:* Hoch. 10
17, *28-31:* Be. I-II 106
18, *33-36:* E. 134
19, *3-8:* Tgb. 497
19, *20-22:* Tgb. 9
21, *4-9:* Tgb. 129
21, *24-26:* Tgb. 400
21, *33-37* / 22, *1-2:* Br.F. 140
22, *10-11:* Tgb. 121
23, *12-22:* Br.F. 71
23, *33-37:* Tgb. 223
24, *31-33:* Tgb. 334
24, *36-37:* Tgb. 344
25, *3-12:* Br.F. 693
25, *34-37:* Tgb. 393
26, *5-6:* Hoch. 305
26, *37* / 27, *1:* Tgb. 15
27, *14-23:* Br. 164
28, *7-9:* Tgb. 20
28, *11-14:* Tgb. 319

28, *28-35:* Hoch. 418
28, *35-37* / 29, *1-5:* Be. 216
29, *11-13:* Be. 216
29, *27-28:* Be. 222
30, *3-4:* Be. 222
30, *27-29:* Tgb. 9
30, *34-37* / 31, *1-14:* Tgb. 97, 218, 222, 343
34, *1-4:* Br.F. 61-62
34, *30-31:* Tgb. 204
38, *2-4:* Br.F. 45
38, *17-26:* Br.F. 43
40, *9-13:* Br.F. 181
43, *7-9:* Br.F. 172
43, *17-21:* Br.F. 186
45, *29-37:* Br.F. 214-15
46, *13-18:* Br.F. 211
46, *29-31:* Br.F. 208
47, *10-16:* Br.F. 384, 389
48, *37* / 49, *1-3:* Br.F. 175
49, *13-14:* Br.F. 93
49, *24-27:* Br.F. 206
50, *1-6:* Br.F. 101-2
50, *12-17:* Br.F. 107, 235
51, *2-6:* Br.F. 352
52, *4-8:* Br.F. 320
52, *13-24:* Br.F. 328-29
52, *26:* Br.F. 343

53, *15-17:* Br. 85
53, *25-27 / 54, 1-2:* Tgb. 20
54, *10:* Br. 100
54, *27:* Tgb. 212
55, *12-14:* Tgb. 210
55, *25-26:* Br.F. 67
56, *14-16:* Br.F. 197
57, *31-37 / 58, 1-4:* Br.F. 250
60, *10-11:* Tgb. 203, 312
61, *33-37 / 62, 1-3:* Br. 254
69, *10-11:* E. 85
69, *34-37 / 70, 1-3:* E. 86
70, *7-8:* E. 86-87
71, *1:* E. 89
71, *30-33:* E. 91
73, *9-10:* E. 98
74, *9-13:* E. 99
74, *21-23:* E. 100-1
77, *12-14:* Br. 107
79, *20-24:* Br.F. 204
82, *18-19:* Hoch. 30
87, *12:* Ver. 40
103, *18-27:* Ver. 387
106, *9-20:* Ver. 388
106, *37:* Ver. 401
108, *10-11:* Ver. 412-13
109, *3-4:* Tgb. 344
110, *19-20:* Pr. 7
114, *2-4:* Tgb. 225
114, *13-18:* Br.F. 433
114, *23-32:* Br.F. 402-3
114, *34-37 / 115, 1:* Br. 122
115, *12-17:* Br. 420
115, *26-29:* Tgb. 226
116, *1-8:* Br.F. 408
116, *11-13:* Br.F. 450
116, *24-26:* Br.F. 472-73
116, *28-31:* Br.F. 464
116, *35-36:* Br.F. 479
117, *11-18:* Br.F. 512
118, *6-14:* Br.F. 272
118, *37 / 119, 1-13:* Br.F. 533-34
120, *5-6:* Br.F. 548
120, *12-14:* Br.F. 560

120, *19-21:* Br.F. 567
120, *23-25:* Br.F. 577
120, *30-32:* Br.F. 650
121, *1-7:* Br.F. 572
121, *11-13:* Br.F. 532
121, *16-19:* Tgb. 275
122, *18:* Tgb. 293
122, *25-31:* Tgb. 293
122, *33-34:* Br. 131
123, *6:* Tgb. 299
123, *12-13:* Tgb. 315
123, *24-27:* Tgb. 300
123, *35-37:* Tgb. 294
124, *22:* Tgb. 301
125, *18-19:* Tgb. 317
126, *13-15:* Tgb. 290
126, *24-25:* Tgb. 291
130, *11-12:* Pr. 103
137, *29-32:* Pr. 11
140, *5-6:* Pr. 132
153, *24-26:* Pr. 181
153, *30-31:* Pr. 189
154, *3-4:* Pr. 182
155, *10-11:* Pr. 189
159, *34-36:* Pr. 193
160, *20-25:* Pr. 194
161, *12-15:* Tgb. 393
163, *8-9:* Be. 55
164, *11-15:* Be. 56-57
166, *34-35:* Be. 59
167, *37 / 168, 1:* Be. 59
168, *11-25:* Be. 59-60
172, *11-19:* Br. 279-80
172, *36-37:* Hoch. 71
173, *17-20:* E. 115
174, *7-11:* Br.F. 757
174, *34-36:* Br. 161
175, *11-16:* Br. 177
175, *26-29:* Br. 167
176, *3-4:* Br. 179
176, *21-23:* Tgb. 381
176, *24-27:* Br.F. 758
176, *36-37 / 177, 1-2:* Hoch. 72-74

177, *9-10:*   *Br.* 186
177, *18-19:*   *Br.* 161
178, *12-13:*   *Hoch.* 73
178, *22-27:*   *Br.* 198
180, *5-6:*   *Tgb.* 382
180, *18-19:*   *Hoch.* 52
180, *37* / 181, *1:*   *Hoch.* 53
181, *13-14:*   *Hoch.* 55
181, *17-18:*   *Hoch.* 61
181, *30-31:*   *Hoch.* 52
182, *6-7:*   *Hoch.* 52
182, *9-11:*   *Hoch.* 61
182, *21-22:*   *Hoch.* 60
182, *37:*   *Hoch.* 36
183, *17:*   *Hoch.* 65
183, *20-21:*   *Hoch.* 79
184, *10-22:*   *Hoch.* 80
184, *26-28:*   *Hoch.* 75
184, *32-35:*   *Hoch.* 69
185, *2-7:*   *Hoch.* 69, 83
185, *10-12:*   *Hoch.* 69
185, *14-22:*   *Hoch.* 67, 71
185, *22-26:*   *Hoch.* 67, 75
185, *30-32:*   *Hoch.* 66, 77
185, *33-34:*   *Hoch.* 67
186, *8-10:*   *Hoch.* 69
186, *10-12:*   *Hoch.* 72
186, *15-17:*   *Hoch.* 62
186, *20-21:*   *Hoch.* 71
186, *29-32:*   *Hoch.* 249, 59
186, *33* / 187, *1-6:*   *Hoch.* 53, 59, 63
187, *8-24:*   *Hoch.* 67, 68, 84
188, *4-6:*   *Hoch.* 69
188, *13-15:*   *Hoch.* 61
188, *20-21:*   *Hoch.* 69
188, *33-35:*   *Hoch.* 64
189, *28-30:*   *Hoch.* 74
190, *10:*   *Hoch.* 86
190, *22-23:*   *Hoch.* 61
190, *24-25:*   *Hoch.* 67
191, *24-36:*   *Hoch.* 56
192, *11-19:*   *Hoch.* 56
192, *22-24:*   *Hoch.* 62, 61

192, *25-28:*   *Hoch.* 55, 62
192, *31-37* / 193, *1-12:*   *Hoch.* 70
193, *19-37* / 194, *1-3:*   *Hoch.* 60
194, *6-20:*   *Hoch.* 54
194, *32-37* / 195, *1-21:*   *Hoch.* 66
195, *24:*   *Hoch.* 280
198, *20-26:*   *Br. M.* 4
199, *4-8:*   *Br. M.* 8-10
199, *11-20:*   *Br. M.* 9
199, *23-24:*   *Br. M.* 11
200, *8-14:*   *Br. M.* 44-45
201, *8-20:*   *Br. M.* 36
201, *23-26:*   *Br. M.* 57
201, *31-37* / 202, *1-5:*   *Br. M.* 60-61
202, *14-19:*   *Br. M.* 29
203, *4-10:*   *Br. M.* 38
204, *7-15:*   *Br. M.* 27, 136
205, *14-19:*   *Br. M.* 80
205, *23-24:*   *Br. M.* 81
206, *20-22:*   *Br. M.* 117
206, *22-24:*   *Br.* 317-18
206, *25-28:*   *Br. M.* 147-48
206, *30-33:*   *Br. M.* 93
208, *7-9:*   *Br. M.* 104
208, *31-32:*   *Br. M.* 104
208, *36-37* / 209, *1-3:*   *Br. M.* 112
209, *9-11:*   *Br. M.* 98
209, *14-18:*   *Br. M.* 121
209, *23-29:*   *Br. M.* 216
210, *2-9:*   *Br. M.* 123
212, *4-5:*   *Br. M.* 158
212, *21-22:*   *Br. M.* 290
212, *28-32:*   *Br. M.* 129
214, *6-10:*   *Br. M.* 263, 290
214, *34-35:*   *Br. M.* 134
215, *8:*   *Br. M.* 296
215, *13-17:*   *Br. M.* 228
215, *21-31:*   *Br. M.* 262
216, *22-23:*   *Br.* 317
217, *17:*   *Tgb.* 396